ESSAIS
DE LINGUISTIQUE GÉNÉRALE

ROMAN JAKOBSON

ESSAIS DE LINGUISTIQUE GÉNÉRALE

TRADUIT DE L'ANGLAIS ET PRÉFACÉ PAR NICOLAS RUWET

ARGUMENTS

14

LES ÉDITIONS DE MINUIT

PRÉFACE

Nous présentons ici onze essais récents (le plus ancien date de 1949, le dernier, « Tension et laxité », vient de paraître en anglais) de Roman Jakobson : ces essais portent sur la plupart des problèmes fondamentaux qui se posent à la linguistique structurale, dans ses différents domaines : phonologie, grammaire, sémantique, rhétorique, poétique, rapports avec les disciplines voisines.

On ne s'étonnera pas de voir la collection « Arguments » publier un ouvrage de linguistique générale : le rôle de pilote que joue la linguistique à l'égard des autres sciences humaines est devenu évident. Non seulement la linguistique est la première des disciplines qui ont l'homme pour objet à avoir élaboré une méthodologie rigoureuse et à s'être vraiment constituée en science, mais, d'un autre côté, les anthropologues se persuadent de plus en plus que le langage, ou, plus généralement, la fonction symbolique, est le caractère le plus propre à définir l'homme.

Roman Jakobson est né à Moscou en 1896 (1). Il étudia à l'Institut Lazarev des Langues Orientales, à l'Université de Moscou, et, après son départ de Russie, à l'Université de Prague, dont il sera docteur en 1930. Dès sa jeunesse, il témoigne d'une universalité et d'une diversité d'intérêts qui ne se démentiront jamais dans la suite de sa carrière. Il fait des recherches sur le terrain, s'intéresse à la dialectologie, au folklore et à l'ethnographie russes. Sur le plan théorique, il découvre Saussure, Husserl, et subit l'influence de Baudouin de Courtenay, le précurseur de la phonologie. Il suit

---

(1) Pour les détails biographiques, je me suis largement servi du bref *Portrait* de Jakobson, dû à Victor Erlich, et paru dans *Orbis. Bulletin International de Documentation Linguistique*, VII, 1, Louvain, 1958.

de près le développement des mouvements artistiques d'avant-garde, notamment le cubisme et le futurisme ; il se lie d'amitié avec Maïakovsky et Khlebnikov. Plus tard, il se plaira à souligner le rôle décisif qu'auront joué, dans son orientation vers le structuralisme, des créateurs comme Picasso, Joyce, Stravinski ou Braque (dont il cite la phrase : « Je ne crois pas aux choses, mais aux relations entre les choses ») (1962, e, p. 632) (1). Cofondateur et président du Cercle Linguistique de Moscou (1915-1920), il joue un rôle déterminant dans la genèse de la fameuse école des « formalistes » russes, à qui l'on doit une des premières tentatives sérieuses d'étude scientifique de la littérature et du langage poétique (2).

En 1920, Jakobson s'établit en Tchécoslovaquie, où il va vivre pendant tout l'entre-deux-guerres ; il y occupera, à partir de 1933, la chaire de Philologie Russe, et aussi, à partir de 1937, celle de Littérature Tchèque Ancienne, à l'Universalité Masaryk de Brno. En 1921, il publie un travail (rédigé en fait deux ans plus tôt) sur la poésie russe moderne — c'est surtout une étude de l'œuvre de Khlebnikov — Novejšaja russkaja poezija. Deux ans plus tard paraît une importante étude de métrique comparée : « Sur le vers tchèque, comparé au vers russe » (1923, b). Jakobson reste en contact avec les formalistes russes, il écrit sur Maïakovsky (1930 ; 1931, a), Pouchkine (1937, a), les poètes tchèques Erben (1936, a) et Macha (1938, b), et donne une première élaboration des concepts de métaphore et de métonymie, dans son article sur la 'prose de Pasternak (1935). Il passe progressivement du formalisme, préoccupé exclusivement de problèmes de technique littéraire, au structuralisme. A cet égard, il est intéressant de citer les thèses qu'il publia en 1928, en collaboration avec J. Tynjanov, dans la revue soviétique Novyi Lef, au moment où faisait rage la polémique entre les partisans de l'analyse purement formelle en littérature et les tenants de l'explication par l'infrastructure économique. Sous une forme très condensée, elles rendent un son prophétique :

> *« L'histoire littéraire est intimement liée aux autres « séries » historiques. Chacune de ces séries est caractérisée par des lois structurales propres. En dehors de l'étude de ces lois, il est impossible d'établir des connexions entre la « série » littéraire*

---

(1) Les indications entre parenthèses renvoient à la bibliographie en fin de ce volume.

(2) Sur le formalisme russe, voir V. Erlich, *Russian Formalism. History, Doctrine*, La Haye, 1955. Sur les rapports entre structuralisme et formalisme, voir Cl. Lévi-Strauss, « La structure et la forme », in *Cahiers de l'ISEA*, 99, série M., 7, 1960.

et les autres ensemble de phénomènes culturels. Etudier le système des systèmes, en ignorant les lois internes de chaque système individuel, serait commettre une grave erreur méthodologique. » (1)

C'est, vingt-cinq ans à l'avance, un des points essentiels du programme de l'anthropologie structurale qui se trouve ici esquissé.

Pendant l'entre-deux-guerres, l'activité de Jakobson est intimement liée à celle du Cercle Linguistique de Prague. Il participe à sa fondation en 1926, en devient le vice-président et se montre, avec Troubetzkoy, un de ses porte-paroles les plus incisifs. Au cours des années trente, il participe activement à l'élaboration de la doctrine phonologique, dont il avait déjà, plusieurs années auparavant, dans ses travaux de poétique, entrevu certains des principes fondamentaux (dans son étude sur le vers tchèque, la hiérarchie des valeurs prosodiques est basée sur la distinction entre éléments phoniques « signifiants » et « non signifiants ») ; il jette les fondements de la phonologie historique (1929, b ; 1949, a), de l'étude des aires (1949, b) et de la morphologie structurale (1932, a ; 1936, b ; 1939, b). Dans ses « Observations sur le classement phonologique des consonnes » (1939, a), on trouve une première esquisse de la théorie des oppositions binaires en phonologie.

Avec l'invasion de la Tchécoslovaquie par les nazis, Jakobson est obligé de s'exiler une seconde fois. Après un séjour de deux ans en Scandinavie, où il enseigne successivement à Copenhague, Oslo et Uppsala, et où il publie son livre fondamental, Kindersprache, Aphasie und allgemeine Lautgesetze (1941), il part pour les Etats-Unis. A New-York, il est, de 1942 à 1946, professeur de linguistique à l'Ecole Libre des Hautes Etudes, où commence une étroite collaboration avec Cl. Lévi-Strauss. Il enseigne ensuite à l'Université de Columbia. Il est depuis 1950 professeur de Langues et de Littératures Slaves, ainsi que de Linguistique Générale, à l'Université de Harvard. Il est aussi maintenant, en même temps, professeur au MIT (Massachusetts Institute of Technology).

En plus d'une intense activité pédagogique, Jakobson a continué, depuis la guerre, à publier dans les domaines les plus variés. A côté des essais réunis dans le présent volume, des Preliminaries to Speech Analysis — écrits en collaboration avec Fant et Halle (1952, c) — et de divers travaux phonologiques, il faut citer de nombreuses études sur la culture slave, la mythologie et le folklore (1945 ; 1950, a) la tradition épique russe (1949, g), la philologie et la poétique slaves

---

(1) Cité d'après V. Erlich, *Russian Formalism*, p. 111.

(1952, d ; 1962, b), les langues paléosibériennes (1942; 1952, a ; 1957, e), etc. Il a notamment apporté une contribution importante au volume collectif La Geste du Prince Igor *(1948, a). Il a participé activement aux travaux du Cercle Linguistique de New-York et à la direction de son journal,* Word. *Il a été en 1956 président de la Société Linguistique d'Amérique, et est membre de nombreuses sociétés savantes et académies.*

Les éditions Mouton and Cᵒ (La Haye) ont entrepris la publication, en quatre langues (russe, allemand, français, anglais) de ses Œuvres Choisies, *qui comprendront sept ou huit volumes. Le premier, qui reprend la plupart de ses textes importants sur la phonologie, vient de paraître. Depuis 1950, Jakobson est le directeur d'un vaste projet de description et d'analyse du russe commun contemporain, entrepris sous les auspices de la Fondation Rockefeller, et auquel travaillent plusieurs de ses disciples (cf. Halle, 1959, Fant, 1960, van Schooneveld et Bruning, 1961). Enfin, depuis plusieurs années, Jakobson travaille à un grand traité de linguistique générale,* Sound and Meaning *(à paraître conjointement chez Wiley and Sons et The Institute of Technology Press), dont la publication marquera sans doute une date aussi importante que celles du* Cours *de Saussure ou des* Principes *de Troubetzkoy.*

*
* *

Roman Jakobson n'est pas un inconnu dans les milieux scientifiques français. Dès avant la guerre, plusieurs de ses textes importants avaient paru en français (1929, b ; 1939, a, b), et trois autres figurent en appendice à la traduction des Principes de Phonologie *de Troubetzkoy (1949, a, b, c) ; il a aussi toujours entretenu des rapports de collaboration et d'amitié avec des linguistes français notables, par exemple E. Benveniste. De plus, depuis quelques années, par l'intermédiaire des travaux et de l'enseignement de Cl. Lévi-Strauss et de J. Lacan, il exerce une grande influence dans les milieux de l'ethnologie et de la psychanalyse ; certains des concepts qu'il a élaborés — tels que ceux de métaphore et de métonymie (cf. ch. II) — l'analyse qu'il a donnée du procès de communication (cf. ch. I, IX et XI), et, d'une manière générale, une conception de la structure qui lui doit beaucoup, commencent à y être d'un usage courant.*

Il faut dire toutefois que, dans certains cercles linguistiques, la théorie phonologique de Jakobson a éveillé une certaine méfiance. C'est la question du « binarisme » (mot qui n'est jamais utilisé par Jakobson lui-même). Comme cette théorie fait l'objet du plus long

*des essais de ce recueil (ch. VI, « Phonologie et phonétique »),
il n'est peut-être pas inutile d'y consacrer quelques remarques.*

*Nous devons d'abord insister sur la forme extrêmement condensée
sous laquelle la théorie apparaît dans « Phonologie et phonétique ».
Le lecteur, en attendant la parution de* Sound and Meaning, *aura
intérêt à se reporter aux autres publications de Jakobson et ses
collaborateurs sur ce sujet (1).*

*Il est vraisemblable que les réticences dont la théorie phonologique
de Jakobson a été l'objet chez certains auteurs tiennent pour une
part à des questions de méthode et de principe, dont certaines dépassent le cadre proprement linguistique et relèvent de la méthodologie
des sciences de l'homme, voire de la méthodologie scientifique en
général. En bref, les désaccords se ramènent à une divergence fondamentale sur la notion même de structure : les critiques viennent
d'auteurs qui en restent à une position intermédiaire entre des conceptions assez traditionnelles — empiristes et naturalistes — et
une conception vraiment structurale des phénomènes. Ce n'est pas
ici le lieu de reprendre les discussions classiques sur la nature des
hypothèses scientifiques (2), le rôle de la formalisation dans la
recherche, les rapports entre expérimentation et observation, modèle
et réalité empirique, ordre de la structure et ordre de l'événement.
On trouvera ces problèmes débattus ailleurs, notamment dans les
travaux théoriques de Cl. Lévi-Strauss.*

*En revanche, si nous nous plaçons sur le plan proprement pho-
nologique, il importe de saisir exactement à quels types de problèmes
la théorie de Jakobson tente d'apporter une solution. On s'apercevra
peut-être que le caractère « binariste » de la théorie n'est en définitive
qu'une conséquence de l'effort entrepris pour satisfaire à des exi-
gences auxquelles des théories plus traditionnelles ne satisfaisaient
pas ou n'accordaient guère d'attention.*

*Le problème central est le suivant : il est assez facile d'établir
l'existence, le simple* fait, *de différences phoniques jouant un rôle*

---

(1) Voir notamment : Jakobson, 1949 d, 1949 f, 1952 c (avec Fant et Halle),
1953 a (avec Cherry et Halle), 1957 c, et en particulier le texte publié en appen-
dice des *Selected Writings*, I, sous le titre de « Retrospect ». Voir aussi Halle,
« The strategy of phonemics », *Word*, 10 : 197-209, 1954 (= *Linguistics today*),
« In defence of the number two », in *Studies presented to Joshua Whatmough*,
La Haye, 1957, *The Sound Pattern of Russian*, La Haye, 1959 ; E.C. Cherry,
On Human Communication, New York, 1957 (p. 90 sv) ; Fant, *Acoustic Theory
of Speech Perception*, La Haye, 1960 ; *IV th International Congress of Phonetic
Sciences*, Helsinki, sept. 1961 : *Proceedings* (La Haye, 1963) — notamment les
contributions de Jakobson, Halle, Shaumian — ; ainsi que les comptes-rendus
de Chao (*Romance Philology*, 8 : 40-46, 1954), de Groot (*Word*, 9 : 58-64, 1953),
Garvin (*Language*, 29 : 472-81, 1953) et Chomsky (*IJAL*, 23 : 234-42, 1957).

(2) On trouvera des remarques intéressantes sur ce sujet dans l'article cité
de Halle, « In defence of the number two ».

distinctif dans une langue donnée. Le principe de commutation suffit pour reconnaître qu'il y a, à l'initiale de pont *et de* bond, *par exemple, une différence phonique correspondant à une différence de sens et qui donc joue un rôle distinctif dans la langue en question. La difficulté (cf. Jakobson, 1949 f, p. 206) surgit quand il s'agit de caractériser la nature interne de cette différence, autrement dit de déterminer quelle est, ou quelles sont, la ou les qualités phoniques mises en jeu, et quel est le statut de ces qualités. Cette difficulté n'est d'ailleurs pas propre à la phonologie, et nous la retrouvons dans d'autres domaines, comme l'a bien vu Cl. Lévi-Strauss :*
« *Une autre difficulté tient à la complication naturelle des logiques concrètes, pour qui le fait de la liaison est plus essentiel que la nature des liaisons ; sur le plan formel, elles font, si l'on peut dire, flèche de tout bois. Il s'ensuit que, devant deux termes donnés en connexion, nous ne pouvons jamais postuler la nature formelle de celle-ci... La linguistique structurale retrouve aujourd'hui cette difficulté, bien que sur un terrain différent, parce qu'elle aussi se fonde sur une logique qualitative : elle saisit des couples d'oppositions formés de phonèmes, mais l'esprit de chaque opposition demeure largement hypothétique ; au stade préliminaire, il est difficile, pour les définir, d'éviter un certain impressionnisme, et plusieurs solutions restent longtemps possibles...* » *(*La Pensée sauvage, *pp. 88-89).*

L'idéal serait donc de donner une classification des qualités phoniques distinctives qui éliminerait l'impressionnisme, donnerait dans chaque cas une solution unique, et serait aussi simple que possible.

*La première exigence que pose Jakobson est celle d'une définition strictement relationnelle, relative, des qualités distinctives (*distinctive features, « *traits distinctifs* », *ou* « *éléments différentiels* » *de Saussure) (1). En principe, on pourrait admettre la possibilité de décrire les caractéristiques phoniques des phonèmes en termes absolus et positifs. En fait, une telle description serait extrêmement compliquée et pratiquement inapplicable à la totalité d'un système phonologique ; de plus, elle entrerait en conflit avec le point de vue fonctionnel. En danois, on trouve en position initiale (ou forte) [t] et [d], en position médiane (ou faible) [d] et [ð] ; comme ces*

---

(1) Jakobson aurait aimé que le terme *distinctive features,* qu'il avait repris de Bloomfield, fût traduit par ce terme saussurien, qui a l'avantage d'insister sur cet aspect relationnel. Pour maintenir une certaine unité dans la terminologie internationale, il a finalement préféré garder le terme « traits distinctifs », qui est d'un usage courant en français.

trois formes ne se rencontrent jamais toutes les trois dans les mêmes contextes, le critère fonctionnel, et celui de simplicité, exigent que nous ne reconnaissions que deux phonèmes, présentant des variations contextuelles. La solution que propose Jakobson (cf. Preliminaries, *p. 6, et* Harris, Methods in Structural Linguistics, *p. 148) est de grouper le* [t] *initial et le* [d] *médian en un seul phonème, présentant le trait de* tension : *en position initiale,* [t] *est relativement* tendu, *par rapport à* [d], *et, en position médiane,* [d] *est relativement* tendu *par opposition à* [ð].

Sans doute, en particulier pour certaines dimensions phonétiques (par exemple voisé/non-voisé, nasalisé/non-nasalisé), il existe des cas où les traits distinctifs sont identifiables en termes absolus : la présence du voisement ou de la nasalité s'oppose à leur absence complète. Mais, comme le remarque Jakobson, « même dans les cas cités, des variations peuvent considérablement limiter l'applicabilité de critères absolus à la détection des invariants. Par exemple, dans certaines positions où, soit les voyelles orales, soit les consonnes non-voisées subissent une assimilation partielle à leur environnement nasal ou voisé, la différence entre présence et absence de la nasalité ou de la voix peut faire place à une discrimination entre un maximum et un minimum de nasalisation ou de voisement. » (« Retrospect », p. 643).

La reconnaissance du caractère relatif des traits distinctifs a pour conséquence la nécessité d'apporter un plus grand soin dans la recherche des dimensions pertinentes : *en effet, tel trait ne se définira que par sa place relative à celle d'un, ou de plusieurs autres traits, sur un axe allant, par exemple, du voisement complet, à l'absence complète de voisement.*

Les classifications phonologiques traditionnelles avaient bien vu le caractère relationnel des traits distinctifs, mais dans certains cas seulement. Elles restaient hybrides. En particulier, le classement des consonnes selon le point d'articulation n'autorisait qu'une caractérisation positive, absolue, de /p/, /t/, /k/, *etc., comme étant respectivement bilabial, apical, vélaire, etc. Or, non seulement cette classification négligeait le fait que les* relational gaps *(« distances relationnelles ») entre ces consonnes n'ont rien à voir avec la simple « place d'articulation » (Sapir), mais, à partir du moment où l'on admet que l'existence de phonèmes avec voisement (relatif) distinctif implique l'existence de phonèmes avec non-voisement distinctif, « alors il n'y a aucune raison de dénier l'existence d'une relation*

semblable entre le /k/ et le /t/ du français. » (Retrospect », p. 645)(1).
« Dans une langue possédant ces deux phonèmes, chacun possède
l'un de deux attributs opposés, compact/diffus, et l'existence de
l'une de ces propriétés distinctives implique nécessairement l'exis-
tence de l'autre. D'autre part, dans un système consonantique qui
ne possède pas l'opposition compact/diffus, la présence de /t/, de
toute évidence, ne peut impliquer l'existence de /k/. Par exemple,
en tahitien, l'occlusive /t/ possède seulement le trait aigu par oppo-
sition à /p/, grave, tandis qu'en oneida, où manquent les consonnes
labiales, /t/ ne joue aucun rôle dans l'opposition grave/aigu (/a/ : :
/e/ : : /o/ : /i/ : : /w/ : /j/), mais présente seulement le trait diffus
(/t/ : /k/ : : /i/ : /e/ : : /o/ : /a/ : : /ū/ : /ƛ̃/). Ainsi, l'analyse en
traits distinctifs révèle la différence cardinale qui sépare le /t/ oneida
du /t/ tahitien, en dépit de leur similitude phonétique » (« Retros-
pect », p. 645).

A vrai dire, la reconnaissance du caractère relationnel des traits
distinctifs n'implique pas nécessairement qu'un seul type de relation — l'opposition binaire — ait cours parmi eux. Théoriquement,
d'autres types de relations sont possibles. Mais, d'abord, l'opposition binaire est le type le plus simple de relation, et est donc particulièrement apte à être utilisée dans un système où la seule fonction
des relations est de distinguer, de maintenir les termes différents (2).
D'autre part, l'application systématique du critère relationnel
dans la détermination des traits distinctifs a permis, empiriquement,
de découvrir le caractère binaire d'un certain nombre de relations
qui restaient jusque là dans l'ombre, telles que, notamment, l'opposition grave/aigu, pour les consonnes comme pour les voyelles, et
l'opposition compact/diffus pour les consonnes.

Une seconde exigence qu'apporte Jakobson est celle d'une description des traits distinctifs aux différents niveaux — articulatoire, acoustique, nerveux, perceptif — qui correspondent aux étapes
successives du procès de communication (cf. « Phonologie et phoné-

---

(1) On pourrait formuler les choses d'une autre façon. Supposons que, pour
le français, on a établi les proportions : /pa/ (de *pas*) : /ba/ (de *bas*) : : /po/
(de *peau*) : /bo/ (de *beau*) : : /pɛ̃/ (de *pain*) : /bɛ̃/ (de *bain*), etc., d'une part et
/pa/ : /ta/ (de *las*) : : /po/ : /to/ (de *taux*) : : /pɛ̃/ : /tɛ̃/ (de *teint*), etc., de l'autre. Si
nous caractérisons la première par l'opposition tendu/lâche, mais la seconde par
l'opposition bilabial/apical, il est évident que, sur le plan logique, il n'y a pas
homogénéité : tendu et lâche se situent le long d'une même dimension et s'impliquent mutuellement, tandis que, en qualifiant /p/ de bilabial et /t/ d'apical,
je les ai bien décrits — partiellement — sur le plan articulatoire, mais je n'ai
rien dit de la relation qui les unit.

(2) « L'échelle dichotomique... est simplement un corollaire du rôle purement
différentiel joué par les entités phonématiques. » (Jakobson, 1949 f, p. 210).

tique », 3.71). Pour bien la comprendre, il importe absolument de distinguer entre l'aspect théorique et l'aspect purement pratique du problème. Sur le plan purement pratique, il est fort possible, par exemple, qu'à l'heure actuelle, il soit encore plus avantageux et plus facile, pour un observateur sur le terrain, de décrire le système phonologique d'une langue donnée d'abord en termes articulatoires — le niveau articulatoire restant plus familier et mieux connu que les autres. Cet aspect pratique de la question (1) ne change rien à l'exigence théorique d'une description des éléments du langage à tous les niveaux où ils ont une réalité, et à la nécessité d'introduire une méthode qui permette de passer d'un niveau à l'autre. Or, non seulement les classifications traditionnelles étaient faites en termes presque exclusivement articulatoires, mais encore elles utilisaient des catégories dont certaines (principalement encore une fois le point d'articulation consonantique) étaient difficilement transposables aux autres niveaux. Un des buts de la classification binariste est précisément de fournir une « métastructure » qui permette une traduction aisée d'un niveau à un autre.

C'est en particulier le recours au niveau perceptif qui a été critiqué, comme étant « de l'acoustique impressionniste, subjective ». Mais il y a dans cette critique, d'une part une confusion entre deux niveaux qui sont en fait bien distincts (2), et, d'autre part, une illusion sur la nature de l'objectivité dans les sciences humaines : les faits subjectifs font partie intégrante de l'objet de l'anthropologie ; en particulier, « dans la communication verbale, l'impression subjective de l'auditeur joue un rôle décisif, et, en conséquence, le niveau perceptif est d'une importance suprême pour l'analyse de la parole. C'est à partir des attributs du son tels qu'ils sont discriminés et interprétés par l'auditeur qu'il faut procéder, pour en chercher les corrélats aux niveaux physique aussi bien que physiologique. » (« Retrospect », p. 638).

Il est intéressant de remarquer, sur ce point, une rencontre entre la pensée de Jakobson et celle de Hjelmslev, le maître danois de la glossématique. Quelles que soient les divergences entre les deux

---

(1) De même d'ailleurs que des problèmes particuliers tel que celui du rôle exact du *feedback* articulatoire dans la perception, problèmes qui demandent à être résolus empiriquement.

(2) Cette confusion vient sans doute en partie de ce que, à l'origine, les théoriciens de la psycho-acoustique (terme qui, à notre avis, n'est pas heureux, dans la mesure où il favorise cette confusion) ont cru trop vite à une corrélation immédiate et simple entre les unités qu'ils dégageaient au niveau perceptif et les unités physiquement simples de l'acoustique. En fait, comme le remarque Halle (1959, p. 89), « il n'y a pas de relation simple entre les deux systèmes (*networks*) descriptifs. »

doctrines, il est frappant que, pour Hjelmslev, la substance (tant du contenu — du signifié — que de l'expression — du signifiant) comporte plusieurs niveaux : un niveau physique, ou acoustique sur le plan de l'expression, un niveau socio-biologique correspondant sur le plan de l'expression au niveau articulatoire, et ce qu'il appelle le niveau d'aperception ou d'appréciation collective, qui correspond sur le plan de l'expression au niveau auditif ou perceptif de Jakobson. Il existe entre ces niveaux une hiérarchie, et le plus important du point de vue de la linguistique et de la sémiologie est le niveau d'appréciation collective. Notons aussi que, dans la description de ces différents niveaux, doivent, aux yeux de Hjelmslev, jouer un grand rôle des catégories à deux termes, des « petites classes fermées », telles que, au niveau articulatoire, arrondi/non-arrondi, nasal/non-nasal, ou, au niveau d'appréciation, lourd/léger, clair/ sombre, etc. (Cf. Hjelmslev, in Essais linguistiques, Copenhague, *1959, « La stratification du langage », et aussi « Pour une sémantique structurale »).*

La nécessité d'un recours aux différents niveaux est d'autre part — en plus de son importance théorique — directement liée à la difficulté dont nous parlions en commençant : comment éviter l'impressionnisme dans le repérage et la description phonétique des dimensions qui sont en jeu dans les distinctions phonologiques constatées. L'exigence de ne retenir que des dimensions ayant une réalité aux différents niveaux du procès de communication permet d'éliminer une bonne part de l'indécision dans laquelle laisserait une analyse faite à un seul niveau, et souvent d'atteindre une « solution unique ». Supposons par exemple, que nous ayons à caractériser la relation entre /p/ et /f/. Sur le plan articulatoire, /p/ est à la fois toujours bilabial et occlusif, /f/ à la fois labiodental et fricatif. On peut être tenté, comme les labiodentales du français sont toujours fricatives, tandis que les fricatives ne sont pas toutes labiodentales (cf. /s/, /z/, /ʃ/, /ʒ/) de retenir le caractère labiodental comme seul distinctif dans le cas de /f/, par opposition à /p/, bilabial. Sans parler des problèmes logiques que cette analyse soulève (cf. plus haut), si on passe sur le plan perceptif, on voit très clairement que, /p/ et /f/ étant toutes deux graves, ce qui les distingue, c'est que l'une est une occlusive (plus précisément une discontinue mate) et l'autre une fricative (plus précisément une continue stridente) (1), la différence de point d'articulation étant difficilement

---

(1) Les continues du français sont en effet toujours stridentes, et les occlusives toujours mates ; on a donc affaire là à un « trait complexe » (v. plus loin et « Retrospect », pp. 641-42).

perçue et pouvant être tenue pour redondante. Ceci étant acquis, si on part de l'opposition établie sur le plan perceptif, et si on cherche ses équivalents sur les autres plans, on s'aperçoit qu'il est possible de trouver des caractéristiques, tant acoustiques qu'articulatoires, qui lui correspondent sans équivoque (cf. « Phonologie et phonétique », 3.61, VII et VIII).

Le recours aux différents niveaux sert donc de contrôle pour assurer la validité des dimensions retenues. Comme le dit Halle, « pour nous, le critère majeur de l'applicabilité d'une certaine catégorie à la description linguistique est de savoir si, oui ou non, cette catégorie fournit des formulations (statements) simples, non seulement au niveau particulier pour lequel elle a été forgée, mais à tous les niveaux qui sont pertinents pour la description d'une langue. Elle doit toujours satisfaire à une multiplicité de critères. » (The strategy of phonemics », p. 199).

Une notion qui joue un rôle essentiel chez Jakobson, et qui n'a pas toujours été comprise, est celle de r e d o n d a n c e. Avant tout, comme Jakobson n'a cessé de le rappeler (cf. ch. V, p. 81), il importe de ne pas identifier traits distinctifs et traits redondants avec, respectivement, traits pertinents et traits non-pertinents. Redondant n'est, d'aucune manière, synonyme de superflu. *Au contraire, la redondance (1) doit être conçue comme une* fonction. *La référence aux ingénieurs de la communication devrait suffire à éclairer ce point (2). Mais Jakobson a lui-même, à plusieurs reprises, marqué que les traits redondants ont pour fonction d'aider à l'identification de traits adjacents ou successifs, d'une part, et que, dans des conditions d'émission ou d'audition déformées, ils peuvent même se substituer aux traits distinctifs (cf. VI, 2.2, ainsi que Cherry, Halle et Jakobson, 1953, p. 32).*

En vérité, l'introduction du concept de redondance doit être comprise comme une des manifestations de la volonté — centrale dans la pensée linguistique de Jakobson — de différencier au maximum, et les niveaux, et les fonctions du langage. De ce point de vue, la

---

(1) Cf. Cherry, 1957, p. 115 : « La redondance, terme plutôt malheureux, étant donné le rôle important qu'il joue. »

(2) « Le fait de la redondance rend plus sûr le fonctionnement (*increases the reliability*) de la communication verbale et lui permet de résister à de nombreux types de distorsion. En limitant le nombre de discriminations exigées de l'auditeur, et en aidant ce choix grâce au codage redondant de l'information, nous faisons de la conversation une besogne raisonnablement satisfaisante. » (S.S. Stevens, « A definition of communication », *JASA*, 22.6, 1950, cité d'après *Preliminaries*, p. 8).

« *réduction* » *qui aboutit aux tableaux d'oppositions distinctives binaires est strictement corrélative de l'effort fait pour distinguer les différents types de traits, distinctifs, redondants, expressifs, configuratifs : elle doit permettre d'aborder l'étude de ces types « essentiellement différents » (« Retrospect ») de traits, et de mieux apprécier la « stratification multiple et complexe » du langage. L'abstraction, la simplification, sont le moyen de la différenciation (1).*

Un exemple de la différenciation qu'apporte la notion de redondance est offert par la question des « traits complexes ». Ce terme a été introduit par de Groot pour désigner des traits qui, simples du point de vue fonctionnel, ne sont pas simples du point de vue physique ou physiologique. Soit, par exemple, le système vocalique de l'italien : /i/ s'oppose à /u/ comme aigu, non-arrondi (non-bémolisé) à grave, arrondi (bémolisé) ; ces deux oppositions (grave/aigu et bémolisé/non-bémolisé) ne fonctionnent jamais séparément pour différencier des significations (il n'existe pas en italien, par exemple, à côté de /i/ et de /u/, un /y/ aigu et arrondi, comme en français, ou un /ɨ/ grave et non-arrondi, comme en roumain) ; d'autre part, elles fonctionnent toujours en même temps : le phonème /i/ est toujours et partout à la fois aigu et non-bémolisé, et /u/ toujours et partout grave et bémolisé ; aucune des deux oppositions ne doit donc être considérée comme redondante, nous avons affaire à un « trait complexe » (Jakobson préfère maintenant l'expression de « trait syncrétique »).

Considérons, en revanche, dans les consonnes, les oppositions tendu/lâche, d'une part, voisé/non-voisé, de l'autre. Dire qu'en français la première est distinctive et la seconde redondante ne signifie pas que celle-ci est superflue, mais vise simplement à rendre compte de ce fait que, dans le code explicite du français, et dans des conditions normales d'émission et de réception, il existe des cas où la première opposition est seule à fonctionner : ainsi « [ʒ], la consonne lâche voisée des formes telles que tu la jettes, devient une lâche non-voisée devant le [t] non-voisé dans vous la jetez, sans toutefois se confondre avec [ʃ], la tendue non-voisée de vous l'achetez. »
(Preliminaries, p. 38). Ainsi, les concepts de « trait complexe » et de « trait redondant » permettent de rendre compte de la différence structurale qui sépare les cas envisagés dans ces deux paragraphes.

---

(1) D'autres aspects de cette tendance à différencier au maximum les fonctions du langage sont représentées exemplairement — sur d'autres plans — par les chapitres II, « Deux aspects du langage et deux types d'aphasie », IX, « Les embrayeurs, les catégories verbales, et le verbe russe », et XI, « Poétique et Linguistique », de ce livre.

*Dès lors qu'on cesse d'identifier redondant et superflu, les objections des diachroniciens — aux yeux de qui l'élimination des redondances rendait certaines évolutions incompréhensibles — perdent de leur poids. Le concept de redondance peut au contraire jouer un rôle utile en linguistique diachronique, comme l'a suggéré C.L. Ebeling (*Linguistic Units, La Haye, 1960, pp. 141-142.)

Enfin, notons que la distinction entre traits distinctifs et traits redondants, ainsi que celle entre différents niveaux de redondance, prélude à une étude rigoureuse des effets de la situation et du contexte, et des différents modes d'ellipse.

L'application systématique de ces principes — définition relationnelle des traits distinctifs, description de ceux -ci aux différents niveaux, extraction des redondances —, de même que l'extension des notions de distribution complémentaire et de variation contextuelle (cf. « Phonologie et phonétique », 3.51) ne fournissent pas encore, à parler strictement, une justification théorique à l'universalité du principe dichotomique. Elles ont permis, cependant, à la fois de simplifier considérablement l'inventaire des oppositions distinctives, et de dégager le caractère nettement binaire de la grande masse de ces oppositions (1).

Pour l'essentiel, l'hypothèse binariste se ramène à poser, en s'appuyant sur tous ces faits, ainsi que sur des considérations psychologiques (« Phonologie et phonétique », 4.2.), l'existence d'un principe de simplicité à la base des systèmes phonologiques : l'échelle dichotomique est la plus économique possible. Ici, il convient peut-être de constater une certaine différence d'accentuation entre Jakobson et certains de ses collaborateurs. Alors que Cherry (1957, p. 91 sv.), et, dans une certaine mesure, Halle, sont plus soucieux de souligner le rôle que joue le codage binaire dans la procédure scientifique elle-même (cf. aussi la citation de Chao, « Phonologie et phonétique », 4.2.), Jakobson, lui, postule un « réalisme » du système dichotomique. Toute la question est de bien saisir où se situe le « réel » en question : il faut bien voir que ce « réel » est tout entier constitué d'opérations logiques qui sont formellement du même type que celles du savant. L'hypothèse fondamentale de Jakobson pose que, si l'organisation selon le principe binaire est la plus simple et la plus économique possible pour le savant qui ordonne ses matériaux, elle doit être aussi le principe qui sous-tend les opérations du locu-

---

(1) Sur les rapports entre la classification binariste et les classifications phonétiques traditionnelles, notamment celle de l'IPA (Association phonétique internationale), voir l'article cité de Halle, « In defence of the number two ».

teur et de l'auditeur, puisque celles-ci, du point de vue logique, ne diffèrent pas de celles du savant (1).

On pourrait terminer sur une citation qui illustre clairement cette conception : il s'agit de la conclusion de l'article sur le système phonologique de l'arabe de Palestine septentrionale (1957, c).

« D'après les calculs de Cantineau, basés sur sa description phonologique de l'arabe classique, « les 26 phonèmes du système consonantique arabe fournissent

$$\frac{26 \times 25}{2} = 325 \text{ oppositions.}$$

» (BSL, 43, 1947, p. 110). L'application de l'analyse componentielle aux 28 ou 29 phonèmes non-syllabiques de l'arabe classique (si on compte les deux semi-voyelles ainsi que l'hypothétique /ɫ/) ou aux 31 phonèmes du dialecte de Palestine septentrionale, donne en tout et pour tout 9 oppositions binaires. Le contraste de ces deux chiffres — 325 (ou même 465 dans le cas du palestinien septentrional) et 9 — illustre l'économie de l'analyse componentielle, et nous permet de supposer que les membres de la communauté linguistique arabe, locuteurs et auditeurs, dans leurs opérations quotidiennes d'encodage et de décodage, allègent leurs tâches d'émission et de perception en recourant aux critères informationnels des traits distinctifs, qui leur fournissent toujours d'avantageuses situations de choix binaire. »

***

Les autres essais réunis dans ce volume ne réclament sans doute pas une longue introduction. Nous nous bornerons à une ou deux remarques.

Un point qui frappera certainement est l'importance primordiale attribuée à la notion de communication. A ce sujet, il faut remarquer que Jakobson n'identifie pas communication et fonction référentielle ou dénotative. Il ne s'agit en aucun cas pour lui d'opposer communication et expression, ou encore communication et poésie. Il est essentiel en revanche de distinguer entre la communication, qui est le donné fondamental — une autre manière de dire que le rapport à l'autre est premier dans la définition de l'homme — et ses diverses modalités, dont la communication de contenus parti-

---

(1) Cf. « Retrospect », p. 650 : « Il existe une différence intrinsèque entre une science physique, qui impose son propre code de symboles sur les indices (dans les termes de Peirce) observés, et la phénoménologie du langage, dont la tâche est de dégager (*to break up*) le code interne effectivement sous-jacent à tous les symboles verbaux. »

culiers, relatifs à un « contexte », à un « référent », n'est qu'un cas particulier. D'un autre côté, Jakobson n'accepterait vraisemblablement pas de définir le langage simplement comme un « moyen de communication », puisque le langage est aussi, pour l'homme, ce qui fonde toute communication.

Un autre point important est l'insistance constante sur les questions de sens, l'effort fait pour définir un abord proprement linguistique des problèmes de sens (1).

Ces deux types de préoccupations se rencontrent dans ce qui est probablement un des aspects les plus originaux de la pensée de Jakobson. Nous pensons à l'esquisse, dans la théorie des fonctions du langage (cf., notamment, ch. XI), et surtout dans l'étude sur les « embrayeurs » (ch. IX,) d'une semantique dont les catégories sont dérivées de l'analyse des « données élémentaires de la communication ». Cette sémantique fournit des catégories universelles, tout en évitant, d'une part, le vide du formalisme, et d'autre part, le piège des sémantiques traditionnelles, dont les catégories reposaient sur des présupposés ethnocentriques divers.

* * *

Je remercie tout particulièrement, bien entendu, Roman Jakobson lui-même, dont l'aide m'a été constamment précieuse, qu'il s'agisse de me procurer des textes devenus difficilement accessibles, de me conseiller quand je me heurtais à des difficultés terminologiques, ou, finalement, de lire et de revoir le texte français dans son entier. Je remercie aussi vivement Morris Halle, co-auteur de « Phonologie et phonétique » et de « Tension et laxité », de m'avoir autorisé à inclure ces deux essais, ainsi que mes amis Maurice Coyaud, qui m'a aidé à résoudre les problèmes relatifs aux exemples russes (notamment dans la traduction du chapitre sur les « embrayeurs »), et Alfred Adler, qui avait entrepris, et a terminé avec moi, la traduction de « Deux aspects du langage et deux types d'aphasie ».

Nicolas RUWET.

(Aspirant au Fonds National Belge de la Recherche Scientifique)

---

(1) A ce propos, il importe peut-être de rappeler que, dans la linguistique américaine, a longtemps prévalu la tendance à exclure complètement les problèmes de *meaning* du champ de la linguistique. C'est ce qui explique — une partie des essais qui suivent ayant été écrits pour un public américain — l'insistance avec laquelle Jakobson revient sur des notions — le lien indissoluble entre signifiant et signifié par exemple — qui peuvent paraître familières au lecteur européen. On verra d'ailleurs que beaucoup de ces notions seront sorties, de la polémique avec les auteurs américains, plus riches et plus précises. Je pense par exemple à la redéfinition de la sémantique donnée au chapitre I, (p. 40), à la réinterprétation de l'« arbitraire du signe » en termes de « contiguïté codifiée » (ch. XI, p. 240), etc.

PREMIÈRE PARTIE

PROBLÈMES GÉNÉRAUX

CHAPITRE PREMIER

LE LANGAGE COMMUN DES LINGUISTES
ET DES ANTHROPOLOGUES

(RÉSULTATS D'UNE CONFÉRENCE INTERDISCIPLINAIRE) (1)

Je pourrais dire que j'ai tout aimé dans cette Conférence. Le seul point noir pour moi, c'est que je dois en récapituler les résultats du point de vue linguistique. Je pourrais commencer par dire que la Conférence a été extrêmement réussie. Mais comme j'ai étudié la théorie de la communication, je sais qu'un énoncé ne contient d'information que dans le cas d'une situation de choix binaire. Mais pour un homme qui clôt une conférence, il n'y a pas de choix binaire possible : jamais on ne l'entendra dire que la Conférence n'était pas réussie.

J'aimerais présenter tous les résultats linguistiques de cette Conférence tels que je les vois. Bien sûr, je les interpréterai et ne serai pas cette machine à traduire qui, comme l'a excellemment montré notre ami Bar-Hillel (2), ne comprend pas et en consé-

---

(1) Il s'agit du texte conclusif de la Conférence des Anthropologues et Linguistes tenue à l'Université d'Indiana en 1952. Il a été publié sous le titre « Results of the Conference of Anthropologists and Linguists », d'après une transcription de l'enregistrement sur bande magnétique dans : *Supplement to International Journal of American Linguistics*, vol. 19, n° 2, avril 1953, *Mem. 8*, 1953. Le chapitre I, « From the point of view of anthropology », est de Claude Lévi-Strauss et a été traduit dans *Anthropologie Structurale*, 1958, ch. IV. Le chapitre II, « From the point of view of linguistics », est le texte de Jakobson ici traduit, et le chapitre III, de Voegelin et Sebeok, est un résumé des exposés et des débats.

(2) Cf. Yehoshua Bar-Hillel : « Some linguistic problems connected with machine translation. » *Philos. Sci.*, 20 : 217-225, 1953.

quence traduit littéralement. Dès qu'il y a interprétation émerge
le principe de complémentarité, promouvant l'interaction de
l'instrument de l'observation et de la chose observée. J'essaierai,
cependant, d'être aussi objectif que possible.

Quel est à mon avis le résultat le plus important de cette Conférence ? Qu'est-ce qui m'a frappé ? C'est, avant toute chose,
l'unanimité. Il y a eu une étonnante unanimité. Bien entendu,
quand je parle d'unanimité, je ne veux pas dire uniformité.
Voyez-vous, c'était comme une structure polyphonique. Chacun
de nous ici — pourrais-je dire — faisait entendre une note différente, mais nous étions tous comme autant de variantes d'un
seul et même phonème.

Evidemment le fait le plus symptômatique a été la nette liqui-
dation de toute espèce d'isolationnisme, cet isolationnisme qui
est aussi haïssable dans la vie scientifique que dans la vie politique. C'en est fait de ces slogans qui opposaient la linguistique
à l'anthropologie, la linguistique de l'hémisphère occidental à
celle de l'hémisphère oriental, l'analyse formelle à la sémantique,
la linguistique descriptive à la linguistique historique, le mécanisme au mentalisme, et ainsi de suite. Ceci ne veut pas dire
que nous nions l'importance de la spécialisation, la nécessité de
s'attacher à l'étude de problèmes limités ; mais nous savons qu'il
s'agit là seulement de différents modes d'expérimentation, non
de points de vue exclusifs. Comme on l'a très bien exprimé ici,
nous ne pouvons pas vraiment isoler les éléments, mais seulement les distinguer. Si nous sommes amenés à les traiter séparément au cours du processus de l'analyse linguistique, nous devons
toujours nous souvenir du caractère artificiel d'une telle séparation. On peut étudier le niveau morphologique du langage en
faisant abstraction du niveau phonologique. On peut étudier le
niveau formel en faisant abstraction du niveau sémantique, et
ainsi de suite. Mais nous comprenons bien que, quand nous agis-
sons ainsi, tout se passe comme dans le cas d'un filtrage acoustique — où on peut exclure, par exemple, les hautes fréquences,
ou, au contraire, les basses fréquences — dans un cas comme
dans l'autre, nous savons qu'il s'agit seulement d'une méthode
d'expérimentation scientifique. Il est très intéressant d'observer
une partie de colin-maillard : comment se comporte une personne
qui a les yeux bandés ? De même, que pouvons-nous dire du langage quand nous ne savons rien des significations ? Il est très
instructif de regarder courir une personne embarrassée dans ses
mouvements, comme dans les courses de sacs. Pourtant, personne
n'ira prétendre qu'on court mieux et plus vite avec les jambes

prises dans un sac qu'avec les jambes libres. Ainsi nous nous rendons de mieux en mieux compte que notre but suprême, c'est l'observation du langage dans toute sa complexité. Je dirai, paraphrasant Térence : *Linguista sum : linguistici nihil a me alienum puto.*

Si, maintenant, nous étudions le langage de concert avec les anthropologues, nous devons nous réjouir de l'aide qu'ils nous apportent. En effet, les anthropologues n'ont cessé d'affirmer, et de prouver, que le langage et la culture s'impliquent mutuellement, que le langage doit être conçu comme une partie intégrante de la vie sociale, que la linguistique est étroitement liée à l'anthropologie culturelle. Il est inutile que j'insiste sur ce problème, que Lévi-Strauss a présenté d'une manière si éclairante (1). J'aimerais plutôt revenir sur ce que disait Bidney au cours de la discussion de l'après-midi : un genre plus rapproché encore que le genre *culture* englobe l'espèce *langage*. Le langage est un cas particulier de cette sous-classe des *signes* qui, sous le nom de *symboles*, nous a été décrite de façon si pénétrante par Chao, Chao qui, soit dit en passant, incarne symboliquement ce qu'il y a de meilleur à la fois dans la pensée occidentale et dans la pensée orientale. C'est pourquoi, quand nous déterminons ce que c'est que le langage, nous devons, avec Smith, le comparer aux autres systèmes symboliques, le système des gestes, par exemple, auquel Kuleshov, Critchley, et maintenant Birdwhistell, se sont attaqués de façon si stimulante (2). Ce système des gestes offre avec le langage — je suis d'accord là-dessus — des ressemblances instructives, et aussi — ajoutons-le — des différences non moins remarquables. Confrontés à la tâche imminente d'analyser et de comparer les différents systèmes sémiotiques, nous devons nous souvenir, non seulement du slogan de Saussure — la linguistique, partie intégrante de la science des signes (3) — mais aussi, et avant tout, de l'œuvre monumentale de son éminent contemporain, un des plus grands précurseurs de l'analyse structurale en linguistique, Charles Sanders Peirce (4). Peirce n'a pas seulement établi la nécessité de la sémiotique, il en a aussi esquissé les grandes lignes. Le jour où on se décidera à étudier soigneusement les idées de Peirce sur la théorie des

---

(1) Cf. *Anthropologie Structurale*, ch. IV.
(2) Cf. Smith, H.L.Jr : « An outline of metalinguistic analysis » *Georgetown University monograph series on linguistics and language teaching* 2, 59-66, 1952, et Birdwhistell : *Introduction to Kinesics*, Washington 1952.
(3) Cf. Saussure. *Cours de Linguistique Générale*, p. 33.
(4) C.S. Peirce, *Collected Papers*, en 8 vol., Harvard Univ. Press, 1960.

signes, des signes linguistiques en particulier, on se rendra compte
du précieux secours qu'elles apportent aux recherches sur les
relations entre le langage et les autres systèmes de signes. Alors
nous serons capables de discerner les traits qui sont propres au
signe linguistique. Au reste, on ne peut que tomber d'accord avec
notre ami McQuown, qui a parfaitement compris qu'il n'y a pas
égalité entre les différents systèmes de signes, et que le système
sémiotique le plus important, la base de tout le reste, c'est le
langage : le langage, c'est réellement les fondations mêmes de la
culture. Par rapport au langage, tous les autres systèmes de symboles sont accessoires ou dérivés. L'instrument principal de la
communication porteuse d'information, c'est le langage.

Dans l'étude du langage en acte, la linguistique s'est trouvée
solidement épaulée par le développement impressionnant de deux
disciplines parentes, la théorie mathématique de la communication et la théorie de l'information. Les recherches des ingénieurs des communications n'étaient pas au programme de cette
Conférence, mais il est symptômatique que l'influence de Shannon et Weaver, de Wiener, de Fano, ou de l'excellent groupe de
Londres, se soit retrouvée dans pratiquement tous les exposés.
Nous avons involontairement discuté dans des termes comme
codage, décodage, redondance, etc. Quelle est donc exactement
la relation entre la théorie de la communication et la linguistique ? Y a-t-il peut-être des conflits entre ces deux modes
d'approche ? En aucune façon. Il est un fait que la linguistique
et les recherches des ingénieurs convergent, du point de vue de
leur destination. Mais alors de quel ordre est exactement l'uti-
lité de la théorie de la communication pour la linguistique, et
vice-versa ? Il faut reconnaître que, sous certains aspects, les
problèmes de l'échange de l'information ont trouvé chez les
ingénieurs une formulation plus exacte et moins ambiguë, un
contrôle plus efficace des techniques utilisées, de même que des
possibilités de quantification prometteuses. D'un autre côté,
l'expérience immense accumulée par les linguistes relativement
au langage et à sa structure leur permet de mettre au jour les
faiblesses des ingénieurs quand ils s'attaquent au matériel linguistique. A côté de la collaboration des linguistes et des anthropologues, je crois qu'une collaboration systématique des linguistes, et peut-être des anthropologues, avec les ingénieurs des
communications, sera très fructueuse.

Analysons les facteurs fondamentaux de la communication
linguistique : tout acte de parole met en jeu un message et quatre
éléments qui lui sont liés : l'émetteur, le receveur, le thème (*topic*)

du message, et le code utilisé. La relation entre ces quatre éléments est variable. Sapir a analysé les phénomènes linguistiques
principalement du point de vue de leur « fonction cognitive » —
fonction qu'il considérait comme la fonction essentielle du langage. Mais cet accent mis par le message sur le référent est loin
d'être la seule possibilité. Depuis quelque temps, aux Etats-
Unis comme à l'étranger, les linguistes commencent à accorder
plus d'attention aux possibilités de mise en relief par le message
des autres facteurs, en particulier des deux protagonistes de
l'acte de communication, l'émetteur et le receveur. C'est ainsi
que nous accueillons avec plaisir les pénétrantes observations de
Smith sur les éléments linguistiques qui servent à caractériser le
sujet parlant, son attitude à l'égard de ce dont il parle et à
l'égard de son auditeur.

Parfois ces différentes fonctions agissent séparément, mais normalement on a affaire à un faisceau, à un paquet de fonctions.
Un tel paquet de fonctions n'est pas un simple conglomérat : il
constitue une hiérarchie de fonctions, et il est toujours très
important de savoir quelle est la fonction primaire et quelles
sont les fonctions secondaires. Il y a beaucoup de vues stimulantes sur ce sujet dans l'article de Smith. Permettez-moi toutefois de ne pas employer sa très riche terminologie. Je dois avouer
que sur ce point je suis d'accord avec Ray. Les termes nouveaux
sont souvent la maladie infantile d'une nouvelles science ou d'une
nouvelle branche d'une science. Je préfère aujourd'hui éviter
trop de termes nouveaux. Quand nous discutons des problèmes
phonologiques dans les années vingt, j'ai moi-même introduit
beaucoup de néologismes et puis, par hasard, j'ai été libéré de
cette maladie terminologique. Quand j'étais en Suède, Collinder,
qui déteste la phonologie, me dit qu'il aimerait que j'écrive un
livre pour la Société Linguistique d'Uppsala : « mais, de grâce,
pas de phonologie ! » J'étais juste en train de terminer mon livre
sur la phonologie du langage enfantin et de l'aphasie (1), j'en ai
tout simplement éliminé les termes trop phonologiques, sur quoi
il a dit : « Comme ça, c'est parfait ! ». Le livre fut en fait bien.
accueilli et compris dans un vaste cercle, et je compris à mon
tour qu'il était possible, même en abordant des problèmes absolument neufs, de se passer des néologismes. Peu importe que je
dise « linguistique » là où vous dites « microlinguistique ». Pour
désigner les différentes sections de la linguistique, je me sers de

_____

(1) Cf. R. Jakobson, *Kindersprache, Aphasie und allgemeine Lautgesetze*,
Uppsala, 1941.

termes traditionnels — vous préférez les composés « microlinguistique » et « métalinguistique ». Quoique les termes traditionnels soient parfaitement satisfaisants, « microlinguistique » est
inoffensif. Le néologisme « métalinguistique » — là je partage
l'avis de Chao et de certains autres — est un peu dangereux, car
« métalinguistique » et « métalangage » veulent dire tout autre
chose en logique symbolique. Comme il vaut mieux avoir avec
les logiciens des relations sans nuages, il serait préférable d'éviter
de semblables ambiguïtés. De plus vous seriez étonnés si un zoo-
logiste, décrivant ce ˙qu'un animal donné mange, ou dans quelle
partie du monde on le rencontre, appelait de telles questions de
la métazoologie. Mais je n'insisterai pas ; je continue à suivre
le conseil de mon regretté maître Pechkovsky : « Ne chicanons
pas sur la terminologie, disait-il, si vous avez un faible pour les
néologismes, employez-en. Vous pouvez même appeler ceci
« Ivan Ivanovitch », du moment que nous savons tous ce que
vous voulez dire. »

Revenons-en aux fonctions linguistiques. J'ai mentionné la
mise en relief du référent, de l'émetteur et du receveur ; et nous
entrevoyons tout ce qu'on peut découvrir en analysant ce problème fondamental de l'émetteur et du receveur. En plus de cela,
il est encore possible de diriger l'attention soit sur le code, soit
sur le message. La mise en relief du message par lui-même est
proprement ce qui caractérise la fonction poétique (1). Je suis
très heureux de savoir que, sinon à cette Conférence, du moins
à la prochaine, cette fonction sera mise au programme des
débats. Le séminaire très réussi que Hill et Whitehall tiennent,
dans cet Institut de linguistique, sur le langage poétique, est
une preuve éloquente de ce que les problèmes du langage poétique sont désormais au premier plan des préoccupations des
linguistes américains. Je suis heureux que, comme le proclame
Whitehall dans l'excellent pamphlet qu'a récemment publié le
Foreign Service Institute, on se décide enfin à jeter un pont entre
la linguistique et la critique littéraire de ce pays (2). Le sujet
propre des recherches sur la poésie n'est rien d'autre que le langage, considéré du point de vue d'une fonction prédominante, en

---

(1) Sur ces questions, voir ici-même, ch. XI.

(2) Voir notamment : A.A. Hill, « A program for the definition of literature »,
The University of Texas, *Studies in English*, 37 : 46-52 (1958) ; H. Whitehall,
« From linguistics to criticism », *Kenyon Review*, 18 : 411-421 (1956), et « From
linguistics to poetry », in N. Frye, ed., *Sound and Poetry*, pp. 134-146, New-
York, 1957.

l'occurence la mise en relief du message comme tel. Cette fonction poétique, toutefois, n'est pas confinée à la poésie. Il y a seulement une différence dans la hiérarchie : cette fonction peut être subordonnée aux autres fonctions, ou au contraire apparaître comme la fonction centrale, organisatrice, du message. Cette conception du langage poétique, comme une forme de langage où la fonction poétique est prédominante, nous aidera à mieux comprendre le langage prosaïque de tous les jours, où la hiérarchie des fonctions est différente, mais où cette fonction poétique (ou esthétique) a nécessairement une place et joue un rôle tangible du point du vue synchronique comme du point de vue diachronique. Il existe des cas-frontières instructifs : la plus haute *unité linguistique codée* fonctionne en même temps comme le plus petit *tout poétique* ; dans cette aire marginale, les recherches de mon ami Shimkin sur les proverbes offrent un thème de réflexions fascinant, le proverbe étant à la fois une unité phraséologique et une œuvre poétique (1).

Nous avons mentionné les facteurs qui sont impliqués dans l'acte de parole, mais nous n'avons rien dit de toutes les interactions et permutations qui sont possibles entre ces facteurs — par exemple les rôles d'émetteur et de receveur peuvent se confondre ou alterner, l'émetteur ou le receveur peuvent devenir le thème du message, etc. Mais le problème essentiel pour l'analyse du discours est celui du code commun à l'émetteur et au receveur et sous-jacent à l'échange des messages. Toute communication serait impossible en l'absence d'un certain répertoire de « possibilités préconçues » ou de « représentations préfabriquées », comme disent les ingénieurs, et notamment Mackay, un des plus proches des linguistes parmi eux (2). Quand j'ai lu tout ce que les ingénieurs des communications, surtout en Amérique et en Angleterre (et en particulier Cherry, Gabor et Mackay) ont écrit sur le code et le message, je me suis dit, bien sûr, que, depuis longtemps, ces deux aspects complémentaires sont familiers aux théories linguistiques et logiques du langage, ici comme à l'étranger ; c'est la même dichotomie qu'on retrouve sous des dénominations diverses telles que *langue - parole, Language - Speech, système linguistique - énoncé, Legisigns - Sinsigns, Type -*

---

(1) Shimkin, D.B. and Pedro Sanjuan, « Culture and World View. A method of analysis applied to rural Russia », *AA*, 55 : 329-348 (1953).

(2) Cf. D. McKay, « In search of basic symbols », *Cybernetics, Transactions of the eighth Conference*, New-York, 1952.

Token, Sign-design - Sign-event, etc. (1) ; mais je dois admettre que les concepts de *code* et de *message* introduits par la théorie de la communication sont beaucoup plus clairs, beaucoup moins ambigus, beaucoup plus opérationnels que tout ce que nous offre la théorie traditionnelle du langage pour exprimer cette dichotomie. Je crois qu'il est préférable de travailler désormais à l'aide de ces concepts bien définis, mesurables et analysables, plutôt que de les remplacer par de nouveaux termes, une fois de plus assez vagues, tels que celui de *common core* (« fonds commun »).

La théorie de la communication me paraît une bonne école pour la linguistique actuelle, tout comme la linguistique structurale est une école utile pour les ingénieurs des communications. Je pense que la réalité fondamentale à laquelle le linguiste a affaire, c'est l'interlocution — l'échange de messages entre émetteur et receveur, destinateur et destinataire, encodeur et décodeur. Or on constate actuellement une tendance à en revenir à un stade très, très ancien, je dirais un stade pré-whitneyen, de notre discipline : je parle de la tendance à considérer le discours individuel comme la seule réalité. Cependant, je l'ai déjà dit, tout discours individuel suppose un échange. Il n'y a pas d'émetteur sans receveur — sauf, bien entendu, quand l'émetteur est un ivrogne ou un malade mental. Quant au discours non extériorisé, non prononcé, ce qu'on appelle le langage intérieur, ce n'est qu'un substitut elliptique et allusif du discours explicite et extériorisé. D'ailleurs le dialogue sous-tend même le discours intérieur, comme l'ont démontré une série d'observations, de Peirce à Vygotsky.

C'est comme d'habitude avec un grand intérêt que j'ai lu l'article sur l'*idiolecte*, distribué par mon vieil ami Hockett (2). Cet article ramène l'idiolecte aux habitudes caractérisant le parler d'un individu particulier à un moment donné, et en exclut tout ce qui, dans les habitudes linguistiques de cet individu, se réfère à la compréhension du discours des autres. Or, si tous les propos que je tiens à Cambridge étaient observés et enregistrés sur une longue période, on ne m'entendrait jamais prononcer le mot « idiolecte ». Et cependant maintenant, comme je m'adresse

---

(1) NDT : On pourrait traduire *sign design/sign event* par « modèle sémiotique »/ « procès sémiotique », et *type/token* par « type »/« cas particulier » (ou encore « instance » ou « occurence »).

(2) Cf. Hockett, C.F., *A Course in Modern Linguistics*, New-York, 1958, ch. 28.

à vous, je l'emploie, parce que je m'adapte au langage de mes adversaires potentiels, Hockett par exemple. Et j'emploie beaucoup d'autres mots encore de la même manière. En parlant à un nouvel interlocuteur, chacun essaye toujours, délibérément ou involontairement, de se découvrir un vocabulaire commun : soit pour plaire, soit simplement pour se faire comprendre, soit enfin pour se débarrasser de lui, on emploie les termes du destinataire. La propriété privée, dans le domaine du langage, ça n'existe pas : tout est socialisé. L'échange verbal, comme toute forme de relation humaine, requiert au moins deux interlocuteurs ; l'idiolecte n'est donc, en fin de compte, qu'une fiction, quelque peu perverse.

En fait, les linguistes ont beaucoup à apprendre de la théorie de la communication. Un processus de communication normal opère avec un encodeur et un décodeur. Le décodeur reçoit un message. Il connaît le code. Le message est nouveau pour lui, et, grâce au code, il interprète le message. Pour nous aider à comprendre cette opération, la psychologie peut nous être d'un grand secours. Nous devons un des moments les plus passionnants de cette Conférence à l'astucieux rapport d'Osgood (1) sur l'analyse psycho-linguistique des processus d'encodage et de décodage.

C'est à partir du code que le receveur comprend le message. La position du linguiste déchiffrant une langue qu'il ne connaît pas est différente. Il essaye de déduire le code du message. Aussi il n'est pas un décodeur, il est ce qu'on appelle un cryptanalyste. Le décodeur est un destinataire virtuel du message. Les cryptanalystes américains qui pendant la guerre lisaient les messages secrets des Japonais n'étaient pas les destinataires de ces messages. Il est évident que les linguistes doivent exploiter la technique des cryptanalystes ; et, naturellement, quand on se sert trop longtemps d'une technique donnée, on finit par croire que c'est la procédure normale. Mais il est un fait qu'une telle méthode ne joue qu'un rôle marginal et exceptionnel dans la communication usuelle ; et la tâche du linguiste est de commencer comme un cryptanalyste pour finir comme le décodeur normal du message. Son idéal est de devenir semblable à un membre de la communauté linguistique étudiée. Le cryptanalyste observe des allophones et essaye de repérer les phonèmes. Mais les phonèmes,

(1) Osgood, C.E., « A psycholinguistic analysis of decoding and encoding processes » (résumé dans *IJAL*, « Results... », p. 50 sv.) Cf. aussi Osgood et Sebeok, eds. *Psycholinguistics* : *a Survey of Theory and Research Problems*, Baltimore, 1954.

les invariants, sont beaucoup plus familiers au décodeur, au
membre de la communauté linguistique, que ne le sont les variantes. Le décodeur se fiche pas mal des allophones. Tout ce
qui l'intéresse, c'est de repérer les contrastes phonologiques de
manière à comprendre le texte. (Soit dit en passant, les termes
« allophone » et « contraste » sont dans ma bouche d'autres exemples de l'adaptation du sujet parlant à ses auditeurs ; autrement
je dirais « variante » et « opposition ».)

Dans ce domaine de l'interaction entre message et code, cette
Conférence a marqué un grand progrès. Nous avons discuté, à
différents niveaux, de la relation entre les deux protagonistes de
la communication linguistique. Or, comme nous le savons trop
bien, une des tâches essentielles du langage est de franchir les
espaces, d'abolir les distances, de créer une continuité spatiale, de
trouver et d'établir un langage commun « à travers les ondes ».
Bien entendu, dès que la distance entre en jeu, on voit apparaître
des différences dialectales de plus en plus prononcées et nombreuses. Soit deux communautés linguistiques voisines : le code
n'est plus le même, mais aucune des deux communautés ne se
trouve vraiment isolée hermétiquement ; quand cela arrive, ce
n'est jamais que comme un cas anormal et plutôt pathologique.
En règle générale, il y a une tendance à comprendre les membres
de l'autre communauté — nous avons entendu là-dessus la communication très éclairante de Twaddell, qui nous a montré comment
fonctionne ce genre de mécanisme. C'est ce que les ingénieurs des
communications appellent le *code-switching* (1).

Venons-en maintenant aux énigmes du bilinguisme, que Haas
et Casagrande nous ont exposées graphiquement. Il s'agit toujours du même problème : abolir la distance. Ici, le « fonds commun » est pour ainsi dire inexistant. Les codes sont de plus en
plus différents. Mais il subsiste toujours une certaine correspondance, une certaine relation entre les deux codes. Il reste possible
d'atteindre à une compréhension au moins partielle, et c'est ici
qu'interviennent des médiateurs linguistiques, des interprètes —
les bilingues. Nous touchons ici à un point très important, un

---

(1) NDT : Nous avions d'abord pensé traduire ce terme par « commutation
du code », « commutation » étant l'équivalent de *switching* dans ses usages
techniques. Malheureusement, en linguistique, le terme « commutation » a pris
un sens technique tout à fait différent. On pourrait parler simplement de changement de code, mais l'idée d'« aiguillage », ou plutôt de « changement d'aiguillage », qui est contenue dans *switching* serait perdue. En définitive, il vaut
sans doute mieux conserver le terme anglais, comme on a conservé par exemple
feedback, etc.

point décisif. Le bilinguisme est pour moi le problème fondamental de la linguistique — et la division académique en sections
séparées, la section de français, la section d'italien, etc., m'a
toujours paru quelque chose d'artificiel. Y a-t-il une complète
ségrégation entre des langues contiguës ? Qu'un rideau de fer
existe, et nous savons combien toutes sortes de formes de communication peuvent le traverser facilement. Nous savons qu'il
existe des aires bilingues et des groupes bilingues de sujets parlants — la sociologie du langage nous en offre d'intéressants
témoignages. Comme visiblement les sujets bilingues peuvent
parler à, et influencer, un plus grand nombre d'auditeurs, cela
signifie pour eux plus de puissance, ou plus de prestige. Qu'est-ce
qui en résulte ? Les bilingues adaptent une langue à l'autre, et,
dans la suite, stimulent la diffusion de certains phénomènes parmi
les non-bilingues. Nous touchons à la question qu'abordait Sommerfelt dans sa très importante communication : celle de la
diffusion des structures (*patterns*) — des structures phonologiques,
des catégories grammaticales, de ce que Sapir appelle les procédés
grammaticaux. Nous pourrons juger de l'ampleur des phénomènes de diffusion quand nous disposerons de l'atlas, commencé
à Oslo avant la guerre, et qui est consacré à ces phénomènes,
cartographiés abstraction faite des frontières et des relations génétiques entre les langues qui les manifestent. J'ai discuté de cette
question avec un linguiste des plus pondérés, Haas, et avec un
anthropologue des plus sobres, Ray. L'étendue de la diffusion
phonologique et grammaticale parmi des langues voisines, d'origines visiblement différentes, nous est apparue si surprenante,
si difficile à expliquer, que nous sommes tombés d'accord sur
l'urgence d'une étude systématique, menée à l'échelle internationale, de ces phénomènes. Cette entreprise ne rend d'aucune
façon caduques les problèmes de parenté génétique, mais il faut
dire que le problème de l'affinité n'est pas moins important —
sans une connaissance exacte de ce qu'est l'affinité, nous n'arri-
verons jamais à déceler les éléments pertinents du point de vue
génétique.

En voilà assez pour les questions d'espace. Venons-en au facteur temps. On n'en a pas parlé à cette Conférence, mais Hill (1)
l'abordait dans le brillant essai miméographié qui nous a été
distribué. On nous avait habitués aux manuels qui préconisent un
clivage complet entre la linguistique synchronique et la linguistique diachronique. On nous les présentait comme impliquant

---

(1) A. A. Hill, « When is historical explanation relevant ? »

deux méthodologies entièrement différentes, comme concernant deux types de problèmes fondamentalement différents. Cette conception est, à mon avis, dépassée, et nous sommes en complet accord avec les vues de Hill : l'histoire d'une langue ne peut être que l'histoire d'un système linguistique, qui subit différentes mutations. Chaque mutation doit être analysée du point de vue du système, tel qu'il était avant et tel qu'il est après la mutation. Ceci nous amène à un point important. Je le formule dans d'autres termes que ceux de Hill, mais j'espère que nous n'en serons pas moins d'accord. Il me semble que la grande erreur et la grande confusion, la séparation tranchée entre synchronie et diachronie, a dans une large mesure été due à la confusion entre deux dichotomies. L'une est la dichotomie entre synchronie et diachronie, l'autre la dichotomie entre statique et dynamique. Synchronique n'est pas égal à statique. Si, au cinéma, je vous demande ce que vous voyez à un moment donné sur l'écran, vous ne verrez pas quelque chose de statique — vous verrez des chevaux courir, des gens marcher, et d'autres mouvements. Où voit-on du statique ? Sur les panneaux d'affichage. Sur les affiches, c'est statique, mais pas nécessairement synchronique. Supposez qu'une affiche reste inchangée pendant un an : ça c'est du statique. Et il est parfaitement légitime de se demander qu'est-ce qui est statique dans la linguistique diachronique. Je suis sûr que cela intéresserait Hahn si j'essayais de définir ce qui est statique, immuable, en slave, depuis le Haut Moyen-Age ou depuis l'indo-européen commun jusqu'à nos jours. C'est un problème de statique et en même temps un problème diachronique.

Passons aux problèmes de dynamique. Je prendrai pour exemple un changement que j'ai pu observer dès mon enfance : il s'agit d'un changement frappant, survenu dans le système vocalique du russe courant. En position inaccentuée, spécialement prétonique, les deux phonèmes /e/ et /i/ étaient distingués par la génération de nos grands-parents à Moscou. Dans le parler de notre génération et de celle de nos enfants, ces deux phonèmes se sont fondus en un seul, /i/. Pour la génération intermédiaire, celle de nos parents, la distinction était facultative. Qu'est-ce que cela veut dire ? Ceci : la génération intermédiaire a un code qui contient cette distinction. Quand on a besoin de faire la discrimination, pour éviter les ambiguïtés ou pour rendre le discours particulièrement clair, on distingue les deux phonèmes dans la prononciation. Mais dans un style négligent, relâché, pour tout dire elliptique, cette distinction, en même temps que certaines autres, peut être omise : le discours devient moins explicite.

Ainsi, pendant un certain temps, le point de départ et le point d'aboutissement de la mutation se trouvent coexister sous la forme de deux couches stylistiques différentes. De plus, quand le facteur temporel entre en jeu dans un système de valeurs symboliques tel que le langage, il devient lui-même un symbole et peut être utilisé comme moyen stylistique. Par exemple, quand nous parlons d'une manière plus conservatrice, nous employons les formes les plus archaïques. Dans le russe de Moscou, la génération de nos parents n'employait pas la distinction entre /e/ et /i/ inaccentués dans la conversation familière : bien plutôt on suivait la nouvelle mode de confondre les deux phonèmes pour donner l'impression d'être plus jeune qu'on ne l'était réellement. Supposons même qu'une génération fasse toujours la distinction et que la suivante ne la fasse jamais. Il n'arrive cependant jamais qu'une seule génération existe à la fois, et que tous les membres de la génération précédente meurent ensemble le même jour. Ainsi les deux systèmes coexistent toujours pendant un certain temps, et habituellement les deux générations ont entre elles l'une ou l'autre forme de commerce : tel receveur appartenant à l'une a coutume de recoder les messages reçus d'un émetteur de l'autre génération. Un changement est donc, à ses débuts, un fait synchronique et, pour peu qu'on s'interdise de simplifier à l'excès, l'analyse synchronique doit englober les changements linguistiques ; inversement, les changements linguistiques ne peuvent se comprendre qu'à la lumière de l'analyse synchronique.

Il y a un autre problème qui se fait de plus en plus pressant en linguistique structurale. Nous n'avons pas discuté cette question ici mais elle sera soulevée au cours d'une prochaine Conférence : il s'agit d'un problème auquel on fait souvent allusion, ici comme à l'étranger, mais qui en est encore au stade du laboratoire. C'est le problème de la typologie — la typologie des systèmes, et les lois universelles qui sous-tendent cette typologie. Quels sont les éléments qui peuvent coexister, quels sont ceux qui s'excluent ? Quels sont les éléments qui se rencontrent nécessairement ensemble ? Quel élément B implique tel élément A, et quels éléments ne s'impliquent pas l'un l'autre ? Quel élément implique l'absence de tel autre ?

Le débat, introduit par Osgood, sur l'aphasie et sur le problème connexe du langage enfantin, nous fait buter sur la question des lois générales de la structuration des langues. Dès que je m'attaque à ces problèmes, l'inévitable sceptique surgit : « Nous ne connaissons pas toutes les langues, dit-il, comment pouvez-vous donc être sûr que tel ou tel phénomène structural n'existe

pas ? » C'est très joli, mais en fait nous connaissons bien assez de
langues pour être assurés que si, dans l'avenir, une exception
était découverte à l'une de ces lois supposées, cette exception ne
représenterait qu'un pourcentage infime, et la loi garderait la
valeur d'une constatation statistique de poids — ayant une probabilité inférieure à 1 mais quand même très voisine de 1. De
plus, il existe vraiment des lois auxquelles il est extrêmement
improbable qu'on puisse trouver la moindre exception. Des langues qui n'admettent pas de voyelles à l'initiale de mot ne sont
pas rares, mais je doute de l'existence de langues qui n'admet-
traient pas de consonnes initiales.

S'il existe des lois universelles gouvernant les systèmes phonologiques et grammaticaux, en revanche, on trouvera difficilement des lois générales des changements linguistiques. On pourra
tout au plus observer certaines tendances, établir le plus ou moins
haut degré de probabilité de divers changements. Pour qu'un
changement soit possible, la seule condition est qu'il n'aboutisse
pas à un état qui contredirait les lois structurales générales. Cette
plus haute validité des lois statiques par opposition aux dynamiques n'est pas particulière à la linguistique. Dans d'autres
domaines, le développement des sciences modernes conduit aux
mêmes conclusions. C'est ainsi que nous apprenons — je cite —
que la mécanique quantique est déterministe du point de vue
morphique, tandis que les processus temporels, les passages d'un
état stationnaire à un autre, sont régis par des lois statistiques :
comparée à la mécanique classique, la mécanique quantique
gagne en déterminisme morphique ce qu'elle perd en déterminisme temporel. A ceux qu'effraient facilement les analogies ris-
quées, je répliquerai que, moi aussi, je déteste les analogies dan-
gereuses ; mais j'aime les analogies fécondes. Le futur seul dira
si de telles analogies faites entre disciplines différentes sont dan-
gereuses ou fécondes.

Finalement, un des traits les plus symptomatiques de cette
Conférence aura été celui-ci : nous avons longuement et passion-
nément débattu des questions de sens. Certains orateurs ont
remarqué que, il y a seulement quelques années, c'eût été à peine
pensable. Eh bien, qu'on n'en ait pas discuté plus tôt avait sans
doute sa raison d'être. Les problèmes imposent leur propre calen-
drier. On ne peut pas les aborder tous en même temps. Il y a
encore des gens pour dire que les questions de sens n'ont pas de
sens pour eux, mais, quand ils disent « pas de sens », de deux
choses l'une : ou bien ils savent ce qu'ils veulent dire, et par le

fait même la question du sens prend un sens, ou bien ils ne le
savent pas, et alors leur formule n'a plus de sens du tout.

Je trouve excellente la formule de Smith, *differential meaning*,
« signification différentielle ». Je voudrais seulement ajouter que
toute signification linguistique est différentielle. Les significations linguistiques sont différentielles dans le même sens que les
phonèmes sont des unités phoniques différentielles. Les linguistes
savent que les sons de la parole présentent en plus des phonèmes
des variantes contextuelles et des variantes facultatives, situationnelles (ou, en d'autres termes, des « allophones » et des
« métaphones »). De la même manière, au niveau sémantique,
on trouve des significations contextuelles et des significations
situationnelles. Mais seule l'existence d'éléments invariants permet de reconnaître les variations. Au niveau du sens comme au
niveau du son, le problème des invariants est un problème crucial pour l'analyse d'un état donné d'une langue donnée. Ces
invariants, embarrassants pour le cryptanalyste, sont familiers
au décodeur indigène qui, mis en présence d'un énoncé nouveau,
sait d'avance ce que les mots veulent dire, pourvu qu'il appar-
tienne à la même communauté linguistique que le locuteur, et
qu'il ne s'agisse pas d'un cas pathologique. C'est grâce aux
phonèmes que le décodeur normal reconnaît les sons prononcés,
et c'est grâce aux modèles lexicaux et morphologiques existant
dans le code qu'il saisit le sens des mots et des morphèmes présents dans le message. Si, toutefois, vous n'aimez pas le mot
« sens » (*meaning*), à cause de son ambiguïté, nous pouvons parler
simplement d'invariants sémantiques — et ceux-ci ne sont pas
moins importants pour l'analyse linguistique que les invariants
phonologiques.

Smith, qui a le don rare de présenter bien concrètement les
choses, disait qu'il s'agit de découvrir si les significations sont
identiques ou différentes. Il se rend certainement aussi bien
compte que nous qu'il est plus facile de proclamer le principe
d'identité et d'altérité que de décider si deux procès
sémiotiques (*sign-events*) incarnent effectivement le même
modèle (*design*), ou si les deux instances (*tokens*) doivent
être assignées à des types sémiotiques (*sign-types*) différents. L'identification et la différenciation ne sont que les deux
faces d'un seul et même problème, qui est le problème principal
de toute la linguistique, aux deux niveaux du signifiant et du
signifié, du *signans* et du *signatum* — pour nous servir des bons
vieux termes de saint Augustin — ou de l'« expression » et du
« contenu », comme les rebaptise Hjelmslev. Ce problème de

l'identification et de la différenciation, aux deux niveaux de l'« expression » et du « contenu », est, pour nous, linguistes, une matière intrinsèquement linguistique.

Certains théoriciens soutiennent, il est vrai, que, tandis que la syntaxe s'occupe des relations des signes entre eux, la sémantique s'occupe des relations entre les signes et les choses. Tenons-nous en cependant au cadre de la linguistique synchronique : quelle différence y observons-nous entre la syntaxe et la sémantique ? \La syntaxe s'occupe de l'axe des enchaînements *(concaténation)*\ la sémantique de l'axe des substitutions. Supposons que je dise, par exemple, « le père a un fils » : les relations entre « le », « père », « a », « un », et « fils » se situent au niveau de la chaîne verbale, ce sont des relations syntaxiques. Si je compare les contextes — « le père a un fils », « la mère a un fils », « le père a une fille », « le père a deux fils », je substitue certains signes à d'autres signes, et les relations sémantiques auxquelles nous avons alors affaire ne sont pas moins linguistiques que les relations syntaxiques. La concaténation implique la substitution.

Est-ce une vue si neuve, d'insister sur le caractère intrinsèquement linguistique de la sémantique ? Non, il s'agit de quelque chose qui avait déjà été dit très clairement ; mais il arrive que les choses qui ont été dites très clairement tombent dans un oubli total. Dès 1867, C.S. Peirce, qui, je le répète, doit être considéré comme un authentique et intrépide précurseur de la linguistique structurale, avait nettement établi le caractère linguistique de la sémantique. Comme il le disait, pour être compris, le signe — et en particulier le signe linguistique — exige non seulement que deux protagonistes participent à l'acte de parole, mais il a besoin, en outre, d'un *interprétant*. D'après Peirce, la fonction de cet interprétant est remplie par un autre signe, ou un ensemble de signes, qui sont donnés concurremment au signe en question, ou qui pourraient lui être substitués. Voilà, sans aucun doute, quelque chose qui devrait être le point de départ de toutes nos discussions futures sur le traitement linguistique des significations, — problème qui sera certainement au centre de nos préoccupations dans l'avenir immédiat.

Nous savons de mieux en mieux comment incorporer les significations grammaticales à l'analyse structurale, comme l'a révélé la vivante discussion menée par nos amis de Yale, Lounsbury et Wells. Mais même dans l'interprétation des significations lexicales, moins nettement structurées, nous pouvons et nous devons rester dans le cadre de la méthodologie linguistique. La signification lexicale serait toujours de sa compétence, même si nous

nous tenions à l'étude des différents contextes, et limitions cette
étude à l'analyse distributionnelle : un énoncé ayant la forme
d'une équation réversible — A est B, B est A — est aussi un
contexte ; et l'une des thèses les plus éclairantes de Peirce pose
que le sens d'un signe est un autre signe par lequel il peut être
traduit. Quand je lis dans le journal d'aujourd'hui : « Grève des
métallos décidée par le CIO », personnellement, je ne sais pas ce
que c'est que le CIO, mais je connais le sens des mots « grève »,
« décidée » et « métallo ». Comment un métallo peut-il être défini
du point de vue linguistique ? « Un métallo est un ouvrier employé
dans la métallurgie ». Un tel contexte équationnel est parfaitement acceptable pour la communauté linguistique, de même que
l'énoncé inverse qu'un ouvrier employé dans la métallurgie
s'appelle un « métallo ». L'énoncé ne nous informe, en fait, que de
la signification lexicale du mot « métallo » en français. Il y a
différentes manières d'interpréter le mot « métallo » au moyen
d'autres signes. Nous avons employé une circonlocution, et nous
pouvons toujours le faire : Peirce donne une définition incisive du
principal mécanisme structural du langage quand il montre que
tout signe peut être traduit par un autre signe dans lequel il est
plus complètement développé. Au lieu d'une méthode intralinguale, nous pouvons user d'un mode interlingual d'interprétation en traduisant le mot « métallo » dans une autre langue, par
exemple dire que « métallo » équivaut au *Kovodělník* tchèque.
La méthode serait intersémiotique si on recourait à un signe non
linguistique, par exemple à un signe pictural. Mais dans tous les
cas nous substituons des signes à des signes. Qu'est-ce qui reste
alors d'une relation directe entre le mot et la chose ?

Dans le très intéressant article distribué par Harris et Voegelin (1) est abordée la question du rôle que joue le fait de « montrer du doigt » (*pointing*) dans l'élucidation du sens. Puis-je me
permettre ici quelques remarques ? Supposez que je veuille
expliquer à un Indien unilingue ce que c'est que des Chesterfield
et que je lui montre du doigt un paquet de cigarettes. Qu'est-ce
que l'Indien peut en conclure ? Il ne sait pas si je pense à ce
paquet en particulier ou à un paquet en général, à une cigarette
ou à plusieurs, à une certaine marque ou aux cigarettes en général, ou, plus généralement encore, à quelque chose qui se fume,
ou, universellement, à quoi que ce soit d'agréable. De plus, il
ignore si je lui montre, simplement, ou si je lui donne, ou si je
lui vends, ou si je lui interdis les cigarettes. Il ne se fera une idée

---

(1) Harris et Voegelin, *Eliciling*.

de ce que sont, et de ce que ne sont pas, les Chesterfield, que quand il aura maîtrisé une série d'autres signes linguistiques, qui fonctionneront comme interprétants du signe en question.

Vous souvenez-vous du sage de Balnibarbi, dans les *Voyages de Gulliver* ? Il avait décidé que, « puisque les mots ne sont que des substituts des choses, il serait plus pratique pour tous les hommes d'emporter avec eux les choses qui seraient nécessaires pour exprimer les affaires particulières dont ils auraient à discuter (1) ». Il apparut cependant qu'il y avait un inconvénient, signalé par Swift, qui était aussi habile dans la satire que dans la science de la communication : « si les occupations d'un homme sont importantes, et de diverses sortes, il sera obligé en proportion de porter un plus grand paquet de choses sur son dos » et il risque d'être écrasé sous leur poids. Il serait difficile de parler en choses d'« une baleine », plus embarrassant encore de parler « des baleines », et pratiquement impossible de communiquer quoi que ce soit sur « toutes les baleines » ou sur « les baleines absentes ». A supposer même qu'on arrive miraculeusement à réunir toutes les baleines du monde, comment exprimer par des choses qu'elles y sont vraiment toutes ?

La logique symbolique n'a cessé de nous rappeler que les « significations linguistiques », constituées par le système des relations analytiques d'une expression aux autres expressions, ne présupposent pas la présence des choses. Les linguistes, au contraire, ont fait l'impossible pour exclure la signification et tout recours à la signification de la linguistique. C'est ainsi que le champ de la signification est resté un No Man's Land. Ce jeu de cache-cache doit prendre fin. Pendant des années, nous avons lutté pour annexer les sons de la parole à la linguistique, constituant ainsi la phonologie. Nous devons maintenant ouvrir un second front : nous sommes devant la tâche d'incorporer les significations linguistiques à la science du langage.

Je crains que mes remarques sur tous ces problèmes pendants ne soient aussi fragmentaires qu'une bande de lancement cinématographique, mais vous les comprendrez, s'il est vrai, comme le dit Peirce, que tout signe peut être traduit en un autre signe plus explicite.

---

(1) Jonathan Swift, *Gullivers' Travels*, III, ch. 5.

CHAPITRE II

DEUX ASPECTS DU LANGAGE
ET DEUX TYPES D'APHASIES (1)

I. *L'aphasie comme problème linguistique*

Si l'aphasie est un trouble du langage, comme le terme lui-
même le suggère, il s'ensuit que toute description et classification
des troubles aphasiques doit commencer par la question de savoir
quels aspects du langage sont altérés dans les différentes espèces
d'un tel désordre. Ce problème qui a été abordé, il y a longtemps
déjà, par Hughlings Jackson (2), ne peut être résolu sans la participation de linguistes professionnels familiarisés avec la structure et le fonctionnement du langage. Pour étudier de façon adéquate toute rupture dans les communications, nous devons
d'abord comprendre la nature et la structure du mode particulier de communication qui a cessé de fonctionner. La linguistique s'intéresse au langage sous tous ses aspects — au langage
en acte, au langage en évolution (3), au langage à l'état naissant,
au langage en dissolution.

A l'heure actuelle il y a des psychopathologistes qui accordent
une haute importance aux problèmes linguistiques impliqués

(1) Traduit par A. Adler et N. Ruwet. Cet essai constitue la seconde partie
des *Fundamentals of Language* (La Haye, 1956).

(2) Hughlings Jackson, Papers on affections of speech (reprinted and com-
mented by H. Head), *Brain*, XXXVIII (1915).

(3) E. Sapir, *Language* (New-York, 1921), ch. VII : « Language as a historical product ; drift ».

dans l'étude des troubles du langage (1) ; certaines de ces questions ont été abordées dans les meilleurs traités récemment parus sur l'aphasie (2). Et cependant, dans la plupart des cas, cette légitime insistance sur la contribution des linguistes aux recherches sur l'aphasie est encore ignorée. Par exemple, un livre récent traitant, dans une large mesure, des problèmes complexes et aux implications multiples de l'aphasie infantile, lance un appel à la coordination de disciplines variées et réclame la coopération des otorhinolaryngologues, pédiâtres, audiologues, psychiâtres et éducateurs ; mais la science du langage est passée sous silence, comme si les troubles de la perception de la parole n'avaient rien à voir avec le langage (3). Cette omission est d'autant plus déplorable que l'auteur est le Directeur des Études Cliniques sur l'audition et l'aphasie chez les enfants, à la North Western University, qui compte parmi ses linguistes Werner F. Leopold, de loin le meilleur spécialiste américain du langage enfantin.

Les linguistes ont leur part de responsabilité dans le retard mis à entreprendre une recherche coordonnée sur l'aphasie. Rien de comparable aux minutieuses observations linguistiques faites sur les enfants de différents pays n'a été accompli en ce qui concerne les aphasiques. On n'a pas tenté grand-chose non plus pour réinterpréter et sytématiser d'un point de vue linguistique les multiples données cliniques que l'on possède sur les divers types d'aphasie. Cet état de chose est d'autant plus surprenant que, d'une part, les étonnants progrès de la linguistique structurale ont doté les chercheurs d'instruments et de méthodes efficaces pour l'étude de la régression verbale, et que, d'autre part, la désintégration aphasique des structures verbales peut ouvrir au linguiste des perspectives neuves sur les lois générales du langage.

L'application de critères purement linguistiques à l'interprétation et à la classification des faits d'aphasie peut contribuer de façon substantielle à la science du langage et des troubles du

---

(1) Voir, par exemple, la discussion sur l'aphasie dans la Nederlandsche Vereeniging voor Phonetische Wetenschappen — articles du linguiste J. van Ginneken et de deux psychiâtres, F. Grewel et V.W.D. Schenk, *Psychiatrische en Neurologische Bladen*, XLV (1941), p. 1035 sv. ; cf. de plus, F. Grewel, « Aphasie en linguistiek », *Nederlandsch Tijdschrift voor Geneeskunde*, XCIII (1949), p. 726 sv.

(2) A.R. Luria, *Travmatičeskaja afazija* (Moscou, 1947) ; Kurt Goldstein, *Language and Language Disturbances* (New-York, 1948) ; André Ombredane, *L'aphasie et l'élaboration de la pensée explicite* (Paris, 1951).

(3) H. Myklebust, *Auditory disorders in children* (New York, 1954).

langage, à condition que les linguistes procèdent avec autant de
soin et de précaution quand ils abordent les données psychologiques et neurologiques que lorsqu'ils se cantonnent dans leur
domaine habituel. D'abord ils devraient se familiariser avec les
termes et les procédés techniques des disciplines médicales qui
traitent de l'aphasie, puis ils devraient soumettre les exposés de
cas cliniques à une analyse linguistique complète, enfin ils devraient eux-mêmes travailler avec des aphasiques afin de parvenir
à une approche directe des cas et de ne plus se contenter seulement d'une réinterprétation d'observations déjà faites, conçues
et élaborées dans un esprit tout à fait différent.

Il y a un niveau des phénomènes d'aphasie où un remarquable
accord a été obtenu au cours des vingt dernières années entre les
psychiâtres et les linguistes qui se sont attaqués à ces questions :
il s'agit de la désintégration du système phonique (1). Cette dissolution présente un ordre temporel d'une grande régularité. La
régression aphasique s'est révélée être un miroir de l'acquisition
par l'enfant des sons du langage, elle nous montre le développement de l'enfant à l'envers. Plus encore, une comparaison du
langage enfantin et de l'aphasie nous permet d'établir plusieurs
lois d'implication. Cette recherche sur l'ordre des acquisitions et des pertes et sur les lois générales d'implication ne doit
pas être limitée au système phonologique mais doit être étendue
au système grammatical. Un petit nombre seulement d'essais ont
été faits dans cette direction, et ces efforts méritent d'être pour-
suivis (2).

II. *Le double caractère du langage.*

Parler implique la s é l e c t i o n de certaines entités linguistiques et leur c o m b i n a i s o n en unités linguistiques d'un plus

---

(1) L'appauvrissement chez les aphasiques du système phonique a été observé et discuté par la linguiste Marguerite Durand en collaboration avec les
psychopathologistes Th. Alajouanine et A. Ombredane (dans leur ouvrage
commun *Le syndrome de désintégration phonétique dans l'aphasie*) et par R.
Jakobson (une première esquisse présentée au Congrès International des Linguistes à Bruxelles en 1939 — voir N. Troubetzkoy, *Principes de Phonologie*,
Paris, 1949, pp. 367-79 — fut ensuite développée dans « Kindersprache, Aphasie und allgemeine Lautgesetze », *Uppsala Universitets Arsskrift*, 1942 : 9) et
a été étudiée plus amplement dans *Sound and Meaning* (à paraître conjointement chez Wiley and Sons et Technology Press). Cf. Goldstein, p. 32 sv.
(2) Une enquête commune sur certains troubles grammaticaux a été entreprise à la clinique de l'Université de Bonn par un linguiste, G. Kandler, et deux
médecins, F. Panse et A. Leischner : voir leur rapport, *Klinische und sprach-
wissenschaftliche Untersuchungen zum Agrammatismus* (Stuttgart, 1952).

haut degré de complexité. Cela apparaît tout de suite au niveau
lexical : le locuteur choisit les mots et les combine en phrases
conformément au système syntaxique de la langue qu'il utilise ;
les phrases à leur tour sont combinées en énoncés. Mais le locuteur n'est d'aucune manière un agent complètement libre dans
le choix des mots : la sélection (exception faite des rares cas de
véritable néologisme) doit se faire à partir du trésor lexical que
lui-même et le destinataire du message possèdent en commun.
L'ingénieur des communications approche le plus justement l'essence de l'acte de parole quand il tient que, dans l'échange optimal d'information, le sujet parlant et l'auditeur ont à leur disposition à peu près le même « fichier de représentations *préfabriquées* » : le destinateur d'un message verbal choisit l'une de ces
« possibilités préconçues » et le destinataire est supposé faire un
choix identique parmi le même assemblage de « possibilités déjà
prévues et préparées » (1). Ainsi pour être efficient l'acte de
parole exige l'usage d'un code commun par ceux qui y participent.

« Avez-vous dit *cochon* ou *cocon* ? » dit le Chat. « J'ai dit *cochon* »
répondit Alice (2). Dans cet énoncé particulier le destinataire
félin s'efforce de ressaisir un choix linguistique fait par le destinateur. Dans le code commun au Chat et à Alice, c'est-à-dire le
français courant (3), la différence entre une occlusive et une
continue, toutes choses égales d'ailleurs, peut changer la signification du message. Alice a fait usage du trait distinctif « continu/
discontinu », rejetant le second pour choisir le premier des deux
termes opposés ; et dans le même acte de parole elle a combiné
cette solution avec certains autres traits simultanés, /ʃ/ étant
compact par opposition à /s/, diffus, et tendu par opposition à
/ʒ/, lâche. Ainsi tous ces attributs ont été combinés en un faisceau (*bundle*) de traits distinctifs : c'est ce qu'on appelle un p h o n-
n è m e. Le phonème /ʃ/ était lui-même p r é c é d é et s u i v i des
phonèmes /k/, /o/ et /õ/, eux-mêmes faisceaux de traits distinctifs produits simultanément. On peut donc dire que la c o n-
c u r r e n c e d'entités simultanées et la c o n c a t é n a t i o n d'entités successives sont les deux modes selon lesquels nous, sujets
parlants, combinons les constituants linguistiques.

Ni des faisceaux de traits tels que /ʃ/ ou /k/ ni des suites de
faisceaux telles que /koʃõ/ ou /kokõ/ ne sont inventés par le

---

(1) D.M. McKay, « In search of basic symbols », *Cybernetics*, Transactions
of the 8th Conference (New York, 1952), p. 183.
(2) Lewis Carroll, *Alice au pays des merveilles*, ch. VI.
(3) NDT : Le code commun au Chat et à Alice est évidemment l'anglais.
Nous avons ici utilisé la traduction de la Guilde du Livre.

locuteur qui les utilise. Pas plus le trait distinctif « discontinu/ continu » que le phonème /k/ n'apparaissent en dehors d'un contexte. Le trait « discontinu » apparaît en combinaison avec certains autres traits concomitants, et le répertoire des combinaisons de ces traits en phonèmes tels que /p/, /b/, /t/, /d/, /k/, /g/, etc., est limité par le code de la langue donnée. Le code impose des limitations aux combinaisons possibles du phonème /k/ avec les phonèmes suivants et/ou précédents ; et seulement une partie des séquences de phonèmes autorisées est en fait utilisée dans le stock lexical d'une langue donnée. Même lorsque d'autres combinaisons de phonèmes sont théoriquement possibles, le locuteur, en règle générale, n'est qu'un usager, non un créateur de mots. Mis en présence de mots particuliers, nous nous attendons à trouver des unités codées. Ainsi pour comprendre le mot *nylon* on doit savoir quelle est la signification assignée à ce vocable dans le code lexical du français moderne.

Dans toute langue il existe aussi des groupes de mots codés, appelés m o t s - p h r a s e s. La signification de la formule *comment ça va* ne peut être déduite de l'addition des significations de ses constituants lexicaux ; le tout n'est pas égal à la somme de ses parties. Ces groupes de mots, qui sous ce rapport se comportent comme des mots uniques, représentent un cas commun mais néanmoins marginal. Pour comprendre l'écrasante majorité des groupes de mots, il nous suffit d'être familiarisés avec les mots constituants et avec les règles syntaxiques de leurs combinaisons. A l'intérieur de ces limites, nous sommes libres d'ordonner les mots dans des contextes neufs. Bien sûr, cette liberté est relative et la pression des clichés courant sur le choix des combinaisons est considérable. Mais la liberté de composer des contextes tout à fait nouveaux est indéniable malgré la probabilité statistique relativement faible de leur occurrence.

Ainsi existe-t-il dans la combinaison des unités linguistiques une échelle ascendante de liberté. Dans la combinaison des traits distinctifs en phonèmes, la liberté du locuteur individuel est nulle ; le code a déjà établi toutes les possibilités qui peuvent être utilisées dans la langue en question. La liberté de combiner les phonèmes en mots est circonscrite, elle est limitée à la situation marginale de la création de mots. Dans la formation des phrases à partir des mots, la contrainte que subit le locuteur est moindre. Enfin, dans la combinaison des phrases en énoncés, l'action des règles contraignantes de la syntaxe s'arrête et la liberté de tout locuteur particulier s'accroît substantiellement, encore qu'il ne faille pas sous-estimer le nombre des énoncés stéréotypés.

Tout signe linguistique implique deux modes d'arrangement.

1) La c o m b i n a i s o n. Tout signe est composé de signes constituants et/ou apparaît en combinaison avec d'autres signes. Cela signifie que toute unité linguistique sert en même temps de contexte à des unités plus simples et/ou trouve son propre contexte dans une unité linguistique plus complexe. D'où il suit que tout assemblage effectif d'unités linguistiques les relie dans une unité supérieure : combinaison et contexture sont les deux faces d'une même opération.

2) La s é l e c t i o n. La sélection entre des termes alternatifs implique la possibilité de substituer l'un des termes à l'autre, équivalent du premier sous un aspect et différent sous un autre. En fait, sélection et substitution sont les deux faces d'une même opération.

Le rôle fondamental que ces deux opérations jouent dans le langage avait été clairement aperçu par Ferdinand de Saussure. Cependant, des deux variétés de combinaison — concurrence et concaténation — c'est seulement la seconde, la séquence temporelle, qui a été reconnue par le linguiste genevois. Malgré sa propre intuition du phonème comme ensemble d'*éléments différentiels*, le maître a cédé à la croyance traditionnelle au caractère linéaire du signifiant (1).

En vue de délimiter les deux modes d'arrangement que nous avons décrits comme étant la combinaison et la sélection, F. de Saussure pose que le premier est « *in praesentia* : il repose sur deux ou plusieurs termes également présents dans une série effective » tandis que le second « unit des termes *in absentia* dans une série mnémonique virtuelle ». Autrement dit la sélection (et, corrélativement, la substitution) concerne les entités associées dans le code mais non dans le message donné, tandis que, dans le cas de la combinaison, les entités sont associées dans les deux ou seulement dans le message effectif. Le destinataire perçoit que l'énoncé donné (message) est une c o m b i n a i s o n de parties constituantes (phrases, mots, phonèmes, etc.) s é l e c t i o n n é e s dans le répertoire de toutes les parties constituantes possibles (code). Les constituants d'un contexte ont un statut de c o n t i-g u ï t é, tandis que dans un groupe de substitution les signes sont liés entre eux par différents degrés de s i m i l a r i t é, qui oscillent

---

(1) F. de Saussure, *Cours de linguistique générale*, 2ᵉ éd. (Paris, 1922), pp. 68 sv. et 170 sv.

de l'équivalence des synonymes au noyau commun des antonymes.

Ces deux opérations fournissent à chaque signe linguistique deux groupes d'interprétants, pour reprendre l'utile concept introduit par Charles Sanders Peirce (1) : deux références servent à interpréter le signe — l'une au code, et l'autre au contexte, qu'il soit codé ou libre ; dans chacun des cas le signe est rapporté à un autre ensemble de signes, par un rapport d'alternation dans le premier cas et de juxtaposition dans le second. Une unité significative donnée peut être remplacée par d'autres signes plus explicites appartenant au même code, grâce à quoi sa signification générale est révélée, tandis que son sens contextuel est déterminé par sa connexion avec d'autres signes à l'intérieur de la même séquence.

Les constituants de tout message sont nécessairement reliés au code par une relation interne et au message par une relation externe. Le langage dans ses différents aspects utilise les deux modes de relation. Que des messages soient échangés ou que la communication procède de façon unilatérale du destinateur au destinataire, il faut d'une manière ou d'une autre qu'une forme de contiguïté existe entre les protagonistes de l'acte de parole pour que la transmission du message soit assurée. La séparation dans l'espace, et souvent dans le temps, de deux individus, l'un destinateur et l'autre destinataire, est surmontée grâce à une relation interne : il doit y avoir une certaine équivalence entre les symboles utilisés par le destinateur et ceux que le destinataire connaît et interprète. En l'absence d'une telle équivalence, le message reste stérile — quand bien même il atteint le receveur il ne l'affecte pas.

III. Le trouble de la similarité

Il est clair que les troubles de la parole peuvent affecter à des degrés divers la capacité qu'a l'individu de combiner et sélectionner les unités linguistiques et, en fait, la question de savoir laquelle de ces deux opérations est principalement touchée, s'avère d'une grande portée pour la description, l'analyse et la classification des différentes formes d'aphasie. Cette dichotomie est peut-être même plus suggestive encore que la distinction classique (qui n'est pas abordée dans cet article) entre aphasie

---

(1) C.S. Peirce, *Collected Papers*, II et IV (Cambridge, Mass., 1932, 1934). Voir index des sujets.

d'émission et de réception, qui indique laquelle des deux
fonctions dans les échanges de parole, celle de l'encodage ou du
décodage des messages verbaux, est particulièrement affectée.

Head a essayé de classer les cas d'aphasie en groupes définis (1),
et à chacune de ces variétés, il a assigné « un nom choisi pour
marquer la déficience la plus saillante dans le maniement et la
compréhension des mots et des phrases » (p. 412). En suivant
cette voie, nous distinguons deux types fondamentaux d'aphasie — selon que la carence principale réside dans la sélection et
la substitution, la combinaison et la contexture demeurant relativement stables ; ou que, au contraire, elle réside dans la combinaison et la contexture avec une conservation relative des
opérations de sélection et de substitution normales. En dessinant
les grandes lignes de ces deux modèles opposés d'aphasie, j'uti-
liserai principalement les matériaux fournis par Goldstein.

Pour les aphasiques du premier type (déficience dans la sélection) le contexte constitue un facteur indispensable et décisif.
Quand on présente à un tel malade des fragments de mots ou de
phrases, il les complète avec beaucoup de facilité. Son discours
n'est fait que de réactions : il continue aisément une conversation mais éprouve des difficultés à amorcer un dialogue ; il est
capable de répondre à un destinateur réel ou imaginaire quand
il est lui-même, ou s'imagine être le destinataire du message. Il
lui est particulièrement difficile d'exécuter ou même de comprendre un discours clos comme le monologue. Plus ses paroles
dépendent du contexte, mieux il s'en tire avec sa tâche verbale.
Il se sent incapable d'émettre une phrase qui ne réponde ni à
une réplique d'un interlocuteur ni à la situation effectivement
présente. La phrase « il pleut » ne peut être produite à moins que
le sujet ne voie qu'il pleut réellement. Plus profondément le
discours est enserré dans le contexte verbal ou non verbalisé,
plus grandes sont les chances qu'il soit exécuté avec succès par
cette catégorie de malades.

͏ De même, plus un mot dépend des autres mots de la même
phrase, et plus il se rapporte au contexte syntaxique, moins il
est affecté par ce trouble de la parole. C'est pourquoi les mots
soumis syntaxiquement à la rection ou à l'accord grammatical
sont plus résistants, tandis que le principal agent subordonnant
de la phrase, à savoir le sujet, tend à être omis. Pour autant que
c'est dans le démarrage que réside le principal obstacle pour le

---

(1) H. Head, *Aphasia and kindred disorders of speech*, I (New York, 1926).

malade, il est évident qu'il échouera précisément au point de départ, la pierre angulaire dans la structure de la phrase. Dans ce type de trouble du langage, les phrases sont conçues comme des séquelles elliptiques, qui viennent compléter des phrases précédemment dites, ou bien encore imaginées, par l'aphasique lui-même, ou reçues par lui d'un interlocuteur, réel ou imaginaire. Les mots-clés peuvent être sautés ou remplacés par des substituts anaphoriques abstraits (1). Un nom spécifique, comme l'a noté Freud, est remplacé par un nom très général, comme par exemple *machin*, *chose*, dans le langage des aphasiques français (2). Dans un cas d'« aphasie amnésique » chez un sujet allemand observé par Goldstein, *Ding* (chose) ou *Stückle* (morceau) étaient mis à la place de tous les noms inanimés et *überfahren* (réaliser) à la place des verbes identifiables à partir du contexte ou de la situation et, partant, superflus aux yeux du malade (p. 246 sv).

Les mots qui comportent une référence inhérente au contexte, tels que les pronoms et les adverbes pronominaux, et les mots servant à construire le contexte tels que les connectifs et les auxiliaires sont particulièrement aptes à survivre. Une phrase typique d'un malade allemand, rapportée par Quensel et citée par Goldstein (p. 302) nous servira d'illustration :

« Ich bin doch hier unten, na wenn ich gewesen bin ich wees nicht, we dass, nu wenn ich, ob das nun doch, noch, ja. Was Sie her, wenn ich, och ich wees nicht, we das hier war ja... »

Ainsi c'est seulement la charpente, les chaînons de connexion de la communication, qui sont sauvegardés dans ce type d'aphasie à son stade critique.

Dans la théorie du langage, depuis le haut Moyen-Age, on n'a cessé de répéter que le mot, en dehors du contexte, n'a pas de signification. La validité de cette affirmation est cependant limitée à l'aphasie ou plus exactement à un type d'aphasie. Dans les cas pathologiques dont nous discutons, un mot isolé ne signifie en fait rien d'autre que du « bla-bla-bla ». Ainsi que de nombreux tests l'ont montré, pour de tels malades, deux occurrences du même mot dans des contextes différents sont de simples homonymes. Puisque des vocables distincts apportent une quantité d'information plus grande que des homonymes, quelques aphasiques de ce type ont tendance à substituer aux variantes contextuelles d'un seul et même mot des termes différents dont chacun

(1) Cf. L. Bloomfield, *Language* (New York, 1933), ch. XV : Substitution.
(2) S. Freud, *On Aphasia* (Londres, 1953), p. 22.

est spécifié en fonction des circonstances données. Ainsi un malade de Goldstein ne proférait jamais le mot *couteau* seul, mais selon son usage et les circonstances, désignait le couteau respectivement comme *taille-crayon, épluche-pommes, couteau à pain, couvert* (couteau-et-fourchette) (p. 62) ; si bien que le mot *couteau* était changé, d'une f o r m e l i b r e, capable d'apparaître seule, en une f o r m e l i é e.

« J'ai un bon appartement, un hall d'entrée, une chambre à coucher, une cuisine », dit un malade de Godstein. « Il y a aussi de grands appartements, seulement derrière vivent des célibataires. » Une forme plus explicite, le groupe de mots *gens non mariés*, aurait pu être substituée à *célibataires*, mais c'est ce terme univerbal qui a été choisi par le locuteur. Prié avec instance de dire ce qu'est un célibataire, le malade ne répondit pas et se trouva « apparemment en détresse » (p. 270). Une réponse telle que « un célibataire est un homme non marié » ou « un homme non marié est un célibataire » aurait constitué une prédication équationnelle et ainsi une projection d'un groupe de substitution, du code lexical de la langue française, dans le contexte du message en question. Les termes équivalents deviennent deux parties corrélatives de la phrase et en conséquence sont unis par un lien de contiguïté. Le malade était capable de choisir le terme approprié *célibataire* quand il était supporté par le contexte d'une conversation habituelle sur les « appartements de célibataires », mais il se montra incapable d'utiliser le groupe de substitution *célibataire = homme non marié* comme thème d'une phrase, parce que l'aptitude à la sélection et à la substitution avait été affectée. La phrase équationnelle, demandée sans succès au malade, véhicule comme seule et unique information : « *célibataire* signifie un homme non marié » ou bien « un homme non marié est appelé *célibataire* ».

La même difficulté surgit quand on demande au malade de nommer un objet indiqué ou manipulé par l'observateur. L'aphasique souffrant d'un trouble de la fonction de substitution ne complètera pas le geste de l'observateur — indication ou manipulation — par le nom de l'objet indiqué. Au lieu de dire « ceci est [appelé] un crayon » il ajoutera simplement une remarque elliptique concernant son usage : « Pour écrire ». Si l'un de deux signes synonymiques est présent (comme par exemple le mot *célibataire* ou le fait de pointer du doigt le crayon) l'autre signe (tel que le groupe de mots *homme non marié* ou le mot *crayon*) devient redondant et par conséquent superflu. Pour les aphasiques, les deux signes sont dans une distribution complémen-

taire : si l'un a été produit par l'observateur, le patient évitera
son synonyme : « Je comprends tout » ou « Je le sais déjà »,
voilà sa réaction typique. De même, une fois peint, un objet
perd son nom : un signe verbal est remplacé par un signe pictural.
Quand on présenta à un patient de Lotmar le dessin d'une bous-
sole, il répondit : « Oui, c'est un... je sais de quoi il s'agit, mais je
ne peux pas me rappeler l'expression technique... Oui... la direction... pour indiquer la direction... une aiguille aimantée indique
le Nord » (1). De tels malades n'arrivent pas, comme dirait Peirce,
à passer d'un i n d e x ou d'une i c o n e au s y m b o l e verbal correspondant (2).

Même la simple répétition d'un mot émis par l'observateur
semble au malade inutilement redondante et malgré les instruc-
tions reçues il est incapable de le répéter. Prié de répéter le mot
« Non », un malade de Head répondit « Non ,je ne sais comment
le faire ». Alors qu'il utilisait spontanément le mot dans le contexte de sa réponse (Non, je ne...), il ne put produire la forme la
plus pure de prédication équationnelle, la tautologie a = a :
« non » est « non ».

Une des contributions importantes de la logique symbolique à
la science du langage tient à l'accent qu'elle a porté sur la distinction entre l a n g a g e - o b j e t et m é t a l a n g a g e. Comme le
dit Carnap, « si nous avons à parler à p r o p o s d'un l a n g a g e -
o b j e t, nous avons besoin d'un m é t a l a n g a g e (3) ». A ces
deux niveaux différents du langage, le même stock linguistique
peut être utilisé ; ainsi pouvons-nous parler en français (pris en
tant que métalangage) à propos du français (pris comme langage
objet) et interpréter les mots et les phrases du français au moyen
de synonymes, circonlocutions et paraphrases françaises. Il est
évident que de telles opérations, qualifiées de m é t a l i n g u i s -
t i q u e s par les logiciens, ne sont pas de leur invention : loin
d'être réservées à la sphère de la science, elles s'avèrent être
partie intégrante de nos activités linguistiques usuelles. Souvent, dans un dialogue, les partenaires s'arrêtent pour vérifier
si c'est bien le même code qu'ils utilisent. « Me suivez-vous ?
Voyez-vous ce que je veux dire ? », demande le locuteur, quand
ce n'est pas l'auditeur lui-même qui interrompt la conversation

---

(1) F. Lotmar, « Zur Pathophysiologie der erschwerten Wortfindung bei
Aphasischen », *Schweiz. Archiv für Neurologie und Psychiatrie*, XXXV (1933),
p. 104.

(2) C.S. Peirce, « The icon, index and symbol », *Collected Papers*, II.

(3) R. Carnap, *Meaning and Necessity* (Chicago, 1947), p. 4.

par un : « Que voulez-vous dire ? » Alors, en remplaçant le signe
qui fait problème par un autre signe appartenant au même code
linguistique ou par tout un groupe de signes du code, l'émetteur
du message cherche à rendre ce dernier plus accessible au décodeur.

L'interprétation d'un signe linguistique au moyen d'autres
signes de la même langue, homogènes sous certains rapports,
est une opération métalinguistique qui joue aussi un rôle essentiel dans l'apprentissage du langage par l'enfant. De récentes
observations ont montré quelle place considérable occupent les
conversations sur le langage dans le comportement verbal des
enfants d'âge préscolaire. Le recours au métalangage est une
nécessité à la fois pour l'acquisition du langage et pour son
fonctionnement normal. La carence aphasique de la « capacité
de nommer » est proprement une perte du métalangage. Il est
de fait que les exemples de prédication équationnelle vainement
demandés aux malades cités plus haut sont des propositions
métalinguistiques qui se rapportent à la langue française. Leur
formulation explicite serait : « Dans le code que nous utilisons,
le nom de l'objet indiqué est *crayon* » ou bien « Dans le code dont
nous nous servons, le mot *célibataire* et la circonlocution *personne non mariée* sont équivalents. »

Un aphasique de ce type ne peut ni passer d'un mot à ses synonymes et aux circonlocutions équivalentes, ni à ses h é t é r o -
n y m e s, c'est-à-dire ses équivalents dans d'autres langues. La
perte de l'aptitude polyglotte et la limitation à une seule variété
dialectale d'une seule langue est une manifestation symptômatique de ce désordre.

Selon un préjugé ancien mais qui renaît périodiquement, le
mode de parler singulier qui caractérise un individu donné à un
moment donné, baptisé i d i o l e c t e, a été considéré comme la
seule réalité linguistique concrète. Dans la discussion de ce concept les objections suivantes ont été soulevées :

En parlant à un nouvel interlocuteur, chacun essaye
toujours, délibérément ou involontairement, de se découvrir un vocabulaire commun : soit pour plaire, soit simplement pour se faire comprendre, soit enfin pour se
débarrasser de lui, on emploie les termes du destinataire.
La propriété privée, dans le domaine du langage, ça n'existe
pas : tout est socialisé. L'échange verbal, comme toute forme

de relation humaine, requiert au moins deux interlocuteurs :
l'idiolecte n'est donc, en fin de compte, qu'une fiction
quelque peu perverse (1).

Cette affirmation appelle, cependant, une réserve : pour un
aphasique qui a perdu la capacité de « commutation du code »
(*code-switching*), son « idiolecte » devient, à la vérité, la seule
réalité linguistique. Aussi longtemps qu'il ne considère pas le
discours de l'autre comme un message adressé à lui dans ses
propres modèles verbaux, il éprouve les sentiments qu'un malade
de Hemphil et Stengel exprimait ainsi : «Je vous entends parfaitement mais je ne puis saisir ce que vous dites... J'entends votre
voix mais non les mots... Ce n'est pas prononçable. » (2) Il considère le discours de l'autre comme étant du baragouin ou tout
au moins comme relevant d'une langue inconnue.

Comme on l'a marqué plus haut, c'est une relation externe de
contiguïté qui unit les constituants d'un contexte et une relation
interne de similarité qui sert de base à la substitution. Dès lors,
dans le cas d'un aphasique chez qui la fonction de substitution
est altérée et celle du contexte intacte, ce sont les opérations
impliquant la similitude qui céderont devant celles fondées sur
la contiguïté. On peut prévoir que dans ces conditions tout
groupement sémantique sera guidé par la contiguïté spatiale ou
temporelle plutôt que par la similitude. Et de fait, les tests de
Goldstein justifient une telle attente : une malade de ce type à
qui l'on demandait d'énumérer quelques noms d'animaux les
énonçait dans l'ordre dans lequel elle les avait vus au zoo ; de
même, malgré les consignes qu'elle avait reçues de ranger certains
objets selon la couleur, la dimension et la forme, elle les classait
en fonction de leur contiguïté spatiale : par exemple, les objets
ménagers, le matériel de bureau, etc. et justifiait cette disposition en évoquant une vitrine où « peu importe ce que sont les
choses », , c'est-à-dire qu'elles n'ont pas à être semblables (p. 61
sv, 263 sv). La même malade voulait bien nommer les couleurs
fondamentales — rouge, bleu, vert, jaune — mais se refusait à
étendre ces noms aux tons intermédiaires (p. 268 sv), car pour
elle les mots avaient perdu le pouvoir de porter des significations
additionnelles, déplacées, associées par similarité à leur signification fondamentale.

---

(1) « Results of the Conference of Anthropologists and Linguists », *Indiana
University Publications in Anthropology and Linguistics*, VIII (conclusions, du
point de vue des linguistes, par R. Jakobson). Cf. ici même, ch. I.

(2) R.E. Hemphil et E. Stengel, « Pure word deafness, « *Journal of Neuro-
logy and Psychiatry*, III (1940), pp. 251-62.

On doit convenir, comme l'observe Goldstein, que les malades
de ce type « saisissent les mots dans leur signification littérale mais
ne parviennent pas à comprendre le caractère métaphorique de
ces mêmes mots » (p. 270). Ce serait, pourtant, une généralisa-
tion injustifiée que d'affirmer que le discours figuré leur est
complètement incompréhensible. Des deux figures de style polaires, la métaphore et la métonymie, cette dernière est largement employée par les aphasiques dont les capacités de sélection
ont été affectées. *Fourchette* est substitué à *couteau*, *table* à *lampe*,
fumée à *pipe*, *manger* à *gril*. Un cas typique est rapporté par
Head :

> Quand il ne réussissait pas à se rappeler le mot pour
> « noir », il décrivait la chose comme « Ce qu'on fait pour un
> mort » ; ce qu'il abrégeait en « mort » (I, p. 198).

De telles métonymies peuvent être caractérisées comme des
projections de la ligne du contexte habituel sur la ligne de la
substitution et de la sélection ; un signe (par exemple *fourchette*)
qui apparaît d'habitude en même temps qu'un autre signe (par
exemple *couteau*) peut être utilisé à la place de ce signe. Des
groupes de mots tels que « couteau et fourchette », « lampe de
table », « fumer une pipe » ont induit les métonymies *fourchette*,
table, *fumée* ; la relation entre l'usage d'un objet (rôtir) et les
moyens de sa production fonde la métonymie « *manger* » au lieu
de *gril*. « Quand se met-on en noir ? » — « Quand on porte le
deuil d'un mort. » ; au lieu de nommer la couleur, on désigne la
raison de son usage traditionnel. Le glissement, du m ê m e au
c o n t i g u, est particulièrement frappant dans des cas tels que
ceux des malades de Goldstein qui répondaient par une métonymie quand on leur demandait de répéter un mot donné et par
exemple disaient *verre* pour *fenêtre* et *ciel* pour *Dieu* (p. 280).

Quand la capacité de sélection est fortement atteinte et le
pouvoir de combinaison au moins partiellement préservé, la
c o n t i g u ï t é détermine tout le comportement verbal du malade
et nous pouvons désigner ce type d'aphasie comme t r o u b l e d e
l a s i m i l a r i t é.

IV. *Le trouble de la contiguïté*

Depuis 1864 jusqu'à nos jours, on a souvent relevé ces phrases
dans les écrits novateurs de Hughlings Jackson, qui ont apporté
une telle contribution à l'étude moderne du langage et des troubles du langage :

Ce n'est pas assez de dire que le discours est fait de mots. Il est fait de mots qui se rapportent les uns aux autres d'une manière particulière ; et faute d'une interrelation spécifique de ses membres, un énoncé verbal serait une simple succession de noms ne donnant corps à aucune proposition (p. 66) (1).

La perte du discours est la perte du pouvoir de construire des propositions... L'inaptitude au discours ne signifie pas une absence totale de mots (p. 114) (2).

L'altération de l'aptitude à c o n s t r u i r e d e s p r o p o s i t i o n s, ou, en termes plus généraux, à combiner des entités linguistiques simples en unités plus complexes, est, en fait, limitée à un seul type d'aphasie, qui est l'opposé du type discuté dans le chapitre précédent. Il n'y a pas de p e r t e t o t a l e d e s m o t s, puisque l'entité préservée dans la plupart des cas de ce genre est le mot, qui peut être défini comme la plus haute parmi les unités linguistiques obligatoirement codées —, ce qui veut dire que nous composons nos propres phrases et énoncés à partir du stock de mots fournis par le code.

Dans ce type d'aphasie, déficiente quant au contexte, et qu'on pourrait appeler t r o u b l e d e l a c o n t i g u ï t é, l'étendue et la variété des phrases diminuent. Les règles syntaxiques qui organisent les mots en unités plus hautes sont perdues ; cette perte, appelée *agrammatisme*, aboutit à dégrader la phrase en un simple « tas de mots », pour nous servir de l'image de Jackson (3). L'ordre des mots devient chaotique ; les liens de coordination et de subordination grammaticales, soit d'accord ou de rection, sont dissous. Comme on pouvait s'y attendre, les mots dotés de fonctions purement grammaticales, tels que les conjonctions, prépositions, pronoms et articles, disparaissent en premier lieu pour faire place au style dit « télégraphique », alors que dans le cas du trouble de la similarité ils sont les plus résistants. Moins un mot dépend grammaticalement du contexte, plus forte est sa persistance dans le discours des aphasiques chez qui la fonction de contiguïté est atteinte et plus tôt il est éliminé par les malades souffrant d'un trouble de la similarité. Ainsi le sujet, « mot

---

(1) H. Jackson, « Notes on the physiology and pathology of the nervous system » (1868), *Brain*, XXXVIII (1915), pp. 65-71.

(2) H. Jackson, « On affections of speech from disease of the brain » (1879), *Brain*, XXXVIII (1915), pp. 107-29.

(3) H. Jackson, « Notes on the physiology and pathology of language » (1866), *Brain*, XXXVIII (1915), pp. 48-58.

noyau » est-il le premier à disparaître de la phrase dans les cas
de trouble de la similarité et, par contre, le moins destructible
dans le type opposé d'aphasie. L'aphasie dans laquelle la fonction du contexte est affectée tend à ramener le discours à d'infan-
tiles énoncés d'une phrase, voire à des phrases d'un mot. Seules
quelques phrases plus longues, mais alors stéréotypées, « toutes
faites », parviennent à survivre. Dans les cas avancés de ce
trouble, chaque énoncé est réduit à une seule phrase d'un seul
mot. Tandis que la contexture se désagrège, les opérations de
sélection se poursuivent. « Dire ce qu'est une chose, c'est dire à
quoi elle ressemble », note Jackson (p. 125). Le malade réduit
au groupe de substitution (quand la contexture est défaillante)
utilise les similitudes, et ses identifications approchées sont de
nature métaphorique, contrairement aux identifications métonymiques familières aux aphasiques du type opposé. *Longue-
vue* au lieu de *microscope, feu* au lieu de *lumière du gaz* sont des
exemples typiques de telles e x p r e s s i o n s q u a s i m é t a p h o-
r i q u e s, comme les a baptisées Jackson, puisque, par opposition aux métaphores rhétoriques ou poétiques, elles ne présentent aucun transfert délibéré de sens.

Dans le langage normal, le mot est à la fois une partie consti-
tuante d'un contexte supérieur, la p h r a s e, et lui-même un
contexte pour des constituants plus petits, les m o r p h è m e s
(unités minimales dotées de signification) et les p h o n è m e s.
Nous avons parlé des effets du trouble de la contiguïté sur la
combinaison des mots en unités supérieures. La relation entre le
mot et ses constituants reflète la même altération encore que
d'une manière quelque peu différente. Un trait typique de l'agrammatisme est l'abolition de la flexion : ainsi apparaissent des catégories n o n - m a r q u é e s telles que l'infinitif en lieu et place des
diverses formes verbales conjuguées, et dans les langues à décli-
naison, le nominatif à la place de tous les cas obliques. Ces défauts
sont dûs en partie à l'élimination de la rection et de l'accord et
en partie à la disparition de l'aptitude à décomposer les mots en
thème et désinence. Finalement, un paradigme (en particulier la
série des cas grammaticaux tels que, en anglais, *he, his, him* ou
des temps tels que *il vote - il vota*) offre le même contenu sémantique de différents points de vue associés entre eux par contiguïté ; ainsi y a-t-il une raison de plus pour les aphasiques souffrant du trouble de la contiguïté, de rejeter de telles séries.

De même, en règle générale, les mots dérivés de la même racine,
tels que *grand-grandeur-grandiose*, etc., sont sémantiquement
reliés par contiguïté. Les malades dont nous parlons ont tendance

à laisser tomber les mots dérivés, ou bien c'est la combinaison
d'une racine avec un suffixe dérivationnel et même les composés
de deux mots qui deviennent indissolubles à leurs yeux. On a
souvent cité le cas de ces malades qui comprenaient et énonçaient
eux-mêmes des mots composés tels que *Belleville* ou *Toussaint*
mais étaient incapables de saisir ou de dire *belle* et *ville* ou *tout*
et *saint*. Aussi longtemps que le sens de la dérivation demeure
intact, de sorte que ce procédé est encore utilisé pour introduire
des innovations dans le code, on peut observer une tendance à
la simplification abusive et à l'automatisme : si le mot dérivé
constitue une unité sémantique dont le sens ne peut être entièrement inféré à partir de celui de ses constituants, la G e s t a l t
est méconnue. Ainsi le mot russe *mokr-íca* signifie « cloporte »
mais un aphasique russe l'interpréta comme « quelque chose
d'humide » et spécialement «un temps humide » puisque la racine
mokr- signifie « humide » et que le suffixe *-íca* désigne le porteur
d'une propriété donnée, comme dans *nelépica* « quelque chose
d'absurde », *svetlíca* « chambre claire », *temníca* « cachot » (littéralement « chambre obscure »).

Avant la seconde guerre mondiale, lorsque la phonologie était
le domaine le plus controversé de la science du langage, certains
linguistes élevèrent des doutes quant à la question de savoir si
les phonèmes jouent réellement un rôle autonome dans notre
comportement verbal. On suggéra même que les unités s i g n i -
f i c a t i v e s du code linguistique telles que les morphèmes ou
plutôt même les mots sont les entités les plus petites auxquelles
on a effectivement affaire dans l'acte de parole, tandis que les
entités simplement d i s t i n c t i v e s, telles que les phonèmes, ne
seraient qu'une construction artificielle destinée à faciliter la description et l'analyse scientifiques d'une langue. Ce point de vue,
dénoncé par Sapir comme « contraire au réalisme » (1), demeure
toutefois parfaitement justifié en ce qui concerne un certain type
pathologique : dans une variété de l'aphasie, désignée parfois
par le terme d'« ataxique », le mot est la seule unité linguistique
préservée. Le malade garde seulement une image intégrale et
indissoluble des mots familiers ; quant à toutes les autres séquences phoniques, ou bien elles lui apparaissent comme étrangères
et opaques, ou bien il les confond avec les mots familiers en négli-
geant les différences phonétiques. Un des malades de Goldstein
« percevait certains mots, mais... ne percevait pas les voyelles

---

(1) E. **Sapir,** « The psychological reality of phonemes », *Selected Writings*
(Berkeley and Los Angeles, 1949), p. 46 sv.

et les consonnes dont ils étaient composés » (p. 218). Un aphasique français reconnaissait, comprenait, répétait, et émettait
spontanément les mots *café* et *pavé*, mais était incapable de saisir,
discerner ou répéter des séquences dépourvues de sens telles que
féca, faké, kéfa, pafé. Aucune de ces difficultés n'existe pour un
auditeur normal de langue française aussi longtemps que les
séquences phoniques et leurs constituants sont conformes au système phonologique du français. Un tel auditeur peut même
appréhender ces séquences comme des mots inconnus de lui mais
dont l'appartenance au vocabulaire français est plausible et dont
les significations sont probablement différentes puisqu'ils diffèrent les uns des autres soit par l'ordre des phonèmes soit par les
phonèmes eux-mêmes.

Si un aphasique devient incapable de décomposer le mot en
ses constituants phonologiques, son contrôle de la construction du
mot s'affaiblit et des troubles sensibles affectent bientôt les
phonèmes et leurs combinaisons. La régression graduelle du système phonologique chez les aphasiques montre régulièrement,
sous forme inversée, l'ordre des acquisitions phonologiques chez
l'enfant. Cette régression entraîne une inflation d'homonymes et
un appauvrissement du vocabulaire. Que cette double incapacité — phonologique et lexicale — s'accentue encore, et les derniers résidus de la parole seront des énoncés réduits à une seule
phrase d'un seul mot d'un seul phonème : le malade retombe
dans les phases initiales du développement linguistique du petit
enfant ou même au stade pré-linguistique — c'est alors l'*aphasie
universelle*, la perte totale du pouvoir d'utiliser ou d'appréhender
la parole.

La séparation des deux fonctions — l'une distinctive et l'autre
significative — est un trait particulier du langage si on le compare
aux autres systèmes sémiologiques. Il s'élève un conflit entre ces
deux niveaux du langage quand la carence du contexte chez
l'aphasique révèle une tendance à abolir la hiérarchie des unités
linguistiques et à réduire leur gamme à un seul niveau. Le dernier niveau maintenu est tantôt la classe des valeurs significatives, le m o t, comme dans les cas que nous venons de voir,
tantôt la classe des valeurs distinctives, le p h o n è m e. Dans ce
dernier cas, le malade est encore capable d'identifier, de distinguer et de reproduire les phonèmes mais n'a plus le pouvoir de
faire la même chose avec les mots. Dans un cas intermédiaire,
les mots sont identifiés, distingués et reproduits ; mais selon la
pertinente formule de Goldstein, ils « peuvent être appréhendés
comme connus mais non compris » (p. 90). Ici le mot perd sa

fonction significative normale et remplit la fonction purement
distinctive qui appartient normalement au phonème.

V. *Les pôles métaphorique et métonymique*

Les variétés d'aphasie sont nombreuses et diverses, mais
toutes oscillent entre les deux types polaires que nous venons
de décrire. Toute forme de trouble aphasique consiste en quelque
altération, plus ou moins grave, soit de la faculté de sélection et
de substitution, soit de celle de combinaison et de contexture. La
première affection comporte une détérioration des opérations
métalinguistiques, tandis que la seconde altère le pouvoir de
maintenir la hiérarchie des unités linguistiques. La relation de
similarité est supprimée dans le premier type et celle de contiguïté dans le second. La métaphore devient impossible dans le
trouble de la similarité et la métonymie dans le trouble de la
contiguïté.

Le développement d'un discours peut se faire le long de deux
lignes sémantiques différentes : un thème (*topic*) en amène un
autre soit par similarité soit par contiguïté. Le mieux serait sans
doute de parler de procès métaphorique dans le premier
cas et de procès métonymique dans le second, puisqu'ils
trouvent leur expression la plus condensée, l'un dans la métaphore, l'autre dans la métonymie. Dans l'aphasie l'un ou l'autre
de ces deux procédés est amoindri ou totalement bloqué — fait
qui en soi rend l'étude de l'aphasie particulièrement éclairante
pour le linguiste. Dans le comportement verbal normal, les deux
procédés sont continuellement à l'œuvre, mais une observation
attentive montre que, sous l'influence des modèles culturels, de la
personnalité et du style, tantôt l'un tantôt l'autre procédé a la
préférence.

Dans un test psychologique bien connu, des enfants sont mis
en présence d'un nom et on leur demande d'exprimer les premières réactions verbales qui leur viennent à l'esprit. Dans cette
expérience, deux prédilections linguistiques opposées se manifestent invariablement : la réponse est donnée soit comme un
substitut, soit comme un complément du stimulus. Dans le second
cas, stimulus et réponse forment ensemble une construction syntaxique propre, le plus souvent une phrase. On a désigné par les
termes de substitutive et de prédicative ces deux types
de réactions.

Au stimulus *hutte* une réponse donnée fut *a brûlé* ; une autre *est une pauvre petite maison*. Les deux réactions sont prédicatives ; mais la première crée un contexte purement narratif tandis que dans la seconde il y a une double connexion avec le sujet *hutte* : d'une part une contiguïté positionnelle (à savoir syntaxique), d'autre part une similarité sémantique.

Le même stimulus produisit aussi les réactions substitutives suivantes : la tautologie *hutte* ; les synonymes *cabane* et *cahute* ; l'antonyme *palais* et les métaphores *antre* et *terrier*. La capacité qu'ont deux mots de se remplacer l'un l'autre est un exemple de similarité positionnelle et, de plus, toutes les réponses sont liées au stimulus par similarité (ou contraste) sémantique. Les réponses métonymiques au même stimulus, telles que *chaume*, *paille*, ou *pauvreté*, combinent et contrastent la similarité positionnelle avec la contiguïté sémantique.

En manipulant ces deux types de connexion (similarité et contiguïté) dans leurs deux aspects (positionnel et sémantique) — par sélection, combinaison, hiérarchisation — un individu révèle son style personnel, ses goûts et préférences verbales.

Dans l'art du langage, l'interaction de ces deux éléments est spécialement marquée. On peut trouver une riche matière pour l'étude de cette relation dans les formes de versification où le p a r a l l é l i s m e entre vers successifs est obligatoire, comme par exemple dans la poésie biblique ou dans les traditions orales de la Finlande occidentale et, dans une certaine mesure, de la Russie. Cela nous fournit un critère objectif pour juger de ce qui, dans une communauté linguistique donnée, vaut comme correspondance. Puisqu'à chaque niveau du langage — morphologique, lexical, syntaxique, et phraséologique — l'une ou l'autre de ces deux relations (similarité et contiguïté) peut apparaître — et chacune dans l'un ou l'autre de ses deux aspects — une gamme impressionnante de configurations possibles est créée. L'un ou l'autre de ces deux pôles cardinaux peut prévaloir. Dans les chants lyriques russes, par exemple, ce sont les constructions métaphoriques qui prédominent alors que dans l'épopée héroïque le procédé métonymique est prépondérant.

Dans la poésie, différentes raisons peuvent déterminer le choix entre ces deux tropes. La primauté du procédé métaphorique dans les écoles romantiques et symbolistes a été maintes fois soulignée mais on n'a pas encore suffisamment compris que c'est la prédominance de la métonymie qui gouverne et définit effectivement le courant littéraire qu'on appelle « réaliste », qui appartient à une période intermédiaire entre le déclin du romantisme et la naissance du symbolisme et qui s'oppose à l'un comme à l'autre. Suivant la voie des relations de contiguïté, l'auteur réaliste opère des digressions métonymiques de l'intrigue à l'atmosphère et des personnages au cadre spatio-temporel. Il est friand de détails synecdochiques. Dans la scène du suicide d'Anna Karénine, l'attention artistique de Tolstoï est concentrée sur le sac à main de l'héroïne ; et dans *Guerre et Paix* les synecdoques « duvet sur la lèvre supérieure » et « épaules nues » sont utilisées par le même écrivain pour signifier les personnages féminins à qui ces traits appartiennent.

La prévalence respective de l'un ou l'autre de ces deux procédés n'est en aucune manière le fait exclusif de l'art littéraire. La même oscillation apparaît dans des systèmes de signes autres que le langage (1). Comme exemple marquant, tiré de l'histoire de la peinture, on peut noter l'orientation manifestement métonymique du cubisme, qui transforme l'objet en une série de synecdoques ; les peintres surréalistes ont réagi par une conception visiblement métaphorique. Depuis les productions de D.W. Griffith, le cinéma, avec sa capacité hautement développée de varier les angles, perspectives et réglages des prises de vue, a rompu avec la tradition du théâtre et employé une gamme sans précédent de gros plans synecdochiques et de montages métonymiques en général. Dans des films tels que ceux de Charlie Chaplin ces procédés se sont vus supplantés par un nouveau type, métaphorique, de montage, avec ses « fondus superposés » — véritables comparaisons filmiques (2).

La structure bipolaire du langage (ou d'autres systèmes sémiologiques) et, dans le cas de l'aphasie, la fixation à l'un de ces pôles à l'exclusion de l'autre, demandent une étude comparative systématique. Le maintien de l'un ou l'autre de ces pôles dans les deux types d'aphasie doit être mis en rapport avec la prédominance du même pôle dans certains styles, habitudes personnelles, modes courantes, etc. Une analyse attentive et une comparaison de ces phénomènes avec le syndrôme complet du type

---

(1) J'ai esquissé quelques remarques sur les tournures métonymiques dans l'art du langage (« Pro realizm u mystectvi », *Vaplite*, Kharkov, 1927, Nº 2 ; « Randbemerkungen zur Prosa des Dichters Pasternak », *Slavische Rundschau*, VII (1935), en peinture (« Futurism », *Iskusstvo*, Moscou, 2 août, 1919) et dans le cinéma (« Upadek filmu », *Listy pro umeni a kritiku*, I, Prague, 1933), mais le problème crucial des deux procédés primaires attend toujours d'être étudié systématiquement.

(2) Cf. Bela Balacz, *Theory of the Film* (Londres, 1952).

correspondant d'aphasie sont une tâche impérative pour une recherche conjointe de spécialistes de la psychopathologie, de la psychologie, de la linguistique, de la rhétorique et de la s é m i o l o g i e (*semiotics*), la science générale des signes. La dichotomie que nous étudions ici s'avère d'une signification et d'une portée primordiales pour comprendre le comportement verbal et le comportement humain en général (1).

Pour indiquer les possibilités qu'ouvre la recherche comparative dont nous parlons, nous choisirons un exemple tiré d'un conte populaire russe qui emploie le parallélisme comme procédé comique : « Thomas est célibataire ; Jérémie n'est pas marié » (*Fomá xólost* ; *Erjóma neženát*) (2). Les deux prédicats sont associés dans les deux propositions parallèles par similarité : ils sont en fait synonymes. Les sujets des deux propositions sont des noms propres masculins et donc morphologiquement semblables tandis que par ailleurs ils désignent deux héros voisins du même conte, créés pour accomplir des actions identiques et justifier ainsi l'utilisation de couples de predicats synonymes. Une version quelque peu modifiée de la même construction apparaît dans une chanson de noces familière, dans laquelle chacun des invités de la noce est tour à tour interpellé par son nom et par son patronyme : « Gleb est célibataire ; Ivanovitch n'est pas marié. » Tandis que les deux predicats sont encore ici synonymes, la relation entre les deux sujets est changée : les deux sont des noms propres désignant la même personne et sont normalement employés de façon contiguë comme mode de salutation polie.

Dans la citation tirée du conte populaire, les deux propositions parallèles se réfèrent à des faits distincts, le statut marital de Thomas et le statut semblable de Jérémie. Mais dans les vers de la chanson de noces, les deux propositions sont synonymes : elles redisent de manière redondante le célibat du même héros, éclaté en deux hypostases verbales.

Le romancier russe Gleb Ivanovitch Uspensky (1840-1902) souffrit, dans les dernières années de sa vie, d'une maladie mentale accompagnée de troubles de la parole. Son prénom et son

_____

(1) Pour les aspects psychologiques et sociologiques de cette dichotomie, voir les conceptions de Bateson sur l'« intégration progressionnelle » et l'« intégration sélective », et celles de Parsons sur la « dichotomie conjonction-disjonction » dans le développement de l'enfant : J. Ruesch et G. Bateson, *Communication, the Social Matrix of Psychiatry* (New York, 1951), p. 183 sv. ; T. Parsons et R.F. Bales, *Family, Socialization and Interaction Process* (Glencoe, 1955), p. 119 sv.

(2) Littéralement : « Jérémie est non-marié. »

patronyme, *Gleb Ivanovith*, traditionnellement accouplés dans la conversation polie, s'étaient scindés à ses yeux en deux noms distincts désignant deux êtres séparés : Gleb était paré de toutes les vertus, tandis qu'Ivanovitch, le nom rattachant le fils à son père, devenait l'incarnation de tous les vices d'Uspensky. L'aspect linguistique de ce dédoublement de la personnalité se montre dans l'incapacité du malade à utiliser deux symboles pour la même chose, ce qui constitue ainsi un exemple de trouble de la similarité. Puisque le trouble de la similarité est lié à la tendance à la métonymie, il est particulièrement intéressant d'examiner la manière littéraire qui était celle d'Uspensky dans sa jeunesse. L'étude de Anatole Kamegulov, qui a analysé le style d'Uspensky, confirme notre hypothèse théorique. Il montre qu'Uspensky avait un penchant particulier pour la métonymie, spécialement pour la synecdoque, et qu'il l'a poussé si loin que « le lecteur est écrasé par la multitude des détails dont on l'accable dans un espace verbal limité, et se trouve physiquement incapable de saisir le tout, si bien que le portrait est souvent perdu » (1).

Certes, le style métonymique d'Uspensky est manifestement inspiré du canon littéraire prédominant de son temps, le « réalisme » de la fin du XIXe siècle ; mais le tempérament propre de Gleb Ivanovitch l'inclinait plus particulièrement à suivre ce courant artistique dans ses manifestations extrêmes pour finalement laisser sa marque sur l'aspect verbal de sa maladie mentale.

La compétition entre les deux procédés, métonymique et métaphorique, est manifeste dans tout processus symbolique, qu'il soit intrasubjectif ou social. C'est ainsi que dans une étude sur la structure des rêves, la question décisive est de savoir si les symboles et les séquences temporelles utilisés sont fondés sur la contiguïté (« déplacement » métonymique et « condensation » synecdochique freudiens) ou sur la similarité (« identification »

---

(1) A. Kamegulov, *Stil' Gleba Uspenskogo* (Leningrad, 1930) pp. 65, 145. Voici l'un de ces portraits désintégrés cités dans la même monographie : « Sous un vieux chapeau de paille à l'écusson marqué d'une tache noire, on pouvait voir deux touffes de cheveux semblables aux défenses d'un sanglier sauvage ; un menton devenu gras et pendant s'étalait définitivement sur le col graisseux du plastron de calicot, et, en une couche épaisse, reposait sur le col grossier de son habit de toile, boutonné serré sur le cou. De dessous cet habit, vers les yeux de l'observateur, s'avançaient des mains massives, ornées d'un anneau qui avait rongé le doigt gras, une canne à pommeau de cuivre, un renflement marqué de l'estomac, et de très larges pantalons, ayant presque la qualité de la percale, et dont les larges bords cachaient la pointe de ses bottes. »

et « symbolisme » freudiens) (1). Les principes qui commandent les rites magiques ont été ramenés par Frazer à deux types : les incantations reposant sur la loi de similitude et celles fondées sur l'association par contiguïté. La première de ces deux grandes branches de la magie par sympathie a été appelée « homéopathique » ou « imitative » et la seconde « magie par contagion » (2). Cette bipartition est en vérité fort éclairante. Néanmoins le plus souvent on continue à négliger le problème des deux pôles, en dépit de son immense portée pour l'étude de tous les comportements symboliques et en particulier du comportement verbal et de ses troubles. Quelle est la principale raison de cette négligence ?

La similarité des significations relie les symboles d'un métalangage aux symboles du langage auquel il se rapporte. La similitude relie un terme métaphorique au terme auquel il se substitue. En conséquence, quand le chercheur construit un métalangage pour interpréter les tropes, il possède des moyens plus homogènes pour manier la métaphore, alors que la métonymie, fondée sur un principe différent, défie facilement l'interprétation. C'est pourquoi rien de comparable à la riche littérature écrite sur la métaphore (3) ne peut être cité en ce qui concerne la théorie de la métonymie. Pour la même raison, si on a généralement aperçu les liens étroits qui unissent le romantisme à la métaphore, on a le plus souvent méconnu l'affinité profonde qui lie le réalisme à la métonymie. Ce n'est pas seulement l'instrument d'analyse mais aussi l'objet de l'analyse qui expliquent la prépondérance de la métaphore sur la métonymie dans les recherches savantes. Puisque la poésie est centrée sur le signe alors que la prose, pragmatique, l'est, au premier chef, sur le référent, on a étudié les tropes et les figures essentiellement comme des procédés poétiques. Le principe de similarité gouverne la poésie ; le parallélisme métrique des vers et l'équivalence phonique des

---

(1) S. Freud, *Die Traumdeutung*, 9e éd., Vienne (1950). (NDT) : On remarquera que ce rapprochement ne coïncide pas avec celui fait par J. Lacan (cf. « L'instance de la lettre dans l'Inconscient », in *La Psychanalyse*, III, 1957) ; celui-ci identifie, respectivement, condensation et métaphore, et déplacement et métonymie. Roman Jakobson, à qui nous en avons fait la remarque, pense que la divergence s'explique par l'imprécision du concept de condensation, qui, chez Freud, semble recouvrir à la fois des cas de métaphore et des cas de synecdoque.

(2) J.G. Frazer, *The Golden Bough : A Study in Magic and Religion*, 1re partie, 3e éd., Londres.

(3) C.F.P. Stutterheim, *Het begrip metaphoor* (Amsterdam, 1941).

rimes imposent le problème de la similitude et du contraste sémantiques ; il existe, par exemple, des rimes grammaticales et
antigrammaticales, mais jamais de rimes agrammaticales (1). La
prose, au contraire, se meut essentiellement dans les rapports de
contiguïté. De sorte que la métaphore pour la poésie et la métonymie pour la prose constituent la ligne de moindre résistance,
ce qui explique que les recherches sur les tropes poétiques soient
orientées principalement vers la métaphore. La structure bipolaire effective a été artificiellement remplacée, dans ces recherches, par un schème unipolaire amputé, qui, de manière assez
frappante, coïncide avec l'une des formes d'aphasie, en l'occurence, le trouble de la contiguïté.

---

(1) Sur ce sujet, voir aussi, ici-même, ch. XI, p. 234.

CHAPITRE III

LES ÉTUDES TYPOLOGIQUES ET LEUR CONTRIBUTION A LA LINGUISTIQUE HISTORIQUE COMPARÉE (1)

La remarque ancienne de Sommerfelt, qui servit d'épigraphe à ma monographie sur les lois phoniques générales, reste fondamentale : « Il n'y a pas de différence *de principe* entre les systèmes phonétiques du monde » (2) — disons, plus généralement, *entre les systèmes linguistiques.*

1. *Les sujets parlants comparent les langues.* Comme les anthropologues nous le rappellent, une des constatations les plus significatives que l'on puisse faire concernant la communication humaine est la suivante : il n'y a pas d'homme si primitif qu'il ne soit capable de dire : « Ces gens ont une langue différente (de la mienne)... Je la parle (ou je ne la parle pas) ; je la comprends (ou je ne la comprends pas). » Margaret Mead ajoute que pour les hommes la langue est par excellence « ce qui, dans le comportement des autres, peut être appris » (3). La « commutation des codes » d'une langue à l'autre (4) n'est possible précisément que parce que les langues sont isomorphes : des principes communs sont sous-jacents à leurs structures.

---

(1) Rapport présenté au VIIIᵉ Congrès International des Linguistes à Oslo en 1957, publié dans les *Proceedings of the VIIIth International Congress of Linguists*, Oslo, 1958.

(2) Sommerfelt, Alf, « Loi phonétique », *Norsk Tidsskrift for Sprogvidenskap*, I, 1928.

(3) Mead, Margaret, *Cybernetics*, Transactions of the 8th Conference, New York, 1951, p. 91.

(4) *Interlingual code switching.*

Quand les membres d'une communauté linguistique donnée parlent des langues des autres, ils se livrent à quelque chose qui, comme tout langage à propos du langage, est une forme de ce que les logiciens ont appelé «métalangue». Comme j'ai essayé de le montrer dans ma communication de 1956 à la Société américaine de linguistique, le métalangage est tout autant que le langage-objet un aspect de notre comportement verbal, et, comme tel, il constitue un problème linguistique.

Avec la rare pénétration qu'il mettait à traiter des problèmes simples, habituellement négligés du fait même de leur simplicité, Sapir disait que, aux yeux des sujets parlants, « toutes les langues sont différentes les unes des autres, mais certaines diffèrent entre elles beaucoup plus que d'autres. Ce qui revient à dire qu'il est possible de les grouper en types morphologiques » (1) et aussi, dirons-nous, en types phonologiques et syntaxiques. En ce qui nous concerne, nous linguistes, « il serait trop facile de nous délivrer de l'effort d'une pensée constructive et de nous en tenir au point de vue que, l'histoire de chaque langue étant unique, sa structure, elle aussi, est unique. »

2. *Retard et progrès dans les études typologiques.* L'échec de la tentative de Friedrich Schlegel de créer une typologie générale des langues, pas plus que les faiblesses qui ont entaché son approche de l'étude généalogique des langues indo-européennes, ne nous autorise pas à renoncer à aborder le problème, mais exige au contraire qu'on y apporte une solution adéquate. Les spéculations prématurées sur la parenté des langues ont vite fait place aux premières applications et aux premières réussites de la méthode historique comparative, mais les questions de typologie ont conservé pendant longtemps un caractère spéculatif et préscientifique. Tandis que la classification génétique des langues avançait à pas de géants, les temps n'étaient pas encore mûrs pour une classification typologique. La primauté des problèmes génétiques dans la pensée scientifique au siècle dernier laissa une empreinte particulière sur les esquisses typologiques de cette époque : les types morphologiques furent conçus comme des stades évolutifs. La doctrine de Marr (*učenie o stadial'nosti*) fut peut-être le dernier rejeton de cette lignée. Mais même sous cet aspect quasi-génétique, la typologie suscita la méfiance des néogrammairiens, puisque toute étude typologique impliquait

_____

(1) Sapir, *Le Langage*, tr. fr. pp. 115-116.

l'usage de la technique descriptive, et que toute approche descriptive se voyait bannie comme non scientifique par les dogmatiques *Prinzipien der Sprachgeschichte.*

Il est naturel que Sapir, qui fut un des promoteurs de la linguistique descriptive, se soit fait l'avocat des recherches sur les types de structures linguistiques. Cependant l'élaboration de techniques visant à la description systématique de langues isolées absorbait la plupart des chercheurs travaillant dans le nouveau domaine ; on soupçonna toute entreprise comparative de défigurer les critères intrinsèques des monographies unilingues. Il fallut du temps avant que l'on se rendît compte qu'il est aussi contradictoire de décrire des systèmes isolés sans en faire la taxinomie que de bâtir une taxinomie en l'absence de descriptions de systèmes particuliers : les deux tâches s'impliquent mutuellement.

Si, dans l'entre-deux guerres, toute référence concrète à la typologie provoquait des mises en garde sceptiques — « jusqu'où la typologie peut égarer un bon linguiste » (1) — à présent on reconnaît de plus en plus la nécessité d'études typologiques systématiques. Quelques exemples notables : Bazell, comme d'habitude plein de suggestions neuves et fructueuses, a esquissé un programme de typologie linguistique du point de vue des relations syntaxiques (2) ; Milewski avait déjà, le premier, présenté un remarquable et provoquant travail sur « la typologie phonologique des langues indiennes d'Amérique » (3) ; Greenberg, par ailleurs historien de premier plan, a repris le projet de Sapir d'une typologie morphologique (4, a) et exposé les trois méthodes fondamentales de la classification linguistique — la méthode génétique, la méthode des aires, et la méthode typologique (4 b, c).

La méthode génétique s'occupe des faits de parenté, celle des aires, de l'affinité, et la méthode typologique de l'isomorphisme. Contrairement à la parenté et à l'affinité, l'isomorphisme n'implique pas nécessairement le facteur temporel ou le facteur spatial. L'isomorphisme peut unir différents états d'une même

(1) A. Vaillant, *Revue des études slaves*, XIII (1933), p. 289.
(2) Bazell, C.E., *Cahiers Ferdinand de Saussure*, VIII, 1949, pp. 33 sv.
(3) Milewski, T., *Lingua Posnaniensis*, IV, 1935, pp. 229 sv.
(4) Greenberg, J. H.
    (a) *Methods and Perspective in Anthropology*, Papers in honor of Wilson D. Wallis, ed. by R. F. Spencer, 1954, pp. 192 sv.
    (b) *Essays in Linguistics*, 1957, Ch. VI.
    (c) « The Nature and Use of Linguistic Typologies » in *IJAL*, XXIII, 1957, pp. 68 sv.

langue ou deux états (simultanés ou séparés dans le temps) de
deux langues différentes, qu'elles soient contiguës ou éloignées,
parentes ou non.

3. *C'est le système, non l'inventaire, qui est la base de la typologie.* A la question rhétorique de Menzerath, un des plus ingé-
nieux pionniers des recherches typologiques, — un niveau de
langue donné est-il « simplement la sommation de faits multiples,
ou est-il soumis à une structure ? (1) », — la linguistique moderne
a répondu sans ambiguïté. Nous parlons du système grammatical ou phonologique du langage, des lois de sa structure, de
l'interdépendance des parties entre elles et des parties et du tout.
Pour saisir ce système, un simple catalogue de ses composants
ne suffit pas. De même que l'aspect syntagmatique du langage
présente une hiérarchie complexe de constituants immédiats et
médiats, de même l'arrangement paradigmatique des éléments
se caractérise par une stratification multiforme. La comparaison
typologique de différents système doit tenir compte de cette
hiérarchie. Toute intervention de l'arbitraire, toute déviation de
l'ordre donné et décelable ferait avorter la classification typologique. Le principe de la division ordonnée prend racine, de
plus en plus, tant en grammaire qu'en phonologie : on aura une
claire conscience des progrès accomplis si on relit le *Cours* de
Ferdinand de Saussure ; Saussure, qui fut le premier à pleinement comprendre l'importance pour la linguistique du concept de
système, n'arrivait cependant pas encore à découvrir un ordre
obligatoire dans un système aussi distinctement hiérarchisé que
celui des cas : « C'est par un acte purement arbitraire que le
grammairien les groupe d'une façon plutôt que d'une autre (2).»
Même le nominatif, le *cas zéro*, qui est si visiblement le cas initial, n'occupe, d'après Saussure, qu'une place arbitraire dans le
système des cas.

La typologie phonologique, Greenberg a raison, ne peut rester
« soumise à la terminologie plutôt vague de la phonétique traditionnelle ». En vue d'une typologie des systèmes phonologiques,
on s'est trouvé logiquement obligé de soumettre ceux-ci à une
analyse conséquente : « on emploie comme critères la présence
de certaines relations parmi les attributs eux-mêmes ou parmi
les classes de ces attributs. » (3) Une typologie des systèmes,
grammaticaux ou phonologiques, n'est possible que si on redé-

---

(1) Menzerath, P., *JASA*, XXII, 1950, p. 698.
(2) Saussure, *Cours de linguistique générale*, p. 175.
(3) Greenberg, cf. n. 1 (c) p. 70.

finit logiquement le système avec le maximum d'économie, par une stricte extraction des redondances. Une typologie linguistique basée sur des traits arbitrairement choisis ne pourrait donner de résultats satisfaisants, pas plus qu'une classification du règne animal qui, à la place de la division féconde en vertébrés et invertébrés, mammifères et oiseaux, etc., prendrait pour critère par exemple la couleur de la peau, et, sur cette base, en viendrait à mettre dans le même sac les bébés et les cochons roses.

Le principe des constituants immédiats n'est pas moins fécond dans l'analyse de l'aspect paradigmatique que dans la décomposition des phrases. Une typologie basée sur ce principe dévoile, derrière la variété des systèmes phonologiques et grammaticaux, une série d'éléments unificateurs, et réduit substantiellement une variété qui n'est infinie qu'en apparence.

4. *Lois universelles ou quasi universelles.* La typologie découvre des lois d'implication qui gouvernent la structure phonologique et aussi, semble-t-il, la structure morphologique des langues : la présence de A implique la présence de B (ou au contraire son absence). De cette manière on décèle dans les langues du monde des régularités ou des « régularités approximatives », comme disent les anthropologues.

Il ne fait pas de doute que des descriptions plus exactes et exhaustives des langues du monde compléteront, corrigeront et perfectionneront le code des lois générales. Mais il ne serait pas judicieux de remettre à plus tard la recherche de ces lois, sous le prétexte que nos connaissances empiriques doivent et peuvent encore s'élargir. Le moment est venu de s'attaquer à la question des lois universelles du langage, en particulier des lois phonologiques. Même la découverte, dans une langue lointaine, nouvellement décrite, de particularités qui contredisent ces lois ne dévaluerait pas les généralisations basées sur l'étude antérieure d'un nombre imposant de langues. La régularité observée deviendrait une régularité approximative, une règle d'une haute probabilité statistique. Avant la découverte de l'ornithorynque en Tasmanie et en Australie méridionale, les zoologistes, dans leurs définitions générales des mammifères, n'envisageaient pas le cas des ovipares ; néanmoins ces définitions dépassées gardent leur validité pour l'immense majorité des mammifères du monde et restent importantes d'un point de vue statistique.

Mais, dès à présent, la riche expérience accumulée par la science des langues permet de découvrir des constantes qui ont peu de chances de se trouver dégradées en quasi-constantes. Il existe des langues qui ne connaissent pas de syllabes à initiale vocalique et/ou de syllabes à finale consonantique, mais aucune langue n'ignore les syllabes à initiale consonantique ou les syllabes à finale vocalique. Il existe des langues sans fricatives, mais aucune qui soit dépourvue d'occlusives. Il n'existe pas de langues, connaissant l'opposition des occlusives proprement dites et des affriquées (p. ex. /t/-/t͡s/), qui soit sans fricatives (p. ex. /s/). Toute langue qui possède des voyelles antérieures arrondies a aussi des voyelles postérieures arrondies.

De plus, dans le cas de certaines lois à peu près universelles, l'existence d'exceptions partielles réclame simplement une formulation plus souple de la loi générale en question. C'est ainsi que, en 1922, j'avais noté que l'accent d'intensité libre, d'une part, et, d'autre part, une opposition quantitative, indépendante de l'accent, entre voyelles longues et brèves, sont incompatibles à l'intérieur d'un même système phonologique. Cette loi, qui explique de façon satisfaisante l'évolution prosodique du slave et de certains autres groupes indo-européens, est valable pour l'immense majorité des langues. Des cas particuliers où, à première vue, accent et quantité apparaissaient indépendants, se sont révélés illusoires : ainsi, on avait décrit le Wichita (en Oklahoma) comme possédant à la fois l'accent et la quantité phonologiques, mais, d'après le réexamen auquel s'est livré Paul Garvin, le Wichita est en fait une langue polytonique, avec l'opposition d'un accent montant et d'un accent descendant qui avait échappé à l'observation. Néanmoins cette loi générale exige d'être formulée plus prudemment. Si, dans une langue, l'accent d'intensité phonologique coexiste avec la quantité phonologique, l'un des deux éléments est subordonné à l'autre, et trois entités distinctes, presque jamais quatre, sont admises : ou bien l'opposition entre syllabes longues et brèves est possible seulement dans la syllabe accentuée, ou bien seule l'une des deux catégories quantitatives, longueur ou brièveté, peut véhiculer un accent distinctif libre. Apparemment, dans de telles langues, la catégorie marquée n'est pas la voyelle longue opposée à la brève mais la voyelle réduite opposée à la non-réduite. Avec Grammont, je crois qu'une loi qui réclame des rectifications est plus utile que l'absence de loi formulée.

5. *Le déterminisme morphique.* Puisque les « points de référence invariants pour la description et la comparaison » sont

(là-dessus on sera d'accord avec Kluckhohn) (1) le problème central de la typologie, je me permets d'illustrer ces questions, relativement neuves en linguistique, par une analogie remarquable, tirée d'une autre science.

Le développement de la science du langage, en particulier le passage d'un point de vue primitivement génétique à une démarche essentiellement descriptive correspond de manière frappante à l'évolution contemporaine d'autres sciences, en particulier au passage de la mécanique classique à la mécanique quantique. Ce parallélisme me paraît au plus haut point éclairant pour la discussion des problèmes de typologie linguistique. Je citerai une communication sur « la mécanique quantique et le déterminisme » faite par l'éminent spécialiste, L. Tisza, devant l'Académie américaine des Arts et des Sciences : la mécanique quantique (et aussi, dirons-nous, la linguistique structurale moderne) est déterministe du point de vue morphique, tandis que les processus temporels, les transitions d'un état stationnaire à un autre, sont gouvernés par des lois statistiques de probabilité. La linguistique structurale comme la mécanique quantique gagnent en déterminisme morphique ce qu'elles perdent en déterminisme temporel. « Les états sont caractérisés par des grandeurs discontinues plutôt que par des variables continues » tandis que « d'après les règles classiques, ces systèmes devraient être caractérisés par des paramètres continus », et, « puisque deux nombres réels empiriquement donnés ne peuvent jamais être rigoureusement identiques, il n'est pas surprenant que le physicien classique ait fait objection à l'idée d'objets déterminés ayant une parfaite identité. »

La typologie, et l'ensemble de la linguistique descriptive dans ses phases récentes — dont j'ai essayé de résumer le développement dans mon article nécrologique sur Boas (2) — visent de plus en plus clairement à formuler les lois structurales du langage. Et, tandis qu'on ne peut qu'approuver les remarques éclairantes de Greenberg et de Kroeber (3) sur le caractère statistique des « typologies diachroniques » avec leurs indices de direction, la typologie des états stationnaires doit opérer avec des grandeurs discontinues plutôt qu'avec des variables continues.

Nous avons évité la dénomination courante de « typologie synchronique ». Pour le physicien moderne, « le jeu réciproque

---

(1) Kluckhohn, C., *in Anthropology Today*, 1953, pp. 507 sv.
(2) Jakobson, R., *IJAL*, X, 1944, p. 194 sv.
(3) Kroeber, A. L., *Methods and Perspective in Anthropology*, p. 294 sv.

de l'identité quasi permanente et de l'incertitude des changements temporels apparaît comme un des aspects fondamentaux de la nature. » De même, dans le domaine du langage, « statique » et « synchronique » ne coïncident pas. A l'origine, tout changement relève de la linguistique synchronique : l'ancienne et la nouvelle variété coexistent au même moment dans la même communauté linguistique, l'une étant archaïque, l'autre à la mode, l'une appartenant à un style plus explicite, l'autre à un style elliptique — c'est-à-dire à deux sous-codes du même code convertible. Chaque sous-code en lui-même est, au moment considéré, un système stationnaire régi par des lois structurales rigides, tandis que le jeu réciproque de ces systèmes partiels est soumis aux lois flexibles de transition d'un système à un autre.

6. *Typologie et reconstruction.* Les remarques qui précèdent nous permettent de répondre à la question-clé : « Quelle contribution les études typologiques peuvent-elles apporter à la linguistique historique comparée ? » D'après Greenberg, la typologie des langues ajoute à « notre pouvoir de prévision puisque, un système synchronique étant donné, certains développements seront hautement vraisemblables, d'autres moins probables, certains enfin pratiquement exclus » (1). Schlegel, le précurseur de la linguistique comparée et de la typologie, décrivait l'historien comme un prophète qui prédit à reculons. Notre « pouvoir de prévision » dans la reconstruction trouve un appui dans les études typologiques.

Si un conflit surgit entre un état de langue reconstruit et les lois générales que la typologie découvre, c'est que la reconstruction est discutable. Au Cercle Linguistique de New York en 1949, j'attirais l'attention de G. Bonfante et d'autres indo-européanisants sur certains problèmes controversés de ce genre. L'image d'un proto-indo-européen n'ayant qu'une seule voyelle, ne trouve aucune confirmation dans les langues du monde dont on possède une description. A ma connaissance, aucune langue n'ajoute, à la paire /t/-/d/, une aspirée voisée /dʰ/ sans avoir sa contrepartie non-voisée /tʰ/, tandis que /t/, /d/, et /tʰ/ apparaissent fréquemment, en l'absence d'un /dʰ/ qui est comparativement rare ; une telle stratification est facilement explicable (2). C'est pourquoi les théories qui opèrent avec les trois phonèmes /t/-/d/-/dʰ/ en proto-indo-européen doivent reconsidérer le problème

---

(1) Greenberg, cf. n. 9 (c).
(2) Cf. Jakobson and Halle, *Fundamentals of Language*, 1956, p. 43 sv., = ici-même, ch. VI, pp. 141-142.

de leur essence phonologique. La coexistence supposée d'un phonème « occlusive aspirée » et d'un groupe de deux phonèmes — « occlusive » plus /h/ ou une autre « consonne laryngale » — est bien douteuse à la lumière de la typologie phonologique. D'autre part, des conceptions, antérieures ou opposées à la théorie laryngale, qui n'assignent pas de /h/ à l'indo-européen, sont en désaccord avec l'expérience typologique : il est de règle que les langues qui possèdent les paires voisée/non voisée et aspirée/non aspirée, aient aussi un phonème /h/. De ce point de vue, il est significatif que, dans ces groupes de langues indo-européennes qui perdirent le /h/ archaïque sans en acquérir un nouveau, les aspirées se soient fondues avec les occlusives non-aspirées correspondantes : comparer la perte de toute différence entre aspirées et non-aspirées en slave, en balte, en celte, en tokharien, avec le traitement différent des deux séries en grec, en indique, en germanique et en arménien, groupes qui tous changèrent très tôt certains de leurs phonèmes buccaux en /h/. Une aide semblable peut être attendue des recherches typologiques sur les procédés et les concepts grammaticaux.

On parviendrait à éviter de semblables divergences en s'en tenant à la méthode proposée par Saussure pour la reconstruction d'un phonème indo-européen. « On pourrait, sans spécifier sa nature phonique, le cataloguer et le représenter par son numéro dans le tableau des phonèmes indo-européens (1). » A présent, cependant, nous nous tenons à égale distance de l'empirisme naïf, qui rêvait d'un enregistrement phonographique des sons de l'indo-européen, et de la position opposée, agnostique, qui répugne à explorer le système phonologique de l'indo-européen et réduit timidement ce système à un simple catalogue numérique. Si l'on s'interdit l'analyse structurale de deux stades successifs, il est impossible d'interpréter le passage du premier au second état et la phonologie historique se trouve appauvrie sans raison. Un mode d'approche réaliste de la technique de reconstruction consisterait à cheminer rétrospectivement d'un état à un autre et à entreprendre l'analyse structurale de chacun de ces états, en se référant aux témoignages typologiques.

On ne peut comprendre les changements dans un système linguistique sans égard au système qui les subit. Cette thèse, débattue au premier Congrès International des Linguistes, il y a près de trente ans (2), est maintenant largement reconnue (cf. les

---

(1) Saussure, *Cours de linguistique générale*, p. 303.
(2) Cf. *Actes du premier Congrès International des Linguistes, du* 10-15 *avril* 1928, p. 33 sv.

récents et impressionnants débats sur les relations entre linguistique synchronique et linguistique diachronique, à l'Académie
des Sciences de l'U.R.S.S.) (1). Les lois structurales du système
restreignent l'inventaire des transitions possibles d'un état à un
autre. Ces transitions, répétons-le, font partie du code linguistique, elles sont une composante dynamique du système linguistique total. On peut calculer la probabilité de transition, mais il
est peu probable que l'on découvre des lois universelles régis-
sant les événements temporels. La méthode quantitative appliquée par Greenberg à la typologie diachronique est prometteuse,
si l'on veut examiner le caractère relativement systématique dans
la tendance et la direction des changements, ou la proportion et
la distribution de la mutation et l'immutabilité. De ce point de
vue les évolutions convergentes ou divergentes de langues parentes ou contiguës fournissent une riche information, importante
pour la recherche historique comparative. Nous sommes arrivés
au point où s'évanouit irrévocablement le mythe selon lequel
changement et permanence ne seraient dûs l'un et l'autre qu'aux
effets fortuits d'une évolution aveugle et sans but (2). La permanence, la statique dans le temps, devient un problème pertinent
de la linguistique diachronique, tandis que la dynamique, le jeu
de différents sous-codes à l'intérieur du système total d'une
langue, se révèle être un question cruciale pour la linguistique
synchronique.

---

(1) *Tezisy dokladov na otkrytom rasširennom zasedanii učenogo soveta,
posvjascennom diskussii o sootnosenii sinxronnogo analiza i istoričeskogo issle-
dovanija jazyka*, AN SSSR, 1957.

(2) Saussure, *Cours de linguistique générale*, p. 316.

CHAPITRE IV

ASPECTS LINGUISTIQUES DE LA TRADUCTION (1)

D'après Bertrand Russell, « personne ne peut comprendre le mot *fromage*, s'il n'a pas d'abord une expérience non linguistique du fromage » (2). Si, cependant, nous suivons le précepte fondamental du même Russel, et mettons « l'accent sur les aspects linguistiques des problèmes philosophiques traditionnels », alors nous sommes obligés de dire que personne ne peut comprendre le mot *fromage* s'il ne connaît pas le sens assigné à ce mot dans le code lexical du français. Tout représentant d'une culture culinaire ignorant le fromage comprendra le mot français *fromage* s'il sait que dans cette langue ce mot signifie «aliment obtenu par la fermentation du lait caillé» et s'il a au moins une connaissance linguistique de « fermentation » et « lait caillé ». Nous n'avons jamais bu d'ambroisie ni de nectar et n'avons qu'une expérience linguistique des mots *ambroisie, nectar,* et *dieux* — nom des êtres mythiques qui en usaient ; néanmoins nous comprenons ces mots et savons dans quels contextes chacun d'eux peut s'employer.

Le sens des mots français *fromage, pomme, nectar, connaissance, mais, seulement,* ou de n'importe quel autre mot ou groupe de mots est décidément un fait linguistique — disons, pour être plus précis et moins étroits, un fait sémiotique. Contre ceux qui

---

(1) Publié en anglais dans R.A. Brower, ed. : *On Translation*, Harvard University Press, 1959, pp. 232-239.

(2) Bertrand Russell, « Logical Positivism », *Revue Internationale de Philosophie*, IV (1950), 18 ; cf. p. 3.

assignent le sens (le signifié) non au signe, mais à la chose elle-même, le meilleur argument, et le plus simple, serait de dire que personne n'a jamais goûté ni humé le sens de *fromage* ou de *pomme*. Il n'y a pas de signifié sans signe. On ne peut inférer le sens du mot *fromage* d'une connaissance non linguistique du roquefort ou du camembert sans l'assistance du code verbal. Il est nécessaire de recourir à toute une série de signes linguistiques si l'on veut faire comprendre un mot nouveau. Le simple fait de montrer du doigt l'objet que le mot désigne ne nous apprendra pas si *fromage* est le nom du spécimen donné ou de n'importe quelle boîte de camembert, du camembert en général ou de n'importe quel fromage, de n'importe quel produit lacté, nourriture ou rafraîchissement, ou peut-être de n'importe quelle boîte, indépendamment de son contenu. Finalement, le mot désigne-t-il simplement la chose en question, ou implique-t-il l'idée de vente, d'offre, de prohibition ou de malédiction ? (Montrer du doigt peut effectivement avoir le sens d'une malédiction : dans certaines cultures, particulièrement en Afrique, c'est un geste de mauvaise augure.)

Pour le linguiste comme pour l'usager ordinaire du langage, le sens d'un mot n'est rien d'autre que sa traduction par un autre signe qui peut lui être substitué, spécialement par un autre signe « dans lequel il se trouve plus complètement développé », comme l'enseigne Peirce, le plus profond investigateur de l'essence des signes (1). Le terme *célibataire* peut être converti en la désignation plus explicite, *personne non mariée*, chaque fois qu'un plus haut degré de clarté est requis. Nous distinguons trois manières d'interpréter un signe linguistique, selon qu'on le traduit dans d'autres signes de la même langue, dans une autre langue, ou dans un système de symboles non linguistique. Ces trois formes de traduction doivent recevoir des désignations différentes :

1) La traduction intralinguale ou r e f o r m u l a t i o n (*rewording*) consiste en l'interprétation des signes linguistiques au moyen d'autres signes de la même langue.

2) La traduction interlinguale ou t r a d u c t i o n p r o p r e-m e n t d i t e consiste en l'interprétation des signes linguistiques au moyen d'une autre langue.

3) La traduction intersémiotique ou t r a n s m u t a t i o n consiste en l'interprétation des signes linguistiques au moyen de systèmes de signes non linguistiques.

---

(1) Cf. John Dewey, « Peirce's Theory of Linguistic Signs, Thought, and Meaning », *The Journal of Philosophy*, XVIII (1946), 91.

La traduction intralinguale d'un mot se sert d'un autre mot, plus ou moins synonyme, ou recourt à une circonlocution. Cependant, en règle générale, qui dit synonymie ne dit pas équivalence complète : par exemple, « tout vieux garçon est un célibataire, mais tout célibataire n'est pas un vieux garçon. » Un mot ou un groupe de mots idiomatique, bref une unité du code appartenant au plus haut niveau des unités codées, ne peut être pleinement interprétée qu'au moyen d'une combinaison, qui lui est équivalente, d'unités du code, c'est-à-dire au moyen d'un message se référant à cette unité : « tout célibataire est une personne non mariée et toute personne non mariée est un célibataire », ou « tout vieux garçon est un homme qui a vieilli sans se marier, et tout homme qui a vieilli sans se marier est un vieux garçon. »

De même, au niveau de la traduction proprement dite, il n'y a ordinairement pas équivalence complète entre les unités codées, cependant que des messages peuvent servir adéquatement d'interprétation des unités ou des messages étrangers. Le mot français *fromage* ne peut être entièrement identifié à son hétéronyme en russe courant, *sýr*, parce que le fromage blanc est un *fromage*, mais pas un *sýr*. Les Russes disent *prinesi sýru i tvorogu*, « apportez du fromage et (sic) du fromage blanc ». En russe courant, l'aliment obtenu à partir de la coagulation du lait ne s'appelle *sýr* que si un ferment spécial est utilisé.

Le plus souvent, cependant, en traduisant d'une langue à l'autre, on substitue des messages dans l'une des langues, non à des unités séparées, mais à des messages entiers de l'autre langue. Cette traduction est une forme de discours indirect; le traducteur recode et retransmet un message reçu d'une autre source. Ainsi la traduction implique deux messages équivalents dans deux codes différents.

L'équivalence dans la différence est le problème cardinal du langage et le principal objet de la linguistique. Comme tout receveur de messages verbaux, le linguiste se comporte en interprète de ces messages. Aucun spécimen linguistique ne peut être interprété par la science du langage sans une traduction des signes qui le composent en d'autres signes appartenant au même système ou à un autre système. Dès que l'on compare deux langues, se pose la question de la possibilité de traduction de l'une dans l'autre et réciproquement ; la pratique étendue de la communication interlinguale, en particulier les activités de traduction, doivent être un objet d'attention constante pour la science du langage. Il est difficile de surestimer le besoin urgent, l'importance théorique et pratique, de dictionnaires bilingues différentiels, qui définiraient soigneusement et comparativement toutes les unités correspondantes, en extension et en compréhension. De même, des grammaires bilingues différentielles devraient définir ce qui rapproche et ce qui différencie deux langues du point de vue de la sélection et de la délimitation des concepts grammaticaux.

La pratique et la théorie de la traduction abondent en problèmes complexes; aussi, régulièrement, des tentatives sont faites de trancher le nœud gordien, en élevant l'impossibilité de la traduction à la hauteur d'un dogme. « Monsieur Tout-le-Monde, ce logicien naturel », si vivement imaginé par B. L. Whorf, est supposé tenir le bout de raisonnement suivant : « Les faits sont différents aux yeux de sujets à qui leur arrière-plan linguistique fournit une formulation différente de ces faits » (1). Dans les premières années de la révolution russe, il se trouva des visionnaires fanatiques pour plaider, dans les périodiques soviétiques, en faveur d'une révision radicale du langage traditionnel et en particulier pour réclamer la suppression d'expressions aussi trompeuses que le « lever » ou le « coucher » du soleil. Pourtant, nous continuons à employer cette imagerie ptolémaïque, sans que cela implique le rejet de la doctrine copernicienne, et il nous est aisé de passer de nos conversations courantes sur le soleil levant ou couchant à la représentation de la rotation de la terre, tout simplement parce que tout signe peut se traduire en un autre signe dans lequel il nous apparaît plus pleinement développé et précisé.

La faculté de parler une langue donnée implique celle de parler *de* cette langue. Ce genre d'opérations « métalinguistiques » permet de réviser et de redéfinir le vocabulaire employé. C'est Niels Bohr qui a mis en évidence la complémentarité des deux niveaux — langage-objet et métalangage —: toute donnée expérimentale bien définie doit être exprimée dans le langage ordinaire, « où il existe une relation complémentaire entre l'usage pratique de chaque mot et l'essai de donner une définition précise de ce mot » (2).

Toute expérience cognitive peut être rendue et classée dans n'importe quelle langue existante. Là où il y a des déficiences,

(1) Benjamin Lee Whorf, *Language, Thought, and Reality* (Cambridge, Mass., 1956), p. 235.
(2) Niels Bohr, « On the Notions of Causality and Complementarity », *Dialectica*, I (1948), 317 sv.

la terminologie sera modifiée et amplifiée par des emprunts, des calques, des néologismes, des déplacements sémantiques, et, finalement, par des circonlocutions. C'est ainsi que, dans la toute jeune langue littéraire des Chukchee du Nord-Est de la Sibérie, « écrou » est rendu par « clou tournant », « acier » par « fer dur », « étain » par « fer mince », « craie » par « savon à écrire », « montre » par « cœur martelant ». Même des circonlocutions apparemment contradictoires, telles que *èlektričeskaja konka* (« voiture à che-val électrique »), le premier nom russe du tramway sans chevaux, ou *jena paragot* (« vapeur volant »), le nom koryak de l'aéroplane, désignent simplement l'analogue électrique du tramway à che-vaux et l'analogue volant du bateau à vapeur, et ne gênent pas la communication, pas plus qu'il n'y a de trouble ou de « bruit » sémantique dans le double oxymoron : *cold beef-and-pork hot dog* (« un « chien chaud » froid au bœuf et au porc »).

L'absence de certains procédés grammaticaux dans le langage de sortie ne rend jamais impossible la traduction littérale de la totalité de l'information conceptuelle contenue dans l'original. Aux conjonctions traditionnelles *and* (« et ») et *or* (« ou ») est venu s'ajouter en anglais un nouveau connectif, *and/or* (« et/ou »), dont il a été question il y a quelques années dans ce livre spiri-tuel, *Federal Prose, How to Write in and/or for Washington* (« La prose fédérale, comment écrire à et/ou pour Washington ») (1). De ces trois conjonctions, seule la dernière existe dans l'une des langues samoyèdes (2). En dépit de ces différences dans l'inven-taire des conjonctions, les trois types de messages observés dans la « prose fédérale » peuvent tous se traduire distinctement aussi bien en anglais (ou en français) traditionnel que dans la langue samoyède en question. Soit, en « prose fédérale » : 1) Jean et Pierre viendront ; 2) Jean ou Pierre viendra, 3) Jean et/ou Pierre viendront. En français traditionnel, cela donne : 3) Jean et Pierre viendront, ou bien seulement l'un d'eux. Et, en samoyède, 1) Jean et/ou Pierre viendront tous deux ; 2) Jean et/ou Pierre, l'un des deux viendra.

Si telle catégorie grammaticale n'existe pas dans une langue donnée, son sens peut se traduire dans cette langue à l'aide de moyens lexicaux. Des formes duelles telles que le russe ancien

---

(1) James R. Masterson and Wendell Brooks Phillips, *Federal Prose* (Chapel Hill, N. C., 1948,) p. 40 sv.

(2) Cf. Knut Bergsland, « Finsk-ugrisk og almen språkvitenskap », *Norsk Tidsskrift for Sprogvidenskap*, XV (1949), 374 sv.

brata seront traduites à l'aide de l'adjectif numéral : « deux frères ». Il est plus difficile de rester fidèle à l'original quand il s'agit de traduire, dans une langue pourvue d'une certaine catégorie grammaticale, à partir d'une langue qui ignore cette catégorie. Quand on traduit la phrase française « elle a des frères », dans une langue qui distingue le duel et le pluriel, on est obligé, soit de choisir entre deux propositions : « elle a deux frères » — « elle a plus de deux frères », soit de laisser la décision à l'auditeur et de dire : « elle a deux ou plus de deux frères ». De même, si on traduit, d'une langue qui ignore le nombre grammatical, en français, on est obligé de choisir l'une des deux possibilités — « frère » ou « frères » — ou de soumettre au receveur du message un choix binaire : « elle a soit un soit plus d'un frère. »

Comme l'a finement observé Boas, le système grammatical d'une langue (par opposition à son stock lexical) détermine les aspects de chaque expérience qui doivent obligatoirement être exprimés dans la langue en question : « Il nous faut choisir entre ces aspects, et l'un ou l'autre doit être choisi » (1). Pour traduire correctement la phrase anglaise *I hired a worker* (« J'engageai(s) un ouvrier/une ouvrière »), un Russe a besoin d'informations supplémentaires — l'action a-t-elle été accomplie ou non, l'ouvrier était-il un homme ou une femme ? — parce qu'il doit choisir entre aspect complétif ou non complétif du verbe — *nanjal* ou *nanimal* — et entre un nom masculin ou féminin — *rabotnika* ou *rabotnicu*. Si, à un Anglais qui vient d'énoncer cette phrase, je demande si l'ouvrier était un homme ou une femme, il peut juger ma question non pertinente ou indiscrète, tandis que, dans la version russe de cette même phrase, la réponse à cette question est obligatoire. D'autre part, quelles que soient les formes grammaticales russes choisies pour traduire le message anglais en question, la traduction ne donnera pas de réponse à la question de savoir si « *I hired* ou *I have hired a worker* » ou si l'ouvrier (l'ouvrière) était un ouvrier déterminé ou indéterminé (« le » ou « un », *the* ou *a*). Parce que l'information requise par les systèmes grammaticaux du russe et de l'anglais est dissemblable, nous nous trouvons confrontés à des ensembles tout à fait différents de choix binaires ; c'est pourquoi une série de traductions successives d'une même phrase isolée, de l'anglais en russe et vice versa, pourrait finir par priver complètement un tel message de son contenu initial. Le linguiste genevois S. Karcevski comparait

_____

(1) Franz Boas, « Language », *General Anthropology*, Boston, 1948, pp. 132 sv. Cf. ici-même, ch. x.

volontiers une perte graduelle de ce genre à une série circulaire
d'opérations de change défavorables. Mais évidemment, plus le
contexte d'un message est riche et plus la perte d'information
est limitée.

Les langues diffèrent essentiellement par ce qu'elles *doivent*
exprimer, et non par ce qu'elles *peuvent* exprimer. Dans une
langue donnée, chaque verbe implique nécessairement un ensemble de choix binaires spécifiques : le procès de l'énoncé est-il
conçu avec ou sans référence à son accomplissement ? Le procès
de l'énoncé est-il présenté ou non comme antérieur au procès de
l'énonciation ? Naturellement, l'attention des locuteurs et auditeurs indigènes sera constamment concentrée sur les rubriques
qui sont obligatoires dans leur code.

Dans sa fonction cognitive, le langage dépend très peu du système grammatical, parce que la définition de notre expérience
est dans une relation complémentaire avec les opérations métalinguistiques — l'aspect cognitif du langage, non seulement admet
mais requiert, l'interprétation au moyen d'autres codes, par recodage, c'est-à-dire la traduction. L'hypothèse de données cognitives ineffables ou intraduisibles serait une contradiction dans
les termes. Mais, dans les plaisanteries, les rêves, la magie, bref
dans ce qu'on peut appeler la mythologie linguistique de tous les
jours et par dessus tout dans la poésie, les catégories grammaticales ont une teneur sémantique élevée. Dans ces conditions
la question de la traduction se complique et prête à beaucoup
plus de discussions.

Même une catégorie comme celle du genre grammatical, que
l'on a souvent tenue pour purement formelle, joue un grand rôle
dans les attitudes mythologiques d'une communauté linguistique. En russe, le féminin ne peut désigner une personne de sexe
masculin, et le masculin ne peut caractériser une personne comme
appartenant spécifiquement au sexe féminin. La manière de personnifier ou d'interpréter métaphoriquement les noms inanimés
est influencée par leur genre. A l'Institut Psychologique de Moscou, en 1915, un test montra que des Russes, enclins à personnifier
les jours de la semaine, représentaient systématiquement le
lundi, le mardi et le mercredi comme des êtres masculins, et le
jeudi, le vendredi et le samedi comme des êtres féminins, sans se
rendre compte que cette distribution était due au genre masculin
des trois premiers noms (*ponedel'nik, vtornik, četverg*) qui s'oppose
au genre féminin des trois autres (*sreda, pjatnica, subbota*). Le
fait que le mot désignant le vendredi est masculin dans certaines
langues slaves et féminin dans d'autres se reflète dans les tradi-

tions populaires des peuples correspondants, qui diffèrent dans leur rituel du vendredi. La superstition, répandue en Russie, d'après laquelle un couteau tombé présage un invité et une fourchette tombée une invitée, est déterminée par le genre masculin de *nož* (« couteau ») et le genre féminin de *vilka* (« fourchette ») en russe. Dans les langues slaves, et dans d'autres langues encore, où « jour » est masculin et « nuit » féminin, le jour est représenté par les poètes comme l'amant de la nuit. Le peintre russe Repin était déconcerté de voir le péché dépeint comme une femme par les artistes allemands : il ne se rendait pas compte que « péché » est féminin en allemand (*die Sünde*), mais masculin en russe (*grex*). De même un enfant russe, lisant des contes allemands en traduction, fut stupéfait de découvrir que la Mort, de toute évidence une femme (russe *smert'*, féminin), était représentée comme un vieil homme (allemand *der Tod*, masculin). *Ma sœur la vie*, titre d'un recueil de poèmes de Boris Pasternak, est tout naturel en russe, où « vie » est féminin (*žizn'*), mais c'était assez pour réduire au désespoir le poète tchèque Josef Hora, qui a essayé de traduire ces poèmes, car en tchèque ce nom est masculin (*život*).

Il est très curieux que la toute première question qui fut soulevée dans la littérature slave à ses débuts fut précisément celle de la difficulté éprouvée par le traducteur à rendre le symbolisme des genres, et de l'absence de pertinence de cette difficulté du point de vue cognitif : c'est là en effet le sujet principal de la plus ancienne œuvre slave originale, la préface à la première traduction de l'*Evangéliaire*, faite peu après 860 par le fondateur des lettres et de la liturgie slave, Constantin le Philosophe, et qui a été récemment restituée et interprétée par André Vaillant (1). « Le grec, traduit dans une autre langue, ne peut pas toujours être reproduit identiquement, et c'est ce qui arrive à chaque langue quand on la traduit » dit l'apôtre slave. « Des noms tels que *potamos*, « fleuve » et *aster*, « étoile », masculins en grec, sont féminins dans une autre langue, comme *reka* et *zvezda* en slave. » D'après le commentaire de Vaillant, cette divergence efface l'identification symbolique des fleuves aux démons et des étoiles aux anges dans la traduction slave de deux versets de Matthieu (7:25 et 2:9). Mais à cet obstacle poétique, saint Constantin oppose résolument le précepte de Denys l'Aréopagite,

_____

(1) André Vaillant, « La Préface de l'Evangéliaire vieux-slave », *Revue des Etudes Slaves*, XXIV (1948), p. 5 sv.

selon lequel il faut être d'abord attentif aux valeurs cognitives (*sile razumu*), et non aux mots eux-mêmes.

En poésie, les équations verbales sont promues au rang de principe constructif du texte. Les catégories syntaxiques et morphologiques, les racines, les affixes, les phonèmes et leurs composants (les traits distinctifs) — bref, tous les constituants du code linguistique — sont confrontés, juxtaposés, mis en relation de contiguïté selon le principe de similarité et de contraste, et véhiculent ainsi une signification propre. La similitude phonologique est sentie comme une parenté sémantique. Le jeu de mot, ou, pour employer un terme plus érudit et à ce qu'il me semble plus précis, la paronomase, règne sur l'art poétique ; que cette domination soit absolue ou limitée, la poésie, par définition, est intraduisible. Seule est possible la transposition créatrice : transposition à l'intérieur d'une langue — d'une forme poétique à une autre —, transposition d'une langue à une autre, ou, finalement transposition intersémiotique — d'un système de signes à un autre, par exemple de l'art du langage à la musique, à la danse, au cinéma ou à la peinture.

S'il nous fallait traduire en français la formule traditionnelle *Traduttore, traditore*, par « le traducteur est un traître », nous priverions l'épigramme italienne de sa valeur paronomastique. D'où une attitude cognitive qui nous obligerait à changer cet aphorisme en une proposition plus explicite, et à répondre aux questions : traducteur de quels messages ? traître à quelles valeurs ?

CHAPITRE V

LINGUISTIQUE ET THÉORIE DE LA COMMUNICATION (1)

Pour Norbert Wiener, il n'existe « aucune opposition fondamentale entre les problèmes que rencontrent nos ingénieurs dans la mesure de la communication et les problèmes de nos philologues » (2). Il est un fait que les coïncidences, les convergences, sont frappantes, entre les étapes les plus récentes de l'analyse linguistique et le mode d'approche du langage qui caractérise la théorie mathématique de la communication. Comme chacune de ces deux disciplines s'occupe, selon des voies d'ailleurs différentes et bien autonomes, du même domaine, celui de la communication verbale, un étroit contact entre elles s'est révélé utile à toutes deux, et il ne fait aucun doute que cette collaboration sera de plus en plus profitable dans l'avenir.

Le flux du langage parlé, physiquement continu, confronta à l'origine la théorie de la communication à une situation « considérablement plus compliquée » que ce n'était le cas pour l'ensemble fini d'éléments discrets que présentait le langage écrit(3). L'analyse linguistique, cependant, est arrivée à résoudre le discours oral en une série finie d'unités d'information élémentaires. Ces unités discrètes ultimes, dites traits distinctifs, sont

---

(1) Publié en anglais dans les « Proceedings of Symposia in Applied Mathematics », vol. XII, *Structure of Language and its Mathematical Aspects*, American Mathematical Society, 1961, pp. 245-252.

(2) *Journal of the Acoustical Society of America*, (*JASA*), vol. 22 (1950), p. 697.

(3) C. E. Shannon et W. Weaver, *The Mathematical Theory of Communication*, Urbana, 1949, pp. 74 sv., 112 sv.

groupées en « faisceaux » simultanés, appelés p h o n è m e s, qui
à leur tour s'enchaînent pour former des séquences. Ainsi donc
la forme, dans le langage, a une structure manifestement granu-
laire et est susceptible d'une description quantique.

Le but premier de la théorie de l'information, tel que le formule par exemple D. M. McKay, est d'« isoler de leurs contextes
particuliers ces éléments abstraits des représentations qui peuvent rester invariants à travers de nouvelles formulations » (1).
L'analogue linguistique de ce problème est la recherche, en phonologie, des invariants relationnels. Les diverses possibilités
ouvertes à la mesure de la quantité d'information phonologique,
qu'entrevoient les ingénieurs des communications — quand
ils distinguent entre contenu d'information s t r u c t u r a l et
m é t r i q u e — peuvent fournir à la linguistique, tant synchronique qu'historique, de précieux matériaux, qui seront d'une
importance particulière pour la typologie des langues, du point
de vue purement phonologique comme du point de vue de l'intersection entre la phonologie et le niveau lexico-grammatical.

La découverte progressive, par la linguistique, qu'un principe
dichotomique est à la base de tout le système des traits distinctifs du langage, se trouve corroborée par l'emploi comme unité
de mesure, chez les ingénieurs des communications, des signaux
binaires (*binary digits* ou *bits*, pour employer le mot-valise devenu
populaire). Quand les ingénieurs définissent l'information sélective d'un message comme le nombre minimum de décisions binaires qui permettent au receveur de reconstruire ce qu'il doit
apprendre du message sur la base des données déjà à sa disposition (2), cette formule réaliste est parfaitement applicable
au rôle des traits distinctifs dans la communication verbale.
A peine avait-on commencé à reconnaître des lois universelles
par l'étude des invariants, à peine avait-on esquissé une classification d'ensemble des traits distinctifs sur la base de ces principes, que le problème de traduire les critères proposés par les
linguistes en un « langage mathématique et instrumental » fut
posé par D. Gabor dans ses conférences sur la théorie de la communication (3). Et récemment est parue une instructive étude de
G. Ungeheuer, qui offre un essai d'interprétation mathématique
des traits distinctifs et de leur structure binaire (4).

---

(1) *Cybernetics* : *Transactions of the Eighth Conference*, New York, 1952.
p. 224.
(2) *Communication Theory*, ed. by W. Jackson, New York, 1953, p. 2.
(3) *Lectures in Communication Theory*, M.I.T., Cambridge, Mass., 1951, p. 82.
(4) *Studia Linguistica*, vol. 13 (1959), pp. 69-97.

La notion de redondance, empruntée par la théorie de la communication à une branche de la linguistique, la rhétorique, a acquis une place importante dans le développement de cette théorie et a été audacieusement redéfinie comme équivalant à « un moins l'entropie relative » ; sous cet aspect, elle a fait sa rentrée dans la linguistique actuelle, pour en devenir un des thèmes centraux. On s'aperçoit maintenant de la nécessité d'une stricte distinction entre différents types de redondance, et cela en théorie de la communication comme en linguistique, où le concept de redondance embrasse d'une part les moyens pléonastiques en tant qu'ils s'opposent à la concision explicite (la *brevitas* de la rhétorique traditionnelle), et d'autre part ce qui est explicite par opposition à l'ellipse. Au niveau phonologique, les linguistes sont habitués à distinguer les traits phonologiques distinctifs des variantes contextuelles ou combinatoires (*allophones*), mais le traitement, par la théorie de la communication, de problèmes étroitement liés, la redondance, la prédictabilité et les probabilités conditionnelles, a permis de clarifier les rapports entre les deux principales classes de qualités phoniques — les traits distinctifs et les traits redondants.

L'analyse phonologique, si elle se donne pour tâche d'éliminer systématiquement les redondances, fournit nécessairement une solution optimale et sans ambiguïté. La *croyance* superstitieuse de certains théoriciens, peu versés dans la linguistique, qu'« il ne reste aucune bonne raison de distinguer les traits phonologiques en distinctifs et redondants » (1), est manifestement contredite par des données linguistiques innombrables. Si, par exemple, en russe, la différence entre les voyelles d'avant et les voyelles d'arrière correspondantes est toujours accompagnée d'une différence entre les consonnes qui précèdent, qui sont palatalisée devant les voyelles d'avant et non-palatalisées devant les voyelles d'arrière, si d'autre part la différence entre consonnes palatalisées et non-palatalisées se retrouve ailleurs que dans un voisinage vocalique, le linguiste est obligé de conclure qu'en russe la différence entre la présence et l'absence de palatalisation consonantique est un trait distinctif, tandis que la différence entre voyelles d'avant et voyelles d'arrière apparaît comme simplement redondante. Le caractère distinctif, d'une part, la redondance, de l'autre, loin d'être des postulats arbitraires de l'investigateur, sont objectivement présents et distingués dans la langue.

_____

(1) *Word*, vol. 13 (1957), p. 328.

Le préjugé qui tient les traits redondants pour non pertinents et les traits distinctifs pour les seuls pertinents est en train de disparaître de la linguistique, et c'est une fois de plus la théorie de la communication, en particulier quand elle traite des probabilités transitionnelles, qui aide les linguistes à surmonter la tendance à voir les traits distinctifs et redondants comme étant respectivement pertinents et non-pertinents.

D'après McKay, le mot-clé de la théorie de la communication, c'est la notion de possibilités préconçues ; la linguistique dit la même chose. Dans aucune des deux disciplines il n'y a eu le moindre doute sur le rôle fondamental joué par les opérations de sélection dans les activités verbales. L'ingénieur admet que l'émetteur et le receveur d'un message verbal ont en commun à peu près le même « système de classement » de possibilités préfabriquées, et, de la même manière, la linguistique saussurienne parle de la l a n g u e qui rend possible l'échange de p a r o l e entre les interlocuteurs. Un tel « ensemble de possibilités déjà prévues et préparées » (1) implique l'existence d'un code, et ce code est conçu par la théorie de la communication comme « une transformation convenue, habituellement terme à terme et réversible » (2) par le moyen de laquelle un ensemble donné d'unités d'information est converti en une séquence de phonèmes et vice versa.

Le code assortit le signifiant au signifié et le signifié au signifiant. Aujourd'hui, grâce au traitement par la théorie de la communication des problèmes de codage, la dichotomie saussurienne entre langue et parole peut recevoir une nouvelle formulation, beaucoup plus précise, ce qui lui donne une valeur opérationnelle neuve. Réciproquement, dans la linguistique moderne, la théorie de la communication peut trouver de riches informations sur la structure stratifiée, aux aspects multiples et compliqués, du code linguistique.

La linguistique a déjà décrit adéquatement, dans ses grandes lignes, la structure du code linguistique, mais on oublie encore trop fréquemment qu'on ne peut parler d'un ensemble fini de « représentations standardisées » que dans le cas des symboles lexicaux, de leurs constituants grammaticaux et phonologiques, et des règles grammaticales et phonologiques de combinaison. Seul ce secteur de la communication peut être défini comme une

---

(1) *Cybernetics : Transactions of the Eighth Conference*, New York, 1952, p. 183.

(2) C. Cherry, *On Human Communication*, New York-Londres, 1957, p. 7.

simple « activité de reproduction des représentations ». D'un autre côté, il reste opportun de rappeler que le code ne se limite pas à ce que les ingénieurs appellent « le contenu purement cognitif du discours » ; en fait, la stratification stylistique des symboles lexicaux tout comme les variations prétendues « libres », dans leur constitution comme dans les règles de leurs combinaisons, sont « prévues et préparées » par le code.

Dans son programme pour une science future des signes (la sémiotique), Charles Peirce notait ceci : « Un légisigne est une loi qui est un signe. Cette loi est d'ordinaire établie par les hommes. Tout signe conventionnel est un légisigne » (1). Les symboles linguistiques sont donnés comme un exemple frappant de légisignes. Les interlocuteurs appartenant à la même communauté linguistique peuvent être définis comme les usagers effectifs d'un seul et même code embrassant les mêmes légisignes. Un code commun est leur instrument de communication, qui fonde effectivement et rend possible l'échange de messages. C'est ici que réside la différence essentielle entre la linguistique et les sciences physiques, différence qu'a fait ressortir la théorie de la communication, et surtout l'école anglaise, qui trace une nette ligne de démarcation entre la théorie de la communication et celle de l'information. Néanmoins, cette distinction, aussi étrange que cela paraisse, est parfois négligée par les linguistes. « Les *stimuli* reçus de la Nature », comme l'indique sagement Colin Cherry, « ne sont pas des images de la réalité mais les documents à partir desquels nous construisons nos modèles personnels » (2). Tandis que le physicien crée des constructions théoriques, appliquant son propre système hypothétique de nouveaux symboles sur les i n d i c e s extraits, le linguiste, lui, recode seulement, il traduit dans les symboles d'un métalangage les s y m b o l e s déjà existants qui sont en usage dans la langue de la communauté linguistique donnée (3).

Les constituants du code, par exemple les traits distinctifs, sont littéralement présents et fonctionnent réellement dans la communication parlée. Pour le receveur comme pour l'émetteur, ainsi que le signale R. M. Fano, l'opération de sélection forme

(1) *Collected Papers*, vol. 2, Combridge, Mass., 1932, p. 142 sv.

(2) Op. cit., p. 62. Cf. W. Meyer-Eppler, *Grundlagen und Anwendungen der Informationstheorie*, Berlin-Göttingen-Heidelberg, 1959, p. 250 sv.

(3) NDT : Jakobson se réfère ici à la classification, faite par Peirce, des signes en *indices*, *icones* et *symboles*.

la base des « processus de transmission de l'information » (1).
L'ensemble de choix par oui ou non qui est sous-jacent à chaque
faisceau de ces traits discrets n'est pas combiné arbitrairement
par le linguiste : ces choix sont réellement effectués par le destinataire du message, chaque fois que les suggestions du contexte,
verbal ou non verbalisé, ne rendent pas inutile la reconnaissance
des traits.

Sur les deux plans, grammatical et phonologique, non seulement le destinataire quand il décode le message, mais aussi
l'encodeur peuvent pratiquer l'ellipse ; en particulier l'encodeur
peut omettre certains traits ou même certains de leurs groupe-
ments simultanés ou successifs. Mais l'ellipse, elle aussi, est régie
par des lois codifiées. Le langage n'est jamais monolithique ; le
code total inclut un ensemble de sous-codes : des questions telles
que celle des règles de transformation du code central, optimum,
explicite, en différents sous-codes, elliptiques à divers degrés,
de même que celle de la comparaison de ces différents codes du
point de vue de la quantité d'information véhiculée, de telles
questions exigent d'être traitées à la fois par les linguistes et par
les ingénieurs. Le c o d e c o n v e r t i b l e de la langue, avec toutes
ses fluctuations de sous-code à sous-code et tous les changements
qu'il subit continuellement, demande à être décrit systématiquement et conjointement par la linguistique et la théorie de la
communication. Une vue compréhensive de la synchronie dynamique de la langue, impliquant les coordonnées spatio-tempo-
relles, doit remplacer le modèle traditionnel des descriptions
arbitrairement limitées à l'aspect *statique*.

Le linguiste descripteur, qui possède, ou acquiert, la maîtrise
de la langue qu'il observe, est, ou devient progressivement, un
partenaire potentiel ou actuel de l'échange des messages verbaux parmi les membres de la communauté linguistique ; il
devient un membre passif, ou même actif, de cette communauté.
L'ingénieur des communications est parfaitement justifié de
défendre, contre « certains philologues », la nécessité absolument
dominante d'« amener l'observateur sur la scène », et de tenir,
avec Cherry, que « la description la plus complète sera celle de
l'observateur-participant (2) ». Aux antipodes du participant,
le spectateur détaché et extérieur se comporte comme un cryptanalyste, qui reçoit des messages dont il n'est pas le destina-

---

(1) *The Transmission of Information*, M.I.T., Research Laboratory of Electronics, Technical Report N⁰ 65 (1949) p. 3 sv.
(2) *For Roman Jakobson*, La Haye, 1956, p. 61 sv.

taire et dont il ne connaît pas le code (1). C'est en scrutant les messages qu'il s'efforce de dégager le code. Dans la mesure du possible, ce niveau de la recherche linguistique ne doit constituer qu'une étape préliminaire, qui doit faire place ensuite à une approche interne de la langue étudiée, l'observateur s'adaptant aux locuteurs indigènes et décodant les messages dans leur langue maternelle, en passant par le code.

Aussi longtemps que le chercheur ignore les signifiés d'une langue donnée, et n'a d'accès qu'aux signifiants, il doit se résoudre bon gré mal gré, à faire appel à ses qualités de détective, et à tirer des données externes le maximum d'information qu'elles peuvent lui fournir sur la structure de la langue. L'état présent de l'étruscologie donne un bon exemple de cette technique. Mais si le linguiste est familiarisé avec le code, c'est-à-dire s'il maîtrise le système de transformations par le moyen duquel un ensemble de signifiants est converti en un ensemble de signifiés, alors il devient superflu de jouer les Sherlock Holmes, à moins que le chercheur ne désire précisément déterminer jusqu'à quel point cette procédure artificielle peut fournir des données sûres. Il est difficile, cependant, de simuler l'ignorance d'un code familier: les significations escamotées reviennent subrepticement fausser une démarche qui se voulait cryptanalytique.

Niels Bohr voit dans « le caractère inséparable du contenu objectif et du sujet observant » une prémisse de toute connaissance bien définie (2). De toute évidence, cette remarque vaut pour la linguistique ; la position de l'observateur par rapport à la langue observée et décrite doit être exactement identifiée. Tout d'abord, comme l'a indiqué Jurgen Ruesch, l'information qu'un observateur peut récolter dépend de sa situation à l'intérieur ou en dehors du système (3). De plus, si l'observateur est situé *à l'intérieur* du système, il faut bien comprendre que le langage présente deux aspects très différents selon qu'on se place du point de vue du destinateur ou de celui du destinataire, selon que le langage est vu de l'une ou de l'autre extrémité du canal de communication. En gros, le processus d'encodage va du sens au son, et du niveau lexico-grammatical au niveau phonologique, tandis que le processus de décodage présente la direc-

---

(1) Cf. R. Jakobson et Morris Halle. *Fundamentals of Language*, La Haye 1956, p. 17-19 (= ici-même, ch. VI, p. 117-118).
(2) *Atomic Physics and Human Knowledge*, New York, 1958, p. 30.
(3) *Toward a Unified Theory of Human Behavior*, ed. by R. R. Grinker, New York, 1956, p. 54.

tion inverse — du son au sens, et des éléments aux symboles. Tandis que l'orientation (*Einstellung, set*) vers les constituants immédiats est au premier plan dans la production du discours, pour la perception le message est *d'abord* un processus stochastique. L'aspect probabiliste du discours trouve une expression insigne dans le problème que les homonymes posent à l'auditeur, alors que pour le locuteur l'homonymie n'existe pas. Quand il dit /por/, il sait à l'avance s'il veut dire « porc » ou « port », tandis que l'auditeur doit s'en remettre aux probabilités condinelles offertes par le contexte (1). Pour le receveur, le message présente nombre d'ambiguïtés là où il n'y avait pas d'équivoque pour l'émetteur. On peut dire que ce qui caractérise les ambiguïtés de la poésie et du jeu de mot, c'est l'utilisation, au niveau de l'émission du message, de cette propriété de sa réception.

Il y a sans aucun doute *feedback* entre la parole et l'écoute, mais la hiérarchie des deux processus s'inverse quand on passe de l'encodeur au décodeur. Ces deux aspects distincts du langage sont irréductibles l'un à l'autre ; tous deux sont également essentiels et doivent être regardés comme *complémentaires*, au sens où Niels Bohr emploie ce terme. L'autonomie relative du modèle récepteur est illustrée par la priorité temporelle très répandue de l'acquisition passive du langage chez les enfants comme chez les adultes. La requête de L. Ščerba — que l'on délimite et élabore deux grammaires, l'une « active » et l'autre « passive » — a été récemment remise à l'ordre du jour par de jeunes savants russes ; elle revêt une égale importance pour la théorie linguistique, l'enseignement des langues, et la linguistique appliquée (2).

Qu'un linguiste traite de l'un des deux aspects du langage comme Monsieur Jourdain faisait de la prose, c'est-à-dire sans se rendre compte si ses observations concernent la source ou la réception, est en fait quelque chose de moins dangereux que les compromis arbitraires que l'on fait fréquemment entre des analyses portant sur l'émission et sur la réception ; c'est ce qui se passe, par exemple, dans le cas d'une grammaire active étudiant les opérations génératrices sans faire appel au sens, en dépit de la nécessaire priorité du sens pour l'encodeur. A l'heure actuelle la linguistique reçoit de la théorie de la communication des sug-

---

(1) Cf. R. Jakobson, « A new outline of Russian phonology », in *International Journal of Slavic Linguistics and Poetics*, vols. 1-2 (1959), p. 286 sv. (repris dans *Selected Writings*, I, p. 532 sv.).

(2) Voir I. Revzin, *Tezisy Konferencii po mashinnomu perevodu*, Moscou, *Gos. Ped. Inst. Inostrannyx Jazykov*, 1958, pp. 23-25.

gestions particulièrement précieuses pour l'étude quelque peu négligée de la réception verbale.

McKay nous met en garde contre la confusion entre l'échange de messages verbaux et l'extraction d'information du monde physique, deux choses qui ont été abusivement unifiées sous l'étiquette de « communication » ; pour McKay, ce mot a inévitablement une connotation *anthropomorphique* qui « embrouille toute la question » (1). Un danger semblable existe quand on interprète l'intercommunication humaine en termes d'information physique. Les essais qui ont été tentés de construire un modèle du langage sans relation aucune au locuteur ou à l'auditeur, et qui hypostasient ainsi un code détaché de la communication effective, risquent de réduire le langage à une fiction scolastique.

A côté de l'encodage et du décodage, la procédure du recodage aussi, le passage d'un code à l'autre (*code switching*), bref les aspect variés de la traduction, commencent à préoccuper sérieusement les linguistes et les théoriciens de la communication, aux Etats-Unis comme en Europe occidentale ou orientale. C'est seulement depuis peu de temps que des problèmes aussi fascinants que ceux des modes et des degrés de la compréhension mutuelle entre des sujets parlant certaines langues étroitement apparentées, par exemple le danois, le norvégien et le suédois, ont commencé à attirer l'attention des linguistes (2) ; ils promettent d'apporter des lumières sur le phénomène connu dans la théorie de la communication sous le nom de « bruit sémantique » et sur le problème, important théoriquement et pédagogiquement, des méthodes destinées à le surmonter.

On sait que pendant une certaine période, la linguistique et la théorie de la communication furent tentées de traiter toute considération relative au sens comme une sorte de bruit sémantique, et d'exclure la sémantique de l'étude des messages verbaux. A présent cependant, les linguistes témoignent d'une tendance à réintroduire la signification, tout en utilisant l'expérience très instructive apportée par cet ostracisme temporaire. Un courant semblable peut être observé dans la théorie de la communication. D'après Weaver, l'analyse de la communication « a si bien déblayé le terrain que la voie est maintenant

---

(1) *Cybernetics : Transactions of the Eighth Conference*, New York, 1952, p. 221.

(2) Voir, en particulier, E. Haugen, *NTSV*, vol. 29, (1953), pp. 225-249.

prête, pour la première fois peut-être, pour une réelle théorie du sens » et spécialement pour aborder « un des aspects les plus importants mais aussi les plus difficiles de la question du sens, à savoir l'influence du contexte » (1). Les linguistes découvrent progressivement comment traiter les questions de sens, et en particulier celle de la relation entre signification générale et signification contextuelle, en tant que thème intrinsèquement linguistique, nettement distinct des problèmes ontologiques de la dénotation.

La théorie de la communication, qui a maintenant maîtrisé le domaine de l'information phonématique, peut aborder la tâche de mesurer la quantité d'information grammaticale, puisque le système des catégories grammaticales, des catégories morphologiques en particulier, est ostensiblement basé sur une échelle d'oppositions binaires. C'est ainsi, par exemple, qu'il y a neuf choix binaires à la base des plus de 100 formes conjuguées simples et composées d'un verbe anglais, donné, par exemple, en combinaison avec le pronom *I* (« je ») (2). La quantité d'information grammaticale véhiculée par le verbe anglais pourra ensuite être confrontée aux données correspondantes relatives au nom en anglais, ou au verbe et au nom dans diverses langues : la relation entre l'information morphologique et l'information syntaxique en anglais devra être comparée à la relation équivalente dans d'autres langues, et toutes ces données comparatives présenteront un important matériel, qui sera utile pour l'élaboration d'une typologie des langues et pour la recherche des lois linguistiques universelles.

Il restera encore à confronter la quantité d'information grammaticale potentiellement contenue dans les paradigmes d'une langue donnée (étude statistique du code) avec la quantité d'information similaire dans les actes de parole, dans les occurrences effectives des diverses formes grammaticales à l'intérieur d'un certain *corpus* de messages. Feindre d'ignorer cette dualité et de limiter l'analyse et le calcul linguistiques soit seulement au code, soit seulement au corpus, c'est appauvrir la recherche. Quelle relation existe-t-il entre la structure des constituants du code

---

(1) Shannon et Weaver, op. cit. p. 116. Cf. McKay, « The Place of « Meaning » in the Theory of Communication », *Information Theory*, ed. by C. Cherry, New York, 1956.

(2) 1. Preterit (opposé à non-prétérit), 2. parfait, 3. progressif, 4. expectif, 5. déterminé moralement, 6. contingent, 7. potentiel, 8. assertorique, 9. passif. Cf. ici-même, ch. x, et W. F. Twaddell, *The English Verb Auxiliaries*, Providence, 1960.

verbal, et leur fréquence relative, dans le code, et dans l'usage qui en est fait ? Voilà une question cruciale, qu'il n'est pas possible de passer sous silence.

La définition sémiotique du sens d'un symbole comme étant sa traduction en d'autres symboles trouve une appplication efficace dans l'examen linguistique de la traduction intra- et interlinguale ; en abordant de cette manière l'information sémantique, on rencontre la proposition de Shannon de définir l'information comme « cela qui reste invariant à travers toutes les opérations réversibles d'encodage ou de traduction, bref, comme la classe d'équivalence de toutes ces traductions » (1).

Dans l'étude des significations, grammaticales ou lexicales, il nous faut veiller soigneusement à ne pas faire un mauvaise usage des notions polaires de régularité et de déviation. C'est souvent parce qu'on perd de vue la structure stratifiée, hiérarchisée, du langage, qu'on a recours à l'idée de déviation. Un élément secondaire est cependant tout autre chose qu'un élément aberrant, déviant. Nous ne sommes justifiés à considérer comme aberrants, ni, chez Kuryłowicz, la dérivation syntaxique par rapport à la fonction primaire (2), ni, chez Chomsky, les transformations, par opposition aux ñoyaux (3), ni, chez Bloomfield, les significations marginales (transférées) en face de la signification centrale, du mot (4). Les créations métaphoriques ne représentent pas des déviations ; ce sont des procédés réguliers, relevant de certaines variétés stylistiques qui sont des sous-codes du code total ; si, à l'intérieur d'un sous-code de ce genre, Marvell assigne une épithète concrète à un nom abstrait (ce qui est proprement un hypallage) — *a green thought in a green shade* (une verte pensée dans une ombre verte) —, si Shakespeare transpose métaphoriquement un non inanimé dans la classe féminine — *the morning opes her golden gates* (le matin — pour ainsi dire « neutre » en anglais — ouvre ses — au féminin — portes d'or) ou si Dylan Thomas, comme le note la communication de Putnam, emploie métonymiquement « douleur » au lieu de « moment douloureux » — *A grief ago I saw him there* (litt. « Il y a une douleur je l'ai vu là. ») — toutes ces expressions doivent être tenues pour

---

(1) *Cybernetics : Transactions of the Seventh Conference*, New York, 1951, p. 157.
(2) *Bulletin de la Société de Linguistique de Paris*, n° 110 (1936), pp. 79-92.
(3) *Syntactic Structures*, La Haye, 1957.
(4) *Language*, New York, 1933, p. 149.

régulières et non aberrantes. Contrairement aux constructions agrammaticales du type « les filles dort », les expressions citées sont douées de sens, et toute phrase douée d'un sens peut être soumise à une épreuve de vérité, exactement de la même manière que l'affirmation : « Pierre est un vieux renard » pourrait s'attirer la réplique : « Ce n'est pas vrai ; Pierre n'est pas un renard mais un cochon, c'est Jean qui est un renard. » Soit dit en passant, ni l'ellipse, ni la réticence ni l'anacoluthe ne peuvent être tenues pour des structures irrégulières ; tout comme le style relâché, le sous-code brachylogique auquel elles appartiennent, elles ne sont rien d'autre que des dérivés réguliers des formes centrales contenues dans le modèle courant explicite. Une fois de plus, cette « variabilité du code », qui permet de comprendre pourquoi le modèle courant ne se trouve pas réalisé dans certaines conduites patentes, a été méconnu plutôt par les linguistes que par les ingénieurs, moins embarrassés de préjugés.

En résumé, il existe un vaste ensemble de questions qui réclament la coopération des deux disciplines distinctes et indépendantes qui sont ici en cause. Les premières étapes parcourues dans cette direction se sont révélées heureuses. J'aimerais conclure en évoquant ce qui est sans doute l'exemple le plus ancien, et peut-être le plus spectaculaire jusqu'il y a très peu de temps, de la collaboration entre la linguistique, tout particulièrement l'étude du langage poétique, d'une part, et l'analyse mathématique des processus stochastiques d'autre part. L'école russe de métrique doit une partie de sa renommée internationale au fait qu'il y a quelque quarante ans, des chercheurs tels que B. Tomachevski, versés tout à la fois dans les mathématiques et la philologie, surent utiliser les chaînes de Markov pour l'étude statistique du vers ; ces matériaux, complétés par une analyse linguistique de la structure du vers, donnèrent au début des années 20 une théorie du vers basée sur le calcul des probabilités conditionnelles et des tensions entre anticipation et surprise considérées comme des valeurs rythmiques mesurables ; le calcul de ces tensions, que nous avons baptisées « attentes frustrées », a fourni de surprenantes indications pour l'établissement sur une base scientifique de la métrique descriptive, historique,comparative et générale (1).

(1) Cf. Boris Tomachevski, *O stixe*, Leningrad, 1929 ; R. Jakobson, *O češskom stixe*, Berlin-Moscou, 1923, et « Linguistique et poétique » (ici-même, ch. XI, p. 225-227).

Je suis convaincu que les méthodes récemment développées en linguistique structurale et en théorie de la communication, appliquées à l'analyse du vers, et à beaucoup d'autres provinces du langage, ouvriront de vastes perspectives pour une coordination ultérieure des efforts des deux disciplines. Espérons que notre attente ne sera pas frustrée (1).

(1) J'aimerais dédier cet article à la mémoire de mon père, l'ingénieur O. A. Jakobson.

DEUXIÈME PARTIE

PHONOLOGIE

CHAPITRE VI

PHONOLOGIE ET PHONÉTIQUE (1)

EN COLLABORATION AVEC MORRIS HALLE,
Massachusetts Institute of Technology

I. *Le niveau phonologique du langage.*

1.1. *Les traits distinctifs en acte.* Les noms de famille suivants :
*Bitter, Chitter, Ditter, Fitter, Gitter, Hitter, Jitter, Litter, Mitter,
Pitter, Ritter, Sitter, Titter, Witter, Zitter,* se rencontrent tous à
New York. Quelle que soit l'origine de ces noms et de leurs porteurs, chacun de ces vocables est employé dans l'anglais des
New-Yorkais sans qu'il heurte leurs habitudes linguistiques.
Vous vous trouvez à une soirée new-yorkaise ; on vous présente
un monsieur dont vous n'avez jamais entendu parler. « M. Ditter »
dit votre hôte. Vous vous efforcez de saisir et de retenir ce message. En tant que sujet parlant l'anglais, vous divisez aisément,
sans vous en rendre même compte, la chaîne acoustique continue
en un nombre défini d'unités successives. Votre hôte n'a pas dit
bitter /bítə/, *dotter* /dátə/, *digger* /dígə/ ou *ditty* /díti/ mais *ditter*
/dítə/. Ainsi les quatre unités séquentielles susceptibles d'entrer
en commutation avec d'autres unités en anglais sont prompte-
ment dégagées par l'auditeur : /d/ + /í/ + /t/ + /ə/.

---

(1) Sous le titre *Phonology and Phonetics*, cet essai forme la première partie
des *Fundamentals of Language* (La Haye, 1956), et est une version élargie d'un
texte paru dans le *Handbook of Phonetics*, L. Kaiser, éd., La Haye, 1957. Notre
traduction se base sur une version légèrement modifiée, parue dans le volume I,
« Etudes Phonologiques », des *Selected Writings* (La Haye, 1962).

Chacune de ces unités présente au receveur un nombre défini de traits, dont chacun est un terme d'une alternative ayant en anglais une valeur différentielle. Les noms de famille cités ci-dessus diffèrent par l'unité initiale ; certains de ces noms ne se distinguent l'un de l'autre que par un seul terme, et cette distinction minimale est commune à plusieurs paires, par exemple /nítə/ : /dítə/ : : /mítə/ : /bítə/ : : nasalisé : non-nasalisé ; /títə/ : /dítə/ : : /sítə/ : /zítə/ : : /pítə/ : /bítə/ : : /kítə/ : /gítə/ : : tendu : lâche (1). Des paires telles que /pítə/ et /dítə/ offrent l'exemple de deux distinctions minimales simultanées : grave/aigu et tendu/lâche. La paire *bitter* /bítə/ et *detter* /détə/ présente deux distinctions minimales successives : grave/aigu suivi de diffus/compact. On trouvera aux §§ 3.61 et 3.62 une définition acoustique et motrice des distinctions citées ici.

1.2. *Structure des traits distinctifs.* L'analyse linguistique décompose graduellement les unités complexes du discours en m o r p h è m e s, constituants ultimes possédant une signification propre, et dissout à leur tour ces véhicules sémantiques minimums en leurs composants ultimes, susceptibles de différencier les morphèmes les uns des autres. On appelle ces composants t r a i t s   d i s t i n c t i f s. En conséquence, deux niveaux du langage et de l'analyse linguistique doivent être tenus séparés : d'une part le n i v e a u   s é m a n t i q u e, qui comprend tout à la fois les unités significatives simples et complexes, du morphème à l'énoncé et au texte, et, d'autre part, le n i v e a u   p h o n o-l o g i q u e (2), qui concerne les unités simples et complexes dont le rôle est seulement de différencier, cimenter, compartimenter, ou de mettre en relief les diverses unités significatives.

Chaque trait distinctif implique un choix entre les deux termes d'une opposition qui présente une propriété différencielle spécifique, différente des propriétés de toutes les autres oppositions. C'est ainsi que *grave* et *aigu* s'opposent dans la perception de l'auditeur par la hauteur musicale du son, comme étant de hauteur relativement basse et relativement haute. Du point de vue physique ils s'opposent, de façon correspondante, par la distri-

---

(1) NDT : Nous reprenons cette notation à Cl. Lévi-Strauss (cf. « La Geste d'Asdiwal », *Les Temps Modernes*, mars 1961 : A:B::C:D doit se lire A est à B comme C est à D.

(2) NDT : Littéralement, « niveau des traits » (*feature level*). La nuance a de l'importance, dans la mesure où Jakobson insiste sur la nécessité de faire une distinction stricte entre le niveau des « traits » et celui des phonèmes (cf. « Retrospect », p. 645).

bution de l'énergie aux extrémités du spectre, et, sur le plan
moteur, par la taille et la forme de la cavité de résonance. Dans
un message transmis à l'auditeur, chaque trait exige de celui-ci
une décision par oui ou non. Ainsi il doit choisir entre grave et
aigu, parce que dans la langue utilisée par le message les deux
termes de l'alternative se rencontrent tous deux en combinaison
avec les mêmes traits simultanés et dans les mêmes séquences :
/bítə/ - /dítə/, /fítə/ - /sítə/, /bíl/ - /búl/. L'auditeur est obligé de
choisir soit entre deux qualités polaires de la même catégorie,
comme dans le cas de grave/aigu, soit entre la présence et l'absence d'une certaine qualité, comme dans voisé/non-voisé, nasa-
lisé/non-nasalisé, diésé/non-diésé.

1.3. *Opposition et contraste.* Comme, quand l'auditeur hésite :
« Est-ce /bítə/ ou /dítə/ ? », seul un des deux termes logiquement
corrélatifs est réalisé dans le message effectif, le terme saussurien d'o p p o s i t i o n est de mise, tandis que le terme c o n t r a s t e
doit plutôt être réservé aux cas où la polarité des deux unités est
mise en relief par leur contiguïté dans l'expérience sensorielle,
comme, par exemple, le contraste grave/aigu dans la séquence
/pi/ ou le même contraste, mais avec inversion dans l'ordre des
éléments, dans la séquence /tu/. Ainsi o p p o s i t i o n et c o n-
t r a s t e sont deux manifestations différentes du p r i n c i p e d e
p o l a r i t é et tous deux jouent un rôle important dans le plan
phonologique du langage (cf. 3.4.).

1.4. *Message et code.* Si l'auditeur reçoit un message dans une
langue qu'il connaît, il le rapporte au code à sa disposition ; ce
code inclut tous les traits distinctifs susceptibles d'être mani-
pulés, toutes les combinaisons admises de ces traits en faisceaux
(*bundles*) simultanés, appelés p h o n è m e s, et toutes les règles
d'enchaînement de ces phonèmes en s é q u e n c e s — bref, tous
les moyens distinctifs qui serviront essentiellement à différencier
les morphèmes et les mots entiers. C'est pourquoi, quand un
sujet, dont l'anglais est la seule langue, entend un mot comme
/zítə/, il l'identifie et l'assimile sans difficulté, même s'il ne l'a
jamais entendu auparavant, mais, soit dans la perception, soit
dans la reproduction, il trouvera insolite, et aura tendance à
déformer, un nom tel que /ktítə/, qui présente une séquence
consonantique inacceptable, ou /xítə/, qui ne contient que des
traits familiers mais combinés en un faisceau inhabituel, ou,
finalement, /mýtə/, dont le second phonème comporte un trait
distinctif étranger à l'anglais.

1.5. *Discours elliptique et discours explicite.* Le cas de l'homme confronté aux noms de famille de gens entièrement inconnus de lui a été délibérément choisi parce que ni son vocabulaire, ni son expérience antérieure, ni le contexte immédiat de la conversation ne lui donnent d'indications qui puissent l'aider à reconnaître ces noms. Dans une telle situation, l'auditeur ne peut pas se permettre de perdre un seul phonème du message reçu. D'habitude, cependant, le contexte et la situation nous permettent de négliger un pourcentage élevé des traits, phonèmes et séquenques du message reçu sans en compromettre la compréhension. La probabilité d'occurrence dans la chaîne parlée varie suivant les traits et de même pour chaque trait suivant les contextes. Pour cette raison, il est possible, d'un certain point de la chaîne, de prévoir avec une précision plus ou moins grande quels seront les traits suivants, de reconstruire les précédants, et, finalement, d'inférer, à partir de certains traits d'un faisceau, les autres traits simultanés.

Comme, dans de nombreuses circonstances, le rendement différenciel des phonèmes est réduit du point de vue de l'auditeur, le locuteur, à son tour, peut se dispenser d'exécuter toutes les distinctions phoniques normalement comprises dans le message : le nombre de traits effacés, de phonèmes omis et de séquences simplifiées peut être considérable dans un style parlé rapide et relâché. La configuration phonique du discours peut être tout aussi elliptique que sa composition syntaxique. Même des spécimens aussi négligés que le /teni mins sem/ pour *ten minutes to seven*, que cite D. Jones, ne représentent pas le plus haut degré dans le fragmentaire et l'omission que l'on puisse rencontrer dans le parler familier. Mais, dès que la nécessité s'en fait sentir, un discours, elliptique sur le plan sémantique ou phonologique, est aisément traduit par le locuteur en une forme explicite qui, si besoin est, sera appréhendée par l'auditeur dans toute sa netteté.

La prononciation de style relâché n'est qu'une forme dérivée et abrégée de la forme explicite du discours, qui véhicule la plus haute quantité d'information. Dans l'anglais de beaucoup d'Américains, /t/ et /d/ ne sont ordinairement pas distingués entre une voyelle accentuée et une voyelle inaccentuée, mais ils peuvent être produits distinctement quand il y a danger de confusion homonymique : la question « *Is it Mr Bitter or Bidder* ? » (est-ce M. Bitter ou Bidder ?) peut être posée avec une réalisation légèrement divergente des deux phonèmes. Ceci veut dire que, dans un type d'anglais américain, le code distingue /t/ et /d/ intervocaliques, tandis que, dans un autre type dialectal, cette distinc-

tion est totalement perdue. Quand on analyse le système des
phonèmes et les traits distinctifs qui les composent, c'est au code
le plus complet dont disposent les sujets parlants qu'il faut recourir.

II. Les différents types d'éléments,
leur traitement en linguistique.

2.1. *Phonologie et phonématique.* La manière dont le langage
utilise la matière sonore, choisissant certains de ses éléments et
les adaptant à des fins variées, est l'objet d'une discipline linguistique spéciale. En anglais cette discipline est souvent appelée *phonemics* (équivalent du français p h o n é m a t i q u e) puisque, parmi les fonctions du son dans le langage, la principale est
la fonction distinctive, et puisque le support premier de cette
fonction est le phonème avec ses composants. Le terme prédominant en Europe, p h o n o l o g i e (créé en 1923 et basé sur les
suggestions de l'école de Genève) (1), ou la périphrase p h o n é -
t i q u e   f o n c t i o n n e l l e , sont cependant préférables, même si
en anglais le mot *phonology* a souvent servi à désigner d'autres
domaines et notamment à traduire l'allemand *Lautgeschichte*
(phonétique historique). L'avantage du terme « phonologie »
serait d'être plus aisément applicable à l'ensemble des fonctions
linguistiques remplies par le son, tandis que « phonématique »
(*phonemics*) suggère bon gré mal gré une restriction aux véhicules distinctifs : c'est donc une désignation toute trouvée pour
la branche principale de la phonologie, celle qui a trait à la fonction distinctive des sons de la parole.

Tandis que la phonétique vise à recueillir une information aussi
exhaustive que possible sur la matière sonore brute, du point de
vue de ses propriétés physiques et physiologiques, la phonématique, et la phonologie en général, viennent appliquer des cri-
tières strictement linguistiques au tri et à la classification du matériel rassemblé par la phonétique. On pourrait faire remonter les
recherches sur les constituants différentiels ultimes et discrets
du langage à la doctrine du *sphoṭa* chez les grammairiens hin-
dous (2) et à la conception platonicienne du *stoicheion*, mais en
fait l'étude linguistique de ces invariants ne commença vraiment
que dans les années 70, pour se développer intensivement après

---

(1) R. Jakobson, *O češskom stixe* (Berlin, 1923), p. 21 sv.
(2) Cf. J. Brough : « Theories of general linguistics in the Sanskrit Gramma-
rians », *Transactions of the Philosophical Society* (1951).

la première guerre mondiale, parallèlement avec l'expansion
graduelle du principe d'i n v a r i a n c e dans les sciences. Après de
stimulantes discussions internationales vers la fin des années 20
et le début des années 30, parurent en 1939 les premiers essais
de synthèse des résultats obtenus : les traités de phonologie générale de Troubetzkoy et de Van Wijk (1). Les progrès théoriques
et pratiques réalisés ensuite par l'analyse structurale du langage
ont requis une incorporation toujours plus adéquate et systématique des sons de la parole dans le champ de la linguistique,
soumise à une méthodologie rigoureuse ; les principes et les techniques de la phonologie s'améliorent et son champ d'action ne
cesse de s'étendre.

2.2. *La conception « interne » du phonème dans sa relation au
son*. Pour ce qui est des liens qui unissent, et des frontières qui
séparent, la phonologie (particulièrement la phonématique) et la
phonétique, la question cruciale est celle de la nature de la relation qui existe entre les entités phonologiques et le son. Dans la
conception de Bloomfield, les phonèmes d'une langue ne sont
pas des sons, mais simplement des traits phoniques liés ensemble,
« que les sujets parlants ont été entraînés à produire et à reconnaître dans le flux des sons de la parole — tout comme les auto-
mobilistes sont entraînés à s'arrêter devant un signal rouge, qu'il
s'agisse d'un signal lumineux électrique, d'une lampe, d'un dra-
peau, ou de quoi que ce soit d'autre, et bien que le rouge comme
abstraction désincarnée n'existe pas en dehors de ces signaux
effectifs. (2) » Le sujet parlant a appris à faire certains mouvements producteurs de sons de telle manière que les traits distinctifs soient présents dans les ondes sonores, et l'auditeur a
appris à les extraire de ces ondes. Cette conception immanente,
interne, si l'on peut dire, qui localise les traits distinctifs et les
faisceaux qu'ils constituent à l'intérieur des sons de la parole,
que ce soit au niveau moteur, acoustique ou auditif, est la prémisse la plus appropriée aux opérations phonématiques, et cela
en dépit des mises en questions répétées dont elle a été l'objet,
de la part de conceptions « externes » qui, de diverses manières,
dissocient les phonèmes des sons concrets.

---

(1) N. Troubetzkoy, *Grundzüge der Phonologie* = *TCLP* VII (tr. fr. *Principes de Phonologie*, Paris, 1949) ; N. van Wijk, *Phonologie : een hoofdstuck uit
de structurele taalwetenschap*, La Haye, 1939.

(2) L. Bloomfield, *Language* (New York, 1933), p. 79 sv.

2.3. *Les différents types d'éléments.* Comme la différenciation des unités sémantiques est, de toutes les fonctions qu'est appelé à remplir le son dans le langage, celle dont on peut le moins se dispenser, il est naturel que les protagonistes de l'acte de parole apprennent avant toute chose à réagir aux traits distinctifs. Il serait trompeur, cependant, de croire qu'ils ont pris l'habitude d'ignorer tous les autres aspects des sons de la parole. En plus des traits distinctifs, le sujet parlant dispose d'autres types de traits codés porteurs d'information ; chaque membre d'une communauté linguistique a appris à les manipuler, et la science du langage n'a pas le droit de les négliger.

Les traits configuratifs signalent la division de l'énoncé en unités grammaticales de différents degrés de complexité, particulièrement en phrases et en mots, soit qu'ils mettent ces unités en relief et en indiquent la hiérarchie (ce sont les traits culminatifs), soit qu'ils les délimitent et les intègrent (ce sont les traits démarcatifs).

Les traits expressifs (ou emphatiques) mettent une emphase relative sur différentes parties de l'énoncé ou sur différents énoncés et suggèrent les attitudes émotionnelles de l'énonciateur.

Tandis que les traits distinctifs ou configuratifs renvoient aux unités sémantiques, c'est à ces deux types de traits à leur tour que renvoient les traits redondants. Les traits redondants aident à l'identification d'un trait (ou d'une combinaison de traits) adjacent ou simultané, soit distinctif soit configuratif. Le rôle auxiliaire des redondances ne doit pas être sous-estimé. Dans certaines circonstances, les traits redondants peuvent même se substituer aux traits distinctifs. Jones cite l'exemple du /s/ et du /z/ anglais, qui, en position finale, ne diffèrent l'un de l'autre que par le degré de force dans le souffle. « Un auditeur de langue anglaise identifiera en général correctement les consonnes, en dépit de leur ressemblance », mais l'identification correcte est souvent facilitée par la différence concomitante dans la longueur du phonème précédant : *pence* /peňs/ - *pens* /pen:z/ (1). En français, l'opposition consonantique tendu/lâche s'accompagne ordinairement d'une différence entre absence et présence de voisement. Martinet note que, crié énergiquement, un /b/ doux égale en énergie un /p/ fort, de sorte que « bis ! », crié, ne diffère de « pisse ! » que par le trait normalement redondant voisé/non

---

(1) D. Jones, *The Phoneme : its Nature and Use* (Cambridge, 1950), p. 53.

voisé (1). Inversement, en russe, la différence entre lâche et tendu est un trait redondant accompagnant l'opposition distinctive voisé/non voisé, tandis que, dans les conditions spéciales du chuchotement, seul subsiste le trait redondant, qui prend à sa charge la fonction distinctive.

Si la fonction distinctive des sons de la parole reste le seul objet de l'analyse, nous employons la transcription dite « large » ou phonématique, qui ne note que les phonèmes. Dans le russe /pil,íl/ « (il) répandit de la poussière », /i/ est un phonème inaccentué qui comporte, de plus, deux traits distinctifs : en termes articulatoires traditionnels, /i/ s'oppose au /a/ de /pal,íl/ « il fit feu », comme étroit à large, et au /u/ de /pul,ál/ « il canarda », comme non arrondi à arrondi. L'information contenue dans la voyelle analysée est loin, cependant, de se limiter aux traits distinctifs, nonobstant l'importance souveraine de ceux-ci dans la communication.

La première voyelle de /pil,íl/ est une vélaire [ɯ] par opposition au [i] palatal de /p,il,íl/ « (il) scia », et cette différence entre voyelle d'arrière et voyelle d'avant est un trait redondant renvoyant à l'opposition distinctive des consonnes précédantes, non-palatalisé (non-diésé) et palatalisé (diésé) : cf. russe /r,áp/ « piqué, rongé » - /r,áp,/ « ride ».

Si on compare les séquences /krugóm pil,íl/ « (il) répandit de la poussière partout autour » et /ispómpi l,íl/ « (il) puisa à la pompe », on observe que la syllabe /pi/ dans le second cas contient une variété de voyelle plus obscure (tendant à une articulation brève, semi-centrale) que celle du premier exemple. La variété moins obscure n'apparaît qu'immédiatement avant la syllabe accentuée du même mot et présente donc un trait configuratif : elle signale qu'aucune frontière de mot ne suit immédiatement.

Finalement, /pil,íl/ peut être prononcé avec une prolongation de la première voyelle, la prétonique [ɯ:] pour magnifier l'événement raconté, ou avec une prolongation de la seconde voyelle, l'accentuée [í:] pour signaler un mouvement d'émotion.

Dans la première voyelle de /pil,íl/, la vélarité renvoie au trait non-diésé antécédent ; le caractère non réduit, relativement moins obscur, signale qu'aucune frontière de mot ne suit ; l'allongement de la voyelle désigne une certaine sorte d'emphase. La pos-

---

(1) *Word*, 11 (1955), p. 115. Cf. R. Jakobson, C.G.M. Fant, M. Halle, *Preliminaries to speech analysis*, 4ᵉ éd., M.I.T., Acoustics Laboratory, 1962, p. 8.

session d'une « désignation » spécifique particulière rapproche les traits redondants des traits configuratifs et expressifs et les sépare des traits distinctifs. Quel que soit le trait distinctif en cause, la désignation est toujours la même : tout trait distinctif désigne que le morphème auquel il appartient n'est pas le même qu'un morphème ayant un autre trait à la place correspondante. Un phonème, comme le remarque Sapir, « n'a pas de référent qui lui soit propre » (1). Les phonèmes ne désignent qu'une pure altérité. Cette absence de désignation individuelle sépare les traits distinctifs, et leurs combinaisons en phonèmes, de toutes les autres unités linguistiques.

Le code des traits employé par l'auditeur n'épuise pas l'information qui lui est communiquée par les sons du message reçu. La forme sonore du message lui donne des indications sur l'identité de l'émetteur. En comparant le code du locuteur et le sien propre, l'auditeur peut inférer l'origine, le niveau d'éducation et le milieu social de l'émetteur. Les propriétés naturelles du son permettent d'identifier le sexe, l'âge, le type psychophysiologique de l'émetteur, et, finalement, de se remettre une personne de connaissance. Certaines des voies ouvertes à l'exploration de ces indices physiognomoniques ont été indiquées dans la *Schallanalyse* de Sievers (2), mais il reste encore à en entreprendre l'étude systématique.

2.41. *Les conceptions « externes » des rapports entre le phonème et le son.* A. *Le point de vue « mentaliste ».* Il est nécessaire de s'être fait d'abord une idée de la complexité du contenu informationnel des sons de la langue si l'on veut aborder la discussion des diverses conceptions externes du phonème dans sa relation au son. Selon la plus ancienne de ces conceptions, qui remonte à Baudouin de Courtenay mais n'est pas encore morte, le phonème est un son imaginé ou intentionnel, qui s'oppose au son effectivement émis comme un phénomène « psychophonétique » au fait « physiophonétique ». C'est l'équivalent psychique d'un son extériorisé. L'unité du phonème, comparée à la variété de ses réalisations, est vue comme résidant dans le décalage entre l'impulsion interne visant à une même prononciation et la vacillation involontaire qui se produit dans l'accomplissement.

---

(1) E. Sapir, « Sound patterns in language », *Selected Writings* (Berkeley et Los Angeles, 1949), p. 34 : « a phoneme has no singleness of reference ».

(2) Voir spécialement E. Sievers, « Ziele und Wege der Schallanalyse », *Festschrift für W. Streitberg* (Heidelberg, 1924).

Cette conception repose sur deux erreurs : nous n'avons pas le droit de présumer que le corrélat du son dans le langage intérieur se réduit aux traits distinctifs à l'exclusion des traits configuratifs ou redondants. D'autre part, la multiplicité des variantes contextuelles ou facultatives d'un seul et même phonème dans la prononciation réelle est due à la combinaison de ce phonème avec différentes sortes de traits expressifs et redondants ; cependant cette diversité ne gêne pas l'extraction du phonème invariable à partir de toutes ces variations. Ainsi donc, vouloir surmonter l'antinomie entre invariance et variabilité en attribuant la première à l'expérience interne et la seconde à l'expérience externe revient à dénaturer les deux formes d'expérience.

2.42. *Autre point de vue : le phonème confiné au code.* Un autre essai de localiser le phonème en dehors des sons émis confine les phonèmes dans le code et les variantes dans le message. Aux tenants de cette conception, on peut rétorquer que le code inclut non seulement les traits distinctifs mais aussi les traits configuratifs et redondants responsables des variantes contextuelles, tout autant que les traits expressifs qui gouvernent les variations facultatives ; les usagers d'une langue ont appris à les produire et à les appréhender dans le message. Ainsi phonèmes et variantes sont également présents, et dans le code, et dans le message.

Une opinion apparentée oppose le phonème à ses variantes comme la valeur sociale au comportement individuel. C'est une opinion difficilement justifiable puisque non seulement les traits distinctifs mais tous les traits codés sont également socialisés.

2.43. *Le point de vue générique.* On a souvent opposé le phonème au son comme la classe au spécimen. On a caractérisé le phonème comme une famille ou une classe de sons apparentés par une ressemblance phonétique. Des définitions de ce genre sont toutefois vulnérables de plusieurs points de vue.

D'abord, la quête vague et subjective des ressemblances doit faire place à l'extraction des propriétés communes.

En second lieu, la définition comme l'analyse du phonème doivent prendre en considération l'enseignement des logiciens : « On peut définir les classes à partir des propriétés, mais il est à peu près impossible de définir les propriétés à partir des classes (1). » En fait, quand nous opérons avec un phonème ou avec

---

(1) R. Carnap, *Meaning and Necessity* (Chicago, 1947), p. 152.

un trait distinctif, ce à quoi nous avons essentiellement affaire, c'est à une constante qui est présente dans les divers cas particuliers. Si nous disons qu'en anglais le phonème /k/ se rencontre devant /u/, ce n'est pas du tout la famille totale de tous ses sous-membres, mais seulement le faisceau de traits distinctifs communs à tous, qui apparaît dans cette position. L'analyse phonématique est l'étude de propriétés, invariantes à travers certaines transformations.

Enfin, quand nous traitons d'un son qui, dans une langue donnée, figure dans une position déterminée, dans certaines conditions stylistiques déterminées, nous avons de nouveau affaire à une classe d'occurrences et à leur commun dénominateur, et non à un seul et fugitif spécimen. Qu'il s'agisse d'étudier les phonèmes ou les variantes contextuelles (dites *allophones* dans la terminologie de l'école américaine), c'est toujours, comme diraient les logiciens, le *sign-design* (« type sémiotique ») et non le *sign-event* (« événement sémiotique ») que nous définissons.

2.44. *Le point de vue fictionaliste.* D'après une opinion dont Twaddel (1) fut le défenseur le plus efficace, mais qui est latente dans les ouvrages de nombreux autres auteurs, les phonèmes sont des unités abstraites et fictives. Aussi longtemps que cela signifie simplement que tout concept scientifique est une construction fictive, il s'agit là d'une attitude philosophique qui ne peut affecter l'analyse phonématique. Le phonème, en ce cas, est une fiction, de la même manière que le morphème, le mot, la phrase, la langue, etc. Si toutefois l'analyse oppose le phonème et ses composants au son, comme étant de simples artifices utilisés dans la recherche mais n'ayant pas de corrélat nécessaire dans l'expérience concrète, une telle hypothèse va dénaturer les résultats de l'analyse. Croire que le choix parmi les phonèmes auxquels nous pourrions assigner un son pourrait à l'occasion se faire arbitrairement et même au hasard, c'est compromettre la valeur objective de l'analyse phonématique. Ce danger peut cependant être évité par l'exigence méthodologique que chaque trait distinctif, et en conséquence chaque phonème, aie un corrélat constant à chaque étape de l'acte de parole et puisse ainsi être identifiable à tous les niveaux accessibles à l'observation. Notre connaissance actuelle des aspects physiques et physiolo-

---

(1) W.F. Twaddell : « On defining the phoneme », = Supplement to *Language*, 16 (1935) ; cf. M.J. Andrade : « Some questions of fact and policy concerning phonemes », *Language*, 17 (1936).

giques des sons de la parole est suffisante pour satisfaire à cette exigence. L'identité d'un trait distinctif à travers ses diverses réalisations peut maintenant être démontrée objectivement. Trois réserves, cependant, doivent être faites.

D'abord il peut se faire que certains traits ou combinaisons de traits soient oblitérés dans les diverses formes d'ellipse phonématique (cf. 1.5).

Ensuite, des traits peuvent se trouver masqués par des conditions anormales, déformantes, dans la production (chuchotement, cri, chant, bégaiement), la transmission (distance, filtrage, bruit) ou la perception (fatigue auditive) du son.

Enfin, un trait distinctif est une propriété relationnelle : l'« identité minimale » d'un trait dans ses combinaisons avec différents autres traits simultanés ou successifs réside dans la relation essentiellement identique qui lie les deux termes alternatifs de l'opposition. Peu importe de combien les consonnes de *tot* diffèrent l'une de l'autre génétiquement et acoustiquement : elles ont toutes deux un registre élevé par opposition aux deux labiales de *pop*, et toutes deux présentent une diffusion de l'énergie, par comparaison à la plus grande concentration de l'énergie dans les deux consonnes de *cock*. Que l'identité d'un phonème dans deux variantes contextuelles divergentes soit ressentie par les sujets parlants, peut être illustré par la reduplication onomatopéique du son dans *cack, kick, tit, peep, poop*.

2.441. « *Chevauchement* » *de phonèmes.* Ce qu'on a appelé les chevauchements (*overlapping*) de phonèmes confirme le caractère manifestement relationnel des traits distinctifs. Une paire de phonèmes vocaliques palataux, s'opposant génétiquement l'un à l'autre comme étant relativement large et relativement étroit, et, acoustiquement, par une concentration de l'énergie plus élevée ou plus basse (compact/diffus), peut, dans certaines langues, se trouver réalisée dans une position comme [æ] - [e], et dans une autre comme [e] - [i], de sorte que le même son [e] dans une position réalise le terme diffus et dans une autre le terme compact de la même opposition. Dans les deux positions, la relation reste identique. Deux degrés d'aperture et deux degrés correspondants de concentration de l'énergie — maximale et minimale — s'opposent l'un à l'autre dans les deux positions.

La concentration des opérations sélectives sur des propriétés relationnelles est typique non seulement du comportement humain, mais même aussi de celui de l'animal. Dans une expé-

rience de W. Koehler, on avait dressé des poulets à picorer du
grain sur un champ gris et à ne pas toucher le grain d'un champ
adjacent plus foncé ; quand ensuite on eût remplacé l'ensemble
constitué par les deux champs, gris neutre et gris foncé, par une
paire gris neutre et gris clair, les poulets en quête de nourriture
quittèrent le champ gris neutre pour l'autre terme plus clair.
Ainsi, « le poulet transfère sa réponse à l'aire relativement la plus
lumineuse » (1). C'est avant tout au moyen de règles relationnelles que l'auditeur, guidé par le code linguistique, appréhende
le message.

2.45. *Le point de vue algébrique.* La conception que l'on pourrait appeler « algébrique » vise à séparer au maximum le phonème
du son, et, corrélativement, la phonématique de la phonétique.
Selon le champion de cette tendance, Hjelmslev, la linguistique
doit devenir « une algèbre du langage, opérant avec des entités
anonymes, c'est-à-dire des entités nommées arbitrairement, sans
désignation naturelle » (2). En particulier, le « plan de l'expression », comme il a rebaptisé l'aspect nommé *signans* dans la tradition stoïcienne et scolastique, et *signifiant* dans l'œuvre de celui
qui a fait revivre cette tradition, Ferdinand de Saussure, doit
être étudié sans recours aucun à des prémisses phonétiques.

En fait cependant, entreprendre de réduire le langage à ses
invariants ultimes, au moyen d'une simple analyse de leur distribution dans le texte et sans référence à leurs corrélats empiriques, c'est courir à un échec certain. Si, en anglais, on compare
les deux séquences /ku/ et /uk/, on n'obtiendra aucune information sur l'identité du premier segment dans l'un de ces exemples avec le second segment dans l'autre, à moins de mettre en
jeu les propriétés sonores communes aux /k/ initial et final et
celles communes à /u/ dans les deux positions. La confrontation
des syllabes /ku/ et /ki/ ne nous autorise pas à assigner les deux
segments initiaux à un même phonème /k/, comme deux variantes
apparaissant à l'exclusion l'une de l'autre devant des voyelles
différentes, à moins que nous n'ayons identifié les traits communs

(1) Voir H. Werner, *Comparative Psychology of Mental Development* (New
York-Chicago-Los Angeles, 1940), p. 216 sv.
(2) L. Hjelmslev, *Prolegomena to a Theory of Language* = *Indiana University Publications in Anthropology and Linguistics*, VIII, 1953, p. 50 (nouvelle
éd. Madison, 1961) ; cf. la critique objective de cette conception dans B. Siert-
sema, *A Study of Glossematics* (La Haye, 1954) ch. VI, XI, ainsi que F. Hintze,
« Zum Verhältnis der sprachlichen 'Form' zur 'Substanz' », *Studia Linguistica*,
3, 1949.

qui unifient les variétés rétractée et avancée du phonème /k/ e'
le différencient de tous les autres phonèmes de la même langue.
Seul un test de ce genre nous permet de décider si le [k−] rétracté
dans /ku/ est une réalisation du même phonème que le [k+]
avancé dans /ki/ plutôt que du même phonème que le [g+] dans
/gi/. C'est pourquoi, en dépit de l'exigence théorique d'une analyse totalement indépendante de la substance sonore, en pratique
— troublante contradiction — « on tient compte de la substance
à toute étape de l'analyse », comme le note Eli Fischer-Jørgensen (1).

Quant à l'exigence théorique elle-même, elle est née de l'hypothèse que, dans le langage, la forme s'oppose à la substance comme
une constante à une variable. Si la substance sonore était une
simple variable, alors la recherche des invariants linguistiques
exigerait effectivement qu'elle soit exclue. Mais qu'il soit possible
de traduire la même forme linguistique d'une substance phonique en une substance graphique, par exemple en une notation
phonématique, ne prouve pas que la substance phonique, comme
d'autres « substances de l'expression largement différentes », est
une simple variable. Par opposition à la parole, phénomène universel, l'écriture phonétique ou phonématique est un code occa-
sionnel, accessoire, qui implique normalement la possibilité, pour
ses usagers, de le traduire dans le code phonique sous-jacent, tandis que la capacité inverse, celle de transposer des paroles en
lettres, est une faculté secondaire et beaucoup moins commune.
Ce n'est qu'après avoir maîtrisé le langage parlé que l'on apprend
à lire et à écrire. Il y a une différence cardinale entre les phonèmes
et les unités graphiques. Chaque lettre véhicule une désignation
spécifique — dans une orthographe phonématique, elle
désigne d'habitude un des phonèmes ou une certaine série limitée de phonèmes, tandis que les phonèmes ne désignent qu'une
pure altérité (cf. 2.3.). Les signes graphiques qui servent à
interpréter les phonèmes ou d'autres unités linguistiques représentent ces unités, comme diraient les logiciens. Cette différence
a des conséquences considérables qui se marquent dans les structures fondamentalement dissemblables des lettres et des phonèmes. Les lettres ne reproduisent jamais complètement les
différents traits distinctifs sur lesquels repose le système phonématique, et négligent infailliblement les relations structurales
entre ces traits.

---

(1) Eli Fischer-Jørgensen, « Remarques sur les principes de l'analyse pho-
némique », *TCLC*, V (1949), p. 231.

Il n'y a rien dans la société humaine qui ressemble à une supplantation du code parlé par ses répliques visuelles ; on voit seulement s'ajouter à ce code des auxiliaires parasitaires, tandis que le code parlé, constamment et inaltérablement, continue à fonctionner. Il est tout aussi impossible de soutenir que la forme linguistique est manifestée par deux substances équipollentes — graphique et phonique — que de prétendre que la forme musicale est manifestée par deux variables — les notes et les sons. Car, de même qu'on ne peut abstraire la forme musicale de la matière sonore qu'elle organise, de même la forme, en phonématique, doit être étudiée en relation avec la matière sonore que le code linguistique choisit, réadapte, dissèque et classifie selon ses propres voies. Comme les échelles musicales, les structures phonématiques constituent une intervention de la culture dans la nature, un artifice qui impose des règles logiques au continuum sonore.

2.5. *Les démarches du cryptanalyste et du décodeur, conçues comme deux techniques complémentaires.* Le destinataire d'un message codé est supposé en possession du code et par son intermédiaire il interprète le message. A la différence de ce d é c o d e u r, le c r y p t a n a l y s t e tombe en possession d'un message sans avoir aucune connaissance antérieure du code sous-jacent ; ce n'est que par d'habiles manipulations du message qu'il arrive à déchiffrer le code. Un sujet indigène réagit à un texte énoncé dans sa langue comme un décodeur normal, tandis qu'un étranger, à qui la langue n'est pas familière, se trouve devant le texte dans la situation d'un cryptanalyste. Le linguiste qui aborde une langue totalement inconnue procède comme un cryptanalyste jusqu'à ce que, par un déchiffrage graduel du code en question, il réussisse finalement à aborder tout message formulé dans cette langue comme un décodeur indigène.

L'usager, indigène ou naturalisé, d'une langue, une fois qu'il a reçu une formation linguistique, est conscient des fonctions remplies par les différents éléments du son et peut utiliser cette connaissance pour résoudre la forme sonore en ses divers traits porteurs d'information. Il se servira de divers « présupposés grammaticaux de l'analyse phonématique » pour dégager les traits distinctifs, configuratifs et expressifs (1).

---

(1) K.L. Pike : « Grammatical prerequisites to phonemic analysis », *Word*, 3 (1947) et « More on grammatical prerequisites », *Word*, 8, (1952).

D'autre part, la question soulevée par Bloch, de l'applicabilité de la technique du cryptanalyste aux recherches sur les structures phonologiques, a une grande importance méthodologique : jusqu'à quel point un corpus suffisant de discours enregistré correctement permet-il à un linguiste d'élaborer « le système phonologique sans savoir ce que signifie telle partie du corpus ou même si telle partie signifie la même chose ou autre chose que telle autre partie » (1). Dans de telles conditions, l'extraction des traits redondants est, dans beaucoup de cas, laborieuse mais praticable. Il est beaucoup plus difficile d'isoler les traits expressifs mais, même de ce point de vue, l'enregistrement peut fournir une certaine dose d'information, étant donné la différence entre le caractère discret et oppositionnel nettement marqué des traits distinctifs et le caractère de gradation continue typique de la plupart des traits expressifs (2). Même un message hybride — bilingue ou multilingue — comme par exemple les phrases combinant des mots ou groupes de mots russes, français et anglais, qui étaient d'usage dans la conversation de l'aristocratie russe à la fin du XIXᵉ siècle, pourraient, par l'analyse de leur constitution phonétique hétérogène, être grossièrement divisées en sections unilingues : « *On se réunit le matin au breakfast et puis vsjakij delaet čto xočet.* » [ōsə ʜeyní ləṃaté obɹékfəst epμí fs,akəj d,ɛ́ɫəɹt ʃtɔxᵘɔʃɪt] (Tolstoï, reproduisant le langage familier de son milieu, dans *Anna Karenine*).

Un problème moins accessible encore à la technique cryptanalytique est celui que pose la discrimination des traits distinctifs et configuratifs, spécialement des signaux démarcatifs de mots ; par exemple, il serait extrêmement difficile à un cryptanalyste de découvrir qu'en russe, dans des paires telles que /danós/ [danós] « dénonciation » - /danos/ [dənós] « et le nez aussi », /pagar,él,i/ [pəgar,ę́l,i] « (ils) brûlèrent » - /pagar,é l,i/ [pəgar,él,i] « est-ce le long d'une montagne », /jixída/ [jix,ídə] « personne rancunière » - /jíx ida/ [jixídə] « leur Ida », la différence entre [a] et [ə] obscur, entre [e] fermé et [ę] ouvert, ou entre [x,] palatalisé et [x] non-palatalisé, n'est pas un trait distinctif différenciant deux phonèmes mais seulement un signal démarcatif de mot. Ici la technique cryptanalytique court le risque de multiplier le nombre de phonèmes et de traits distinctifs russes, par comparaison avec leur inventaire effectif.

---

(1) B. Bloch, « A set of postulates for phonemic analysis », *Language*, 24 (1948).

(2) Cf. Jakobson, Fant et Halle, *Preliminaries...*, p. 15.

III. L'identification des traits distinctifs

3.1. La syllabe. Les traits distinctifs sont groupés en faisceaux simultanés appelés phonèmes ; les phonèmes s'enchaînent pour former des séquences ; le schème élémentaire gouvernant tout groupement de phonèmes est la s y l l a b e (1). La structure phonématique de la syllabe est déterminée par un ensemble de règles et toute séquence est basée sur la récurrence régulière de ce modèle constructif. Une f o r m e l i b r e (c'est-à-dire une séquence qu'il est possible, au moyen de pauses, de séparer du reste de l'énoncé) doit contenir un nombre entier de syllabes. De toute évidence, le nombre de syllabes différentes dans une langue est un petit sous-multiple du nombre de formes libres, tout comme le nombre de phonèmes est un petit sous-multiple du nombre de syllabes, et le nombre de traits distinctifs, un sous-multiple du nombre de phonèmes.

Le principe pivot de la structure syllabique réside dans le contraste entre traits distinctifs successifs à l'intérieur de la syllabe. Une partie de la syllabe tranche sur les autres. Le principal moyen utilisé pour mettre en relief une partie de la syllabe est le contraste voyelle/consonne. Il y a des langues où chaque syllabe consiste en une consonne suivie d'une voyelle (CV) : dans un cas de ce genre, il est possible, à partir de n'importe quel point de la séquence, de prévoir à quelle classe le phonème suivant appartient. Dans une langue où les types syllabiques sont plus variés, la récurrence d'une classe phonématique présente différents degrés de probabilité. En plus de CV, d'autres schèmes peuvent être utilisés : CVC, V, VC. Contrairement à C, la partie V ne peut jamais être omise, ni figurer deux fois dans la syllabe.

Le contraste voyelle/consonne tantôt est le seul utilisé, tantôt prédomine seulement : des contrastes apparentés peuvent lui être sporadiquement substitués. La partie C comme la partie V peuvent contenir plus d'un phonème. Les phonèmes constituant

(1) E. Polivanov fut le premier à attirer l'attention sur la « syllabe phonématique » — qu'il nomma *syllabème* — comme cellule constructive de base dans la séquence parlée : voir son travail, en collaboration avec A. Ivanov, *Grammatika sovremennogo kitajskogo jazyka* (Moscou, 1930). Cf. A. Sommerfelt, « Sur l'importance générale de la syllabe », *TCLP*, IV (1931) ; A.W. de Groot, « Voyelle, consonne et syllabe », *ANPE*, 17 (1941) ; J. Kuryłowicz, « Contribution à la théorie de la syllabe », *Bull. de la Soc. Polonaise de Linguistique*, VIII (1948) ; J.D. O'Connor et J.L.M. Trim, « Vowel, consonant, and syllabe — a phonological definition », *Word*, 9 (1953) ; E. Haugen : « The syllabe in linguistic description », *For Roman Jakobson*, La Haye, 1956.

les parties V et C de la syllabe sont dits respectivement p h o -
n è m e s d e c r ê t e et p h o n è m e s d e c r e u x . Si la crête contient deux phonèmes ou plus, l'un d'eux, dit p h o n è m e d e
p o i n t e (ou s y l l a b i q u e) s'élève au-dessus des autres grâce
au contraste compact/diffus ou voyelle/sonante.

Stetson (2) a très adéquatement décrit le corrélat moteur de la
syllabe phonématique comme « la projection vers le haut, à
travers le canal vocal, d'une bouffée d'air, par compression des
muscles inter-costaux ». D'après cette description, toute syllabe
comprend invariablement trois moments successifs : déclenchement, culmination et arrêt de la pulsation. De ces trois phases,
c'est la phase médiane qui est le constituant nucléaire de la syllabe, les deux autres étant marginales. Les deux facteurs marginaux — commencement et terminaison — sont tantôt dûs à la
seule action des muscles de la poitrine, tantôt prennent la forme
de sons du langage, habituellement des consonnes. Si l'action
des muscles de la poitrine entre seule en ligne de compte dans
leur réalisation, seule la phase nucléaire de la syllabe est audible.
En d'autres termes, la partie nucléaire de la syllabe contraste
avec les parties marginales comme la crête avec les creux.

Du point de vue acoustique, la crête surpasse généralement les
creux en intensité, et, dans beaucoup de cas, présente une élévation de la fréquence fondamentale. Du point de vue perceptif,
la crête se distingue des creux par un plus grand éclat (intensité
acoustique subjective) (3), accompagné souvent par une hauteur musicale plus élevée. Il est de règle que les phonèmes de
crête soient intrinsèquement plus éclatants que les phonèmes
de creux d'une même syllabe : ordinairement la crête est constituée par des voyelles, tandis que les creux contiennent les autres
phonèmes ; il arrive, moins fréquemment, que le contraste entre
phonèmes de crête et de creux soit réalisé par l'opposition liqui-
des/consonnes pures, ou encore par celle des consonnes nasales
et orales, ou enfin, exceptionnellement, par l'opposition cons-
trictives/occlusives (cf. 4.16). Si un des creux est constitué par
tout un groupe de phonèmes et si, à l'intérieur de ce groupe, un
des phonèmes est intrinsèquement plus éclatant que les phonèmes environnants, son éclat est notablement réduit de manière
à préserver l'unité de la syllabe : comparer par exemple les mots

_____

(2) R.H. Stetson, *Motor Phonetics* (Amsterdam, 1951).
(3) NDT : Nous employons, pour traduire *loud* et *loudness*, la terminologie
de Grammont, *éclatant* et *éclat*.

tchèques /jdu/, /jsem/, /rti/, /lpi/, ou le monosyllabe polonais /krvi/, au serbo-croate /krvi/, qui est dissyllabique (1).

3.2. *Les deux types de traits distinctifs*. Les traits distinctifs se divisent en deux classes : 1) les traits p r o s o d i q u e s et 2) les traits i n t r i n s è q u e s. Seuls les phonèmes qui forment la crête de la syllabe présentent des traits prosodiques ; ceux-ci ne peuvent se définir que par référence au relief de la syllabe ou de la chaîne syllabique. Il n'en est pas de même des traits distinctifs intrinsèques, qui sont manifestés par les phonèmes indépendamment de leur rôle dans le relief de la syllabe, et dont la définition ne requiert aucune référence au relief de la syllabe ou de la chaîne syllabique.

3.3. *Classification des traits prosodiques*. Les trois types de traits prosodiques que, suivant Sweet, nous appellerons le t o n, la f o r c e et la q u a n t i t é, correspondent aux trois principaux attributs de la sensation — hauteur de la voix, éclat (2) de la voix et durée subjective (protensité). Les dimensions de la fréquence, de l'intensité et du temps en sont les plus proches corrélats physiques. Chacune de ces trois sous-classes de traits prosodiques présente deux variétés : suivant son cadre de référence, un trait prosodique peut être soit i n t e r s y l l a b i q u e soit i n t r a s y l-l a b i q u e. Dans le premier cas, la crête d'une syllabe est comparée aux crêtes des autres syllabes à l'intérieur d'une même séquence. Dans le second cas, un moment appartenant à la crête peut être comparé à d'autres moments de la même crête ou au creux subséquent.

3.31. *Les traits prosodiques de ton*. Dans la variété intersyllabique du trait de ton — le trait prosodique de n i v e a u (ou de registre) — différentes crêtes syllabiques à l'intérieur d'une séquence sont contrastées par leur registre : haut ou bas. Le trait de niveau peut être divisé en deux : soit qu'un registre neutre contraste avec un registre élevé, d'une part, et avec un registre abaissé, de l'autre, soit que chacun des deux registres opposés, haut et bas, apparaisse sous deux variétés, augmenté et diminué (au sens musical des termes). Quand les Jabo transposent ces quatre niveaux du langage parlé aux signaux tambourinés, ils emploient deux paires différentes de termes pour désigner les deux oppositions sous-jacentes : les deux opposés haut et bas sont

---

(1) Voir, en particulier, A. Abele, « K voprosu o sloge », *Slavia*, 3 (1924).
(2) Intensité acoustique subjective.

appelés respectivement « petit oiseau » et « grand oiseau », tandis
que les opposés augmenté et diminué sont dits « plus mince » et
« plus gros », de sorte que les quatre signaux sont distingués —
« petit oiseau plus mince », « petit oiseau plus gros », « grand oiseau
plus mince » et « grand oiseau plus gros » (1). Le mécanisme vocal
du ton a été étudié de près par Farnsworth, d'après qui le mouvement des cordes vocales, plus complexe aux basses fréquences
de vibration, se simplifie quand la vitesse augmente, au point
que, aux plus hautes fréquences, on ne voit plus vibrer que les
bords des cordes vocales les plus proches de la glotte (2).

La variété intrasyllabique des traits de ton, le trait de m o d u-
l a t i o n, fait contraster le registre élevé d'une portion d'un phonème avec le registre bas d'une autre portion du même phonème,
ou encore le registre élevé d'un des composants d'une diphtongue
avec le registre bas de ses autres composants, et cette distribution des registres à l'intérieur des sommets de syllabe s'oppose à
la distribution inverse ; par exemple une modulation montante
s'oppose à une modulation descendante, ou toutes deux à une
intonation étale.

3.32. *Les traits prosodiques de force.* La variété intersyllabique
des traits de force, l'a c c e n t d y n a m i q u e, contraste une crête
accentuée, plus éclatante, et les crêtes inaccentuées, moins écla-
tantes, des autres syllabes d'une même séquence ; cette différence est produite par le mécanisme sublaryngal, en particulier
par les mouvements abdomino-diaphragmaux, comme Sievers
et Stetson cherchent à le prouver (3).

Dans la variété intrasyllabique des traits de force, le trait dit
stosston (*stød*), deux fractions contiguës du phonème accentué
sont comparées entre elles. A une distribution uniforme de l'éclat
à travers tout le phonème s'oppose un autre type : la portion
initiale du phonème présente le maximum d'éclat, tandis que
dans la partie finale l'éclat décroît. D'après l'analyse faite par

(1) Voir G. Herzog, « Drum signalling in West African tribes », *Word*, 1,
1945.

(2) D.W. Farnsworth, « High-speed motion picture of the human vocal
cords », *Bell Laboratories Records*, V, 1940.

(3) E. Sievers, « Neues zu den Rutzschen Reaktionen », *Archiv für experi-
mentelle und klinische Phonetik*, I, 1914 ; R.H. Stetson, 1.c. Cf. W.F. Twaddell,
« Stetson's model and the 'supra-segmental phonemes' », *Lg*, 29 (1953), et l'œuvre novatrice de N.I.Zinkin, « Vosprijate udarenija v slovax russkogo jazyka »,
Izvestija Akademii Pedagogičeskix Nauk, RSFSR, LIV (1954).

S. Smith du stød danois (1), le déclin en amplitude, souvent accompagné d'une diminution de la fréquence fondamentale, est dû à une innervation abruptement décroissante des muscles expiratoires. Un mouvement balistique des muscles expiratoires, opposé à un mouvement plus uniforme, est à l'origine d'un trait prosodique similaire, par exemple en letton, dans les dialectes. lithuaniens, et en live.

3.33. *Les traits prosodiques de quantité.* La variété intersyllabique des traits de quantité, la l o n g u e u r, fait contraster un phonème normal, bref, non extensible à l'intérieur de la crête de la syllabe avec les phonèmes longs, étirés, des autres syllabes d'une même séquence, et/ou un phonème normal, bref mais ferme avec un phonème ponctuel, réduit, passager.

La seconde variété des traits de quantité, le trait de l i a i s o n ou de c o n t a c t, est basé sur une différence dans la distribution de la durée entre la voyelle et la consonne suivante : dans le cas de la liaison dite f e r m e (*scharf geschnittener Akzent*) la voyelle est écourtée en faveur d'une consonne suivante survenant abruptement, tandis que dans la liaison dite l â c h e (*schwach geschnittener Akzent*), la voyelle se déroule pleinement avant de faire place à la consonne.

3.34. *Interconnexion de l'accent et de la longueur.* Partout où il y a contraste entre syllabes accentuées et syllabes inaccentuées, l'accent est toujours employé comme trait configuratif, plus précisément comme trait culminatif, tandis que la longueur n'assume jamais cette fonction. La fonction culminative de l'accent se combine régulièrement soit avec l'autre variété de fonction configurative, la fonction démarcative (cf. 2.3.), soit avec la fonction distinctive. Les langues où la longueur et l'accent dynamique sont tous deux utilisés comme traits distinctifs sont tout à fait exceptionnelles, et si l'accent est distinctif, il est le plus souvent accompagné d'un trait de longueur qui est alors redondant.

L'observation des traits de force et de quantité dans leur variété intersyllabique semble indiquer que les traits distinctifs prosodiques utilisant l'intensité et ceux qui utilisent la durée tendent à se confondre.

(1) S. Smith, « Contribution to the solution of problems concerning the Danish stød », *Nordisk Tidsskrift jor Tale og Stemme*, 8 (1944).

3.4. *Comparaison des traits prosodiques et intrinsèques.* Tout trait prosodique se définit essentiellement par le contraste entre deux variables à l'intérieur d'une seule et même séquence temporelle : la hauteur, l'énergie ou la durée *relative* d'une fraction est déterminée en fonction des fractions qui précèdent et/ou de celles qui suivent. Comme l'a indiqué Herzog à propos des traits de ton, « les réalisations particulières des contrastes — si l'on en juge d'après les écarts successifs entre les registres ou d'après les mouvements tonaux successifs — changent continuellement » (1). Le niveau du ton, la modulation, les degrés de l'accent dynamique, son decrescendo (*stosston*), sont toujours purement relatifs et varient considérablement en grandeur absolue d'un sujet à l'autre, et même d'un énoncé à l'autre dans l'usage du même sujet. De même la quantité d'une voyelle ne peut être établie que par rapport à la quantité des autres voyelles dans le même contexte ou par sa relation à la consonne suivante (dans le cas du trait de liaison), cependant que la durée absolue des voyelles longues ou brèves présente, pour une langue donnée, de considérables oscillations dans la vitesse, oscillations qui dépendent des habitudes du sujet parlant et des variations expressives de son tempo. Une voyelle longue doit être, toutes choses égales, plus longue que les voyelles brèves environnantes. Semblablement, la seule chose requise d'une voyelle sous l'accent dynamique est qu'elle soit émise d'une voix plus éclatante que les voyelles inaccentuées de la même chaîne ; et les voyelles à ton haut doivent être dans un registre plus élevé que les voyelles voisines à ton bas. Mais les voyelles hautes d'un baryton, par exemple, peuvent bien être plus profondes que les voyelles basses d'un autre sujet, par exemple un soprano ; et dans le discours d'une seule et même personne il peut se rencontrer des passages expressifs caractérisés par un abaissement relatif des phonèmes des deux registres, bas et haut.

Tout trait prosodique implique deux coordonnées : d'une part des termes polaires tels que long et bref, registre bas et registre haut, intonation montante et intonation descendante, peuvent l'un et l'autre occuper, *ceteris paribus*, la même position dans la chaîne, de sorte que, au niveau de la production, pour le locuteur, comme au niveau de la perception, chez l'auditeur, il y a choix entre les deux termes de l'alternative, et que le terme choisi est identifié par rapport au terme écarté. Ces deux termes, l'un présent et l'autre absent dans une unité donnée du message, consti-

---

(1) G. Herzog, c.r. de K.L. Pike, *Tone Languages*, in *IJAL*, 15 (1949).

tuent une véritable opposition logique (cf. 1.3.). D'autre part, les
deux termes polaires ne sont pleinement reconnaissables que si
tous deux sont présents dans la séquence, le locuteur produisant,
et l'auditeur percevant, leur contraste. Ainsi les deux termes alternatifs d'un trait prosodique coexistent dans le code en tant
que termes d'une opposition, et par-dessus le marché ils sont
donnés ensemble dans le message et y produisent un contraste.
Si le message est trop bref pour inclure les deux unités contras-
tantes, on peut inférer le trait à partir d'indices substitutifs
offerts par la séquence ; par exemple, on peut induire la quantité
d'une voyelle, dans un message monosyllabique, de la durée relative des consonnes environnantes, et le registre d'un message
monophonématique, de l'ampleur de la modulation à l'attaque
ou au déclin de la voyelle.

   La détection et la définition d'un trait intrinsèque se base
uniquement sur le choix entre deux termes alternatifs admissibles
dans la même position dans la chaîne. La comparaison de termes
polaires se succédant dans le même contexte n'entre pas en ligne
de compte. Il en résulte que les deux formes alternatives d'un
trait intrinsèque coexistent dans le code en tant que termes d'une
opposition, mais que leur juxtaposition contrastante dans le message n'est pas requise. Comme on ne peut identifier un trait
intrinsèque que par la comparaison du terme présent dans une
position donnée avec le terme absent, la réalisation concrète d'un
trait intrinsèque, dans une position donnée, aura moins de lati-
tude que celle des traits prosodiques.

   3.5. *Lois générales des systèmes phonématiques.* La description
comparative des systèmes phonématiques de langues nombreuses
et diverses, et leur confrontation avec l'ordre des acquisitions
phonématiques dans l'apprentissage du langage par l'enfant,
ainsi qu'avec le démantèlement progressif du langage et du système phonématique dans l'aphasie, nous fournissent d'importantes indications sur l'interrelation et la classification des traits
distinctifs. Le progrès linguistique, et singulièrement phonématique, de l'enfant, et la régression de l'aphasique, obéissent aux
mêmes lois d'implication. Si l'acquisition par l'enfant de la distinction B implique l'acquisition de la distinction A, la perte de
A dans l'aphasie implique l'absence de B, et la réadaptation de
l'aphasique suit le même ordre que le développement phonématique de l'enfant. C'est sur les mêmes lois d'implication que
reposent les langues du monde, dans leurs aspects statiques comme dans leurs aspects dynamiques. La présence de B implique

la présence de A, et, de la même manière, B ne peut entrer dans
le système phonologique d'une langue que si A y est déjà présent ;
de même A ne peut disparaître d'une langue aussi longtemps que
B subsiste. Plus rares sont les langues possédant tel trait ou combinaison de traits, plus tardive sera l'acquisition de ce trait par
les enfants indigènes, et plus rapide sera sa perte chez les indigènes aphasiques.

3.51. *Réduction de l'inventaire total des traits distinctifs.* Les
progrès faits dans l'étude phonématique du langage des enfants
et des aphasiques (1), allant de pair avec la découverte d'un
nombre toujours croissant de lois, mettent en pleine lumière le
problème des règles universelles qui sont à la base des systèmes
phonématiques des langues. Si on prend en considération ces
lois d'implication et de stratification, la typologie phonématique
des langues apparaît de plus en plus comme une tâche à la fois
réalisable et urgente. Chaque pas fait dans cette direction nous
permet de réduire la liste des traits distinctifs utilisés dans les
langues du monde. La multiplicité supposée des traits se révèle
largement illusoire. Si deux ou plus de deux traits, présumés
différents, ne coexistent jamais dans le système d'une même
langue, si d'autre part ils offrent une propriété commune qui
les distingue de tous les autres traits, on est en droit de les considérer comme des réalisations différentes d'un seul et même trait,
dont chacune se rencontre à l'exclusion des autres, et qui représentent un cas particulier de distribution complémentaire.
L'étude des invariances à l'intérieur du système phonématique
d'une langue particulière doit être complétée par la recherche
des invariances universelles dans le système phonématique du
langage en général.

C'est ainsi que dans aucune langue on ne rencontre deux oppositions consonantiques autonomes — pharyngalisé/non-pharyn-
galisé et arrondi/non-arrondi. L'orifice postérieur du résonateur

---

(1) Cf. R. Jakobson, « Kindersprache, Aphasie und allgemeine Lautgesetze »,
Uppsala Universitets Arsskrift (1942) ; H.V. Velten, « The growth of phonemic
and lexical patterns in infant language », *Lg*, 19 (1943) ; W.F. Leopold, *Speech
Development of a Bilingual Child*, II (Evanston, 1947) ; A. Gvozdev, *Usvoenie
rebenkom zvukovoj russkogo jazyka* (Moscou, 1948) ; K. Ohnesorg, *Fonetická
studie o detské reci* (Prague, 1948) ; L. Kaczmarek, *Kształtowanie się mowy
dziecka* (Poznan, 1953) ; P. Smoczýnski, *Przyswajanie przez dziecko podstaw
systemu językowego* (Lodz, 1955). — Th. Alajouanine, A. Ombredane, M.
Durand, *Le syndrome de désintégration phonétique dans l'aphasie* (Paris, 1939) ;
A. Luria, *Travmatičeskaja afazija* (Moscou, 1947) ; K. Goldstein, *Language
and Language Disturbances* (New York, 1948).

buccal (le pharynx) est en cause dans le premier exemple et l'orifice antérieur (les lèvres) dans le second, mais, dans les deux cas, le rétrécissement de l'un des orifices du résonateur buccal, produisant un abaissement des résonances, s'oppose à l'absence de rétrécissement. Il en résulte que les deux procès (rétrécissement de la fente postérieure et rétrécissement de la fente antérieure) doivent être traités comme deux variantes d'une seule et même opposition qui, au niveau moteur, peut se définir dans les termes suivants : fente rétrécie/fente non-rétrécie (cf. 3.62). La relation des consonnes rétroflexes aux consonnes dentales se révèle n'être qu'une simple variété de l'opposition entre dentales pharyngalisées et non-pharyngalisées. Quatre des traits consonantiques énumérés par Troubetzkoy (*Principes*, p. 165 sv.) — les corrélations de tension, d'intensité ou de pression, d'aspiration et de préaspiration — se trouvent aussi n'être que des variantes complémentaires d'une seule et même opposition qui, en vertu de son commun dénominateur, peut être baptisée l'opposition tendu/lâche.

Les occlusives doubles (en particulier les clicks) à fermetures se succédant rapidement, suivies de deux déclics distincts dans le même ordre, excluent les autres types de groupes consonantiques des positions où elles se rencontrent et présentent simplement une réalisation différente de séquences consonantiques ordinaires (1).

3.6. *Les deux classes de traits distinctifs intrinsèques*. Les traits distinctifs intrinsèques qui ont été découverts jusqu'à présent dans les langues du monde et qui, à côté des traits prosodiques, supportent la totalité de leur répertoire morphologique et lexical, se ramènent à douze oppositions, parmi lesquelles chaque langue fait son propre choix. Tous les traits intrinsèques se répartissent en deux classes que l'on pourrait appeler celle des t r a i t s d e s o n o r i t é et celle des t r a i t s d e t o n a l i t é, les premiers étant apparentés aux traits prosodiques de force et de quantité, et les seconds aux traits prosodiques qui utilisent la hauteur de la voix. Les traits de sonorité emploient la quantité et la concentration de l'énergie dans le spectre et dans le temps. Les traits de tonalité mettent en jeu les extrémités du spectre des fréquences.

_____

(1) Cf. C.M. Doke, « Notes on a problem in the mechanism of the Zulu clicks », *Bantu Studies*, II (1923).

3.61. *Traits de sonorité.*

I. Vocalique/non-vocalique

acoustiquement — présence (ou au contraire absence) d'une structure de formant nettement définie ;

génétiquement — excitation principalement ou seulement au niveau de la glotte, accompagnée d'un libre passage de l'air à travers l'appareil vocal.

II. Consonantique/non-consonantique :

acoustiquement — énergie totale réduite (ou au contraire énergie totale élevée) ;

génétiquement — présence (ou au contraire absence) d'une obstruction dans le canal vocal.

Les voyelles sont vocaliques et non-consonantiques ; les consonnes sont consonantiques et non-vocaliques ; les liquides sont vocaliques et consonantiques (avec, à la fois, libre passage et obstruction dans la cavité orale et l'effet acoustique correspondant) ; les glides sont non-vocaliques et non-consonantiques.

III. Compact/diffus :

acoustiquement — concentration d'énergie plus élevée (ou au contraire plus réduite) dans une région relativement étroite, centrale, du spectre, accompagnée d'un accroissement (ou au contraire d'une diminution) de la quantité totale d'énergie et de son expansion dans le temps ;

génétiquement — centrifuge (*outward-flanged*)/centripète (*inward-flanged*). La différence réside dans la relation entre la forme et le volume de la cavité de résonance en avant de l'étranglement le plus étroit, et la forme et le volume de la cavité en arrière de cet étranglement. Le résonateur des phonèmes centrifuges (les voyelles ouvertes, et les consonnes vélaires et palatales, post-alvéolaires comprises) a la forme d'un cor, tandis que celui des phonèmes centripètes (les voyelles fermées, et les consonnes labiales et dentales, alvéolaires comprises) présente une cavité qui ressemble à celle d'un résonateur de Helmholz.

IV. Tendu/lâche :

acoustiquement — zones de résonance plus nettement (moins nettement) définies dans le spectre et en même temps accroissement (diminution) de la quantité totale d'énergie et de son expansion dans le temps ;

génétiquement — plus grande (plus petite) déformation de l'appareil vocal — par rapport à sa position de repos. Le rôle de la tension musculaire affectant la langue, les parois de l'appareil vocal et la glotte, demande à être examiné de plus près (1).

V. Voisé/non-voisé :

acoustiquement — présence (absence) d'une excitation périodique de basse fréquence ;

génétiquement — vibrations périodiques des cordes vocales, ou au contraire absence de telles vibrations.

VI. Nasal/oral (nasalisé/non-nasalisé) :

acoustiquement — diffusion de l'énergie disponible sur de plus larges (ou au contraire de plus étroites) bandes de fréquences, par réduction de l'intensité de certains formants (principalement le premier) et l'introduction de formants additionnels (nasals) ;

génétiquement — addition, au résonateur buccal, de la cavité nasale, ou, au contraire, exclusion du résonateur nasal.

VII. Discontinu/continu :

acoustiquement — silence (au moins dans les bandes de fréquence situées au-dessus des vibrations des cordes vocales) suivi et/ou précédé d'une diffusion de l'énergie sur une large bande de fréquences (sous la forme soit d'une explosion soit d'une transition rapide des formants vocaliques) s'opposant à l'absence de transition abrupte entre son et « silence » ;

génétiquement — déclenchement ou arrêt rapide de la source soit par la fermeture et/ou l'ouverture rapide de l'appareil vocal, qui distinguent les plosives des constrictives, soit par le ou les battements qui différencient les liquides discontinues telles que le /r/ battu (*flap*) ou roulé (*trill*), des liquides continues comme le /l/ latéral.

VIII. Strident/mat :

acoustiquement — bruit d'intensité relativement élevée, ou, au contraire, bruit d'intensité relativement faible ;

---

(1) Voir ici-même, ch. VII, « Tension et laxité ».
(1) Voir *Selected Writings*, p. 654.

génétiquement — bords rugueux/bords lisses : une obstruction supplémentaire créant des effets tranchants (*Schneidenton*) au point d'articulation distingue la production des phonèmes à bords rugueux de la réalisation moins complexe des phonèmes à bords lisses correspondants.

IX. Bloqué/non-bloqué :

acoustiquement — taux élevé de la décharge d'énergie dans un intervalle de temps réduit, ou, au contraire, taux plus bas de la décharge, dans un intervalle plus long (arrêt brusque/amortissement progressif) ;

génétiquement — glottalisé (avec compression ou occlusion de la glotte) opposé à non-glottalisé.

3.62. *Traits de tonalité.*

X. Grave/aigu :

acoustiquement — concentration de l'énergie dans les basses (ou au contraire les hautes) fréquences du spectre ;

génétiquement — périphérique/médian : les phonèmes périphériques (vélaires et labiales) ont un résonateur plus ample et moins compartimenté que les phonèmes médians correspondants (palatales et dentales).

XI. Bémolisé/non-bémolisé :

acoustiquement — les phonèmes bémolisés s'opposent aux phonèmes non-bémolisés par un abaissement ou un affaiblissement de certains de leurs composants de haute fréquence ;

génétiquement — les phonèmes du premier type (à fente rétrécie), par opposition à ceux du second (à fente non-rétrécie), sont produits par une réduction de l'orifice antérieur ou postérieur du résonateur buccal et par une vélarisation concomitante dilatant le résonateur buccal.

XII. Diésé/non-diésé :

acoustiquement — les phonèmes diésés s'opposent aux phonèmes non-diésés correspondants par un déplacement vers le haut ou un renforcement de certains de leurs composants de haute fréquence ;

génétiquement — les phonèmes du premier type (à fente élargie), par opposition à ceux du second (à fente non-élargie), sont

produits par une dilatation de l'orifice postérieur (le pharynx)
du résonateur buccal et par une palatalisation concomitante
réduisant et compartimentant la cavité centrale.

3.7. *Les étapes de l'acte de parole.* Chaque trait distinctif a été
ci-dessus défini du double point de vue acoustique et articulatoire. En fait, cependant, le circuit total de la communication comprend encore d'autres étapes. L'étape initiale de tout
acte de parole — l'intention de l'émetteur — échappe encore à
toute analyse précise. On peut en dire autant des influx nerveux
envoyés par le cerveau aux organes effecteurs. Quant à l'activité
même de ces organes — c'est-à-dire l'étape motrice de l'acte de
parole — elle est à présent tout à fait accessible à l'observation,
grâce en particulier aux progrès apportés par les rayons X et
par d'autres instruments, qui permettent d'observer l'activité
de ces parties très importantes de l'appareil phonateur que sont
les mécanismes du pharynx, du larynx et des régions sublaryn-
gales. Le statut qui est celui du message dans l'espace séparant
le locuteur de l'auditeur (les vibrations transmises dans l'air)
est de mieux en mieux compris, grâce surtout au développement
rapide de l'acoustique moderne.

On commence à entreprendre la traduction du stimulus physique, d'abord en termes de processus auditifs, puis en termes
de processus nerveux (1). Il serait à propos de rechercher quels
modèles correspondent aux traits distinctifs au niveau du système auditif. Quant à la transformation des composants de la
parole au niveau du système nerveux, il ne nous est encore possible, pour le moment, que de hasarder ce que les psychologues
ont appelé « une thèse purement spéculative » (2) : les éléments
de sonorité semblent être liés à la quantité, à la densité et à la
diffusion de l'excitation nerveuse, tandis que les éléments de
tonalité seraient liés à la localisation de cette excitation. Cependant le développement présent des recherches sur les réponses
nerveuses aux stimuli sonores permet d'espérer que l'on arri-
vera, à ce niveau également, à constituer un tableau différentiel
des traits distinctifs.

L'étude psychologique de la perception des sons a entrepris
d'isoler les divers attributs subjectifs du son et de déterminer la

---

(1) Pour des essais dans cette direction, voir J.C.R. Licklider « On the process of speech perception », *JASA*, 24 (1952) ; H. Mol et E.M. Uhlenbeck,
« The analysis of the phoneme in distinctive features and the process of hearing »,
Lingua, 4 (1954).
(2) S.S. Stevens et H. Davis, *Hearing*, New York, 1938, p. 164.

capacité de discrimination des auditeurs pour chacune des dimensions du stimulus. L'extension de cette recherche à l'étude des sons du langage est de nature à éclairer les corrélats perceptifs des divers traits distinctifs eu égard à leur autonomie phénoménale. Les premières expériences faites sur des consonnes anglaises, transmises avec distorsion des fréquences et accompagnées de bruits répartis au hasard, jouant le rôle de masques, ont effectivement confirmé que la perception de chacun de ces traits est relativement indépendante de celle des autres, comme si « des voies simples, séparées, étaient en cause, plutôt qu'une seule voie complexe » (1).

Pour le psychologue, chaque attribut se définit par une réaction différentielle à un stimulus de la part de l'auditeur soumis à une tâche (*Aufgabe*) particulière. Appliquée au cas des sons de la parole cette tâche est définie par l'attitude de décodage prise par l'auditeur à l'égard du message reçu et de chacun de ses constituants. L'auditeur rattache le message qu'il reçoit au code que lui-même et le locuteur ont en commun. Ainsi le rôle qui est celui des composants phoniques et de leurs combinaisons dans le système linguistique est implicite dans la perception des sons de la parole. Pour déterminer quels traits moteurs, acoustiques et perceptifs des sons sont utilisés dans une langue donnée, nous devons nous guider sur ses règles de codage : une analyse physiologique, physique et psychologique efficace des sons du langage présuppose leur interprétation linguistique.

3.71. *Utilisation des différentes étapes de l'acte de parole dans l'étude des traits distinctifs.* En vue de décoder le message, le receveur extrait les traits distinctifs des données perceptives. Plus nous nous tenons près, dans la recherche, de la destination du message, mieux nous sommes placés pour jauger exactement l'information transmise par la chaîne phonique. C'est ce qui

---

(1) G.A. Miller et P.E. Nicely, « An analysis of perceptual confusions among some English consonants », *JASA*, 27 (1955). Une utile vérification de la réalité des traits distinctifs au niveau perceptif peut aussi être attendue des expériences en cours aux Laboratoires Haskins (New York) sur la perception des sons du langage synthétique. De plus, une étude prudente des associations entre les traits phonématiques et les attributs des couleurs pourrait fournir des indications sur les aspects perceptifs des sons de la parole. Il semble y avoir une affinité phénoménale entre le chromatisme maximum (rouge vif) et les voyelles compactes, le chromatisme atténué (jaune-bleu) et les voyelles diffuses, l'achromatisme maximum (noir-blanc) et les consonnes diffuses, l'achromatisme atténué (gris) et les consonnes compactes ; et, finalement, entre l'axe des valeurs dans les couleurs (foncé-clair) et l'axe de la tonalité dans le langage.

détermine la hiérarchie opérationnelle des niveaux, par ordre
de pertinence décroissante : perceptif, nerveux, acoustique et
moteur (ce dernier ne fournissant aucune information directe au
receveur, en dehors de l'aide sporadique qu'apporte la lecture des
mouvements des lèvres). L'expérience auditive est le seul aspect
du message encodé qui soit effectivement partagé par l'émetteur
et le receveur, puisque l'émetteur normalement s'entend parler
lui-même.

Dans le procès de communication, il n'y a pas d'inférence uni-
voque d'une étape à l'étape précédente. A chaque étape succes-
sive, la sélectivité augmente ; certaines données d'une étape
antérieure cessent d'être pertinentes pour toute étape subséquente, et chaque détail d'une étape ultérieure peut être fonction
de plusieurs variables à l'étape précédente. En soumettant l'appareil vocal à la mesure, on peut obtenir une prévision exacte de
l'onde sonore, mais un seul et même effet acoustique peut être
atteint par des moyens entièrement différents. Semblablement,
un même attribut de la sensation auditive peut être le résultat de
stimuli physiques différents.

L'hypothèse, théoriquement peu vraisemblable, d'une relation plus étroite entre la perception et l'articulation qu'entre la
perception et son stimulus immédiat, ne trouve pas de confirmation dans l'expérience : le *feedback* kinesthésique joue chez
l'auditeur un rôle très subalterne et fortuit. Il n'est pas rare
que l'on arrive à distinguer par l'ouïe les phonèmes d'une langue
étrangère sans en avoir maîtrisé la production, et les enfants, au
cours de l'apprentissage du langage, repèrent souvent les phonèmes employés par les adultes longtemps avant d'en faire usage
dans leur propre discours.

La spécification des oppositions distinctives peut se faire en
prenant en considération n'importe quelle étape de l'acte de
parole, de l'articulation à la perception et au décodage, à la seule
condition que les invariants, au niveau de chaque étape, soient
choisis et mis en corrélation dans les termes des étapes subsé-
quentes, étant admis le fait évident que nous parlons pour être
entendus et devons être entendus afin d'être compris.

Les traits distinctifs ont été dépeints seulement en termes articulatoires et acoustiques, pour la bonne raison que ce sont là
les deux seuls aspects sur lesquels nous disposions jusqu'ici d'une
information détaillée. N'importe lequel de ces deux modèles doit
pouvoir donner le tableau complet de toutes les distinctions
ultimes et irréductibles. Mais, l'articulation étant au phénomène

acoustique comme un moyen est à sa fin, la classification des
données motrices doit se faire en se référant aux modèles acoustiques. C'est ainsi que la différence entre les quatre classes articulatoires de consonnes — vélaires, palatales, dentales et labiales — se résoud au niveau acoustique en deux oppositions binaires : d'un côté, les labiales et les vélaires concentrent l'énergie
dans les basses fréquences du spectre, par opposition aux dentales
et aux palatales, qui concentrent l'énergie dans les hautes fréquences — c'est l'opposition grave/aigu. D'un autre côté, les vélaires
et les palatales se distinguent des labiales et des dentales par une
plus grande concentration de l'énergie — c'est l'opposition com-
pact/diffus. La gravité des labiales et des vélaires est engendrée
par une cavité buccale plus grande et moins divisée, cependant
que l'« acuité » des dentales et des palatales est due à une cavité
plus petite et plus compartimentée. Ainsi, sur le plan moteur,
la différence décisive oppose un rétrécissement dans la région
médiane de la bouche — dentale ou palatale — à un rétrécissement dans une région périphérique — labiale ou vélaire. Une différence articulatoire identique oppose les voyelles vélaires aux
palatales (voyelles postérieures-voyelles antérieures) comme
étant acoustiquement graves ou aiguës. Le volume plus grand
de la cavité de résonance en avant du point d'articulation et le
volume plus petit en arrière de ce point distinguent les consonnes
vélaires des labiales et les consonnes palatales des dentales, et est
à la base de la « compacité » des vélaires et des palatales. C'est
le même facteur articulatoire qui détermine la compacité des
voyelles ouvertes par opposition au caractère diffus des voyelles
fermées. Il eût été beaucoup plus difficile de dégager le commun
dénominateur des distinctions entre consonnes labiales et dentales, consonnes et voyelles vélaires et palatales, aussi bien que
celui des distinctions entre vélaires et labiales, palatales et dentales, voyelles ouvertes et voyelles fermées, si on n'avait pas fait
entrer en ligne de compte les oppositions, frappantes sur les plans
acoustique ou perceptif, entre grave et aigu d'une part, compact
et diffus de l'autre.

Quoiqu'il fût évident aux observateurs que, parmi les plosives,
les affriquées labiodentales, alvéolaires (sifflantes), post-alvéolaires (chuintantes) et uvulaires s'opposent par leur friction
bruyante aux occlusives bilabiales, dentales, palatales et vélaires,
néanmoins l'existence d'une opposition similaire parmi les constrictives correspondantes passa en général inaperçue, en dépit du
fait que toutes ces affriquées, de même que les constrictives
homorganes, se distinguent par un type spécial de turbulence, dû

à ceci que la colonne d'air est poussée sur une barrière supplémentaire (le bord des dents ou la luette) et/ou au fait que la
colonne d'air est dirigée sur l'obstacle à angle droit. Dans le
spectrogramme, la distribution au hasard des aires foncées dans
ces consonnes stridentes, comparée au dessin considérablement
plus régulier des consonnes mates, est le seul trait qui permette
de différencier les paires de ce genre, et ce trait, commun à toutes
les paires en question, révèle distinctement une opposition
binaire.

3.72. *Nomenclature des traits distinctifs.* La terminologie traditionnelle recourait indifféremment aux diverses étapes de l'acte
de parole : des termes tels que nasal, palatalisé, arrondi, glottalisé, se référaient au niveau moteur ; d'autres noms (voisé,
doux — *lenis* —, liquide, vibrante, haut, modulation, descendant) se référaient partiellement au niveau acoustique, partiellement au niveau perceptif, et même quand une expression figu-
rée était en usage, elle avait certaines bases dans l'expérience
phénoménale. Là où il existe un terme traditionnel pour les traits
que nous définissons, nous l'employons, sans nous soucier de
l'étape de l'acte de parole à laquelle il se rattache, par exemple
nasal/oral, tendu/lâche, voisé/non-voisé, accentué/inaccentué.
Un terme traditionnel sera maintenu pour autant qu'il signale
un critère de division important du point de vue de la transmission, de la perception et du décodage des sons. Dans plusieurs
cas, cependant, il n'existe aucun terme phonétique courant qui
recouvre l'élément défini. Dans les cas de ce genre, nous avons
emprunté les termes à l'acoustique physique et à la psycho-
acoustique. Mais comme chacun de ces traits est définissable, et
a été effectivement défini, aussi bien sur le plan moteur que sur
le plan acoustique, chacun d'eux pourrait avec un droit égal
porter une désignation articulatoire nouvelle, forgée pour les
besoins de la cause, telle que c e n t r i f u g e / c e n t r i p è t e au
lieu de compact/diffus, à b o r d s r u g u e u x / à b o r d s l i s s e s
au lieu de strident/mat, p é r i p h é r i q u e / m é d i a n au lieu de
grave/aigu, à f e n t e r é t r é c i e / à f e n t e n o n - r é t r é c i e au
lieu de bémolisé/non-bémolisé, à f e n t e élargie/à f e n t e non-
é l a r g i e au lieu de diésé/non-diésé.

Il nous importe peu de substituer une classification acoustique
à une classification articulatoire, mais uniquement de découvrir
les critères de division les plus productifs qui soient valables
pour les deux aspects.

IV. Constitution des systèmes phonématiques.

4.1. *Stratification : la syllabe nucléaire.* Ordinairement le langage enfantin commence, et la dissolution du langage chez l'aphasique, juste avant sa perte complète, se termine par ce que les psychopathologistes ont appelé le « stade labial ». Au cours de cette phase, les sujets ne sont capables d'émettre qu'un seul type d'énoncé, qui est habituellement transcrit par /pa/. Du point de vue articulatoire, les deux constituants de cet énoncé représentent deux configurations polaires de l'appareil vocal : dans /p/ l'appareil vocal est fermé à son extrémité même, tandis que dans /a/ il est ouvert aussi largement que possible à l'avant et rétréci vers l'arrière, ce qui lui donne la forme évasée d'un mégaphone. Cette combinaison de deux extrêmes est également apparente sur le plan acoustique : les occlusives labiales présentent une explosion momentanée sans grande concentration de l'énergie dans une bande de fréquences particulière, tandis que dans la voyelle /a/ il n'y a pas de limitation stricte de la durée et l'énergie est concentrée dans une zone relativement étroite à audibilité maxima. Le premier constituant est soumis à une limitation extrême dans le domaine temporel mais apparemment à aucune limitation dans le domaine des fréquences, tandis que le second constituant n'est sujet à aucune limitation sensible dans le domaine temporel mais bien à une limitation maxima dans le domaine des fréquences. En conséquence, l'occlusive diffuse, dans laquelle la production d'énergie se trouve réduite au maximum, offre ce qui se rapproche le plus du silence, tandis que la voyelle ouverte représente la plus haute dépense d'énergie dont l'appareil vocal humain soit capable.

Cette polarité entre le maximum et le minimum d'énergie apparaît primitivement comme un c o n t r a s t e entre deux unités successives — la consonne optimale et la voyelle optimale. Ainsi le cadre phonématique élémentaire, la syllabe, est établi. Comme beaucoup de langues ignorent les syllabes sans consonne prévocalique et/ou avec consonne post-vocalique, CV (consonne + voyelle) est le seul modèle syllabique universel.

4.12. *Le rôle de la consonne nasale.* Le choix entre /pa/ et /a/ et/ou entre /pa/ et /ap/ peut se trouver être le premier support des significations, aux tout premiers stades du langage enfantin. D'habitude, cependant, l'enfant conserve pendant un certain temps un schème syllabique uniforme, et se met à scinder les deux constituants de cette syllabe, d'abord la consonne et plus tard la voyelle, en termes alternatifs différentiels.

Très fréquemment, la consonne orale, qui utilise un seul tuyau à fermeture, trouve sa contrepartie dans la consonne nasale, qui combine un tuyau principal fermé avec un tuyau collatéral ouvert, ajoutant ainsi aux traits spécifiques de l'occlusive une caractéristique vocalique secondaire. Avant l'apparition de l'opposition consonantique nasal/oral, la consonne se distinguait de la voyelle comme un tuyau fermé d'un tuyau ouvert. A partir du moment où la consonne nasale s'oppose à la consonne orale comme la présence à l'absence d'un tuyau ouvert, le contraste consonne/voyelle se trouve réinterprété en termes de présence ou d'absence d'un tuyau à fermeture.

Diverses oppositions viennent ensuite, modifiant et atténuant le contraste optimal primaire entre consonne et voyelle. Toutes ces formations plus tardives restructurent d'une manière ou d'une autre le résonateur buccal, tandis que la nasalisation ajoute simplement une cavité de résonance secondaire au résonateur buccal sans changer son volume ni sa forme.

L'opposition consonantique nasal/oral, qui appartient aux acquisitions les plus anciennes de l'enfant, est ordinairement l'opposition consonantique la plus résistante dans l'aphasie, et elle se rencontre dans toutes les langues du monde, à l'exception de certaines langues indiennes d'Amérique.

4.13. *Le triangle primordial.* L'opposition nasale/occlusive orale peut, cependant, être précédée par la scission de l'occlusive en deux opposés, labial et dental. Après l'apparition du contraste CV, fondé sur un des attributs du son, l'éclat, on peut, d'un point de vue psychologique, inférer l'utilisation de l'autre attribut de base, la hauteur. Ainsi est instituée la première opposition de tonalité : grave/aigu — en d'autres termes, la concentration de l'énergie dans les basses fréquences du spectre s'oppose à sa concentration dans les hautes fréquences. Dans /p/ c'est la partie inférieure du spectre qui prédomine, tandis que dans /t/ la partie supérieure est la plus forte. Il est très naturel que le premier trait de tonalité n'affecte pas la voyelle /a/, avec sa concentration maximale de l'énergie dans une étroite zone au centre du spectre, mais bien la consonne /p/, dans laquelle l'énergie est diffusée au maximum sur une large bande de fréquences.

A ce stade, le pôle /a/ — énergie élevée et concentrée — contraste avec les deux consonnes /p/ et /t/ — énergie basse. Les deux consonnes s'opposent entre elles comme les pôles *grave* et *aigu*, selon que prédomine l'une ou l'autre extrémité du spectre des fréquences. Ces deux dimensions permettent de construire un modèle triangulaire des phonèmes (ou, à tout le moins, des phonèmes oraux, si l'élément nasal a déjà fait son apparition) (cf. fig. 1).

4.14. *Scission du triangle primitif en deux triangles, l'un consonantique et l'autre vocalique.* L'apparition du trait consonantique de tonalité est suivie de la première scission vocalique. A la polarité de deux unités successives, CV, basée sur le contraste énergie réduite/énergie comble, s'ajoute une relation polaire entre deux voyelles commutables, relation fondée sur l'opposition entre une concentration basse et une concentration haute de l'énergie. Au /a/ compact unique vient s'opposer une voyelle diffuse. A partir de maintenant, les deux parties, consonantique et vocalique, du triangle primitif, élaborent chacune un schème linéaire — nous avons d'une part l'axe consonantique grave/aigu, et d'autre part l'axe vocalique compact/diffus.

Les consonnes redoublent cette opposition originellement vocalique et la base consonantique du triangle total se voit complétée par un sommet consonantique — l'occlusive vélaire que Grimm définissait justement comme « la plus pleine de toutes les consonnes possibles. »

L'opposition de tonalité, consonantique à l'origine, peut à son tour s'étendre au système vocalique : c'est naturellement la voyelle diffuse qui se scinde en grave et aiguë, complétant le sommet vocalique du triangle total par une base /u/ - /i/. De cette manière le triangle primitif, unique à l'origine, se trouve scindé en deux modèles bidimensionnels autonomes — le triangle consonantique et le triangle vocalique (cf. fig. 2).

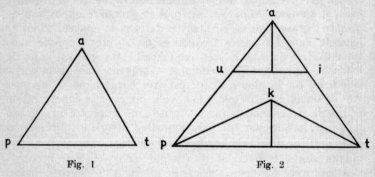

Fig. 1   Fig. 2

4.15. *Constitution du système des traits de résonance orale.* Le modèle vocalique et le modèle consonantique peuvent tous deux, dans la suite, de triangulaires devenir quadrangulaires,

par l'addition d'une distinction entre vélaires et palatales, dans
les voyelles ouvertes et/ou dans les consonnes. De cette manière
l'opposition grave/aigu s'étend aux phonèmes compacts, voyelles
et/ou consonnes. Cependant, dans les langues du monde, le
schème triangulaire l'emporte sur le quadrangulaire dans le cas
des voyelles et plus encore dans le cas des consonnes — c'est le
modèle minimum, pour les voyelles comme pour les consonnes,
compte tenu des cas très rares où soit le schème vocalique soit
le consonantique — mais jamais les deux à la fois — est linéaire.
Dans les rares cas de systèmes linéaires, les voyelles s'en tiennent
à l'opposition compact/diffus et les consonnes, presque infailliblement, au trait de tonalité. C'est ainsi qu'aucune langue
n'ignore les oppositions grave/aigu et compact/diffus, alors que
n'importe quelle autre opposition consonantique ou vocalique
peut être absente.

C'est la différence de volume et de forme du résonateur buccal
qui est utilisée dans l'opposition grave/aigu. Dans les premiers
stades du langage enfantin, dans les stades avancés de l'aphasie,
ainsi que dans de nombreuses langues du monde, cette différence
est renforcée par une variation dans les dimensions de l'un ou
des deux orifices de la cavité buccale. Mais les changements dans
les dimensions de chacun de ces orifices peuvent acquérir un
statut autonome et mettre en jeu des traits de tonalité secondaires
(bémolisation et/ou diésation).

Le développement des traits de résonance orale dans le langage enfantin présente toute une chaîne d'acquisitions successives liées entre elles par des lois d'implication. Nous avons
essayé de représenter cette série temporelle dans le tableau suivant ; nous y employons, pour nommer les distinctions acquises,
les termes articulatoires traditionnels et chacune de ces acquisitions s'y trouve désignée par une suite de chiffres précédée de
0 ; autrement dit, chaque suite est écrite sous la forme d'une
fraction décimale. Les suites sont composées de telle manière
que si on assigne la suite S_1 à la distinction A et la suite S_2 à la
distinction B, et si S_1 est une sous-suite initiale de S_2 (S_1 est une
sous-suite initiale de S_2 si les premiers chiffres de S_2 sont identiques à S_1 ; par exemple $S_1 = 0.19$ et $S_2 = 0.195$) alors l'acquisition de la distinction B implique celle de A. Le nombre et la
valeur numérique des chiffres n'ont pas d'autre signification.
D'autre part, il est entendu que seules sont acquises par l'enfant
les distinctions qui sont présentes dans la langue qu'il apprend.

Consonnes : dentales/labiales 0.1
Voyelles : fermées/ouvertes 0.11
Voyelles fermées : palatales/vélaires 0.111
Voyelles ouvertes : palatales/vélaires 0.1111
Voyelles palatales fermées : arrondies/non-arrondies 0.1112
Voyelles palatales ouvertes : arrondies/non-arrondies 0.11121
Voyelles vélaires : non-arrondies/arrondies 0.1113
Consonnes : vélopalatales/labiales et dentales 0.112
Consonnes : palatales/vélaires 0.1121
Consonnes : arrondies/non-arrondies ou ....
         pharyngalisées/non-pharyngalisées 0.1122
Consonnes : palatalisées/non-palatalisées 0.1123

4.16. *Les traits de sonorité, leurs relations avec la consonne optimale et la voyelle optimale.* En réduisant la concentration de l'énergie, la voyelle diffuse s'éloigne de la voyelle optimale compacte
et se rapproche de la consonne ; inversement, en réduisant la
diffusion de l'énergie, la consonne compacte s'écarte de la consonne optimale diffuse et se rapproche de la voyelle.

Dans les consonnes nasales l'addition d'un nouveau résonateur ouvert superpose des formants nasals nettement définis au
spectre de l'occlusive orale. La résonance nasale rapproche les
consonnes des voyelles et, d'autre part, si elle se superpose à un
spectre vocalique, elle amortit les autres formants et fait dévier
la voyelle de son modèle optimum.

A la consonne optimale occlusive vient s'opposer la constrictive, qui atténue la réduction consonantique de l'énergie. Les
occlusives sont acquises plus tôt par l'enfant et perdues plus tard
par l'aphasique que les phonèmes constrictifs. Il existe dans le
monde plusieurs langues sans constrictive mais pas de langue
sans occlusives.

L'apparition des liquides, qui combinent la structure nette des
formants d'une voyelle avec la réduction de l'énergie propre aux
consonnes, change le contraste consonne/voyelle en deux oppositions autonomes consonantique/non-consonantique et voca-
lique/non-vocalique. Tandis que le trait consonantique, la réduction de l'énergie, est le mieux représenté par l'occlusive, qui
tend à se réduire à une pulsation unique, le trait non-vocalique —
l'absence d'une structure de formant nettement définie — trouve
sa manifestation la plus adéquate dans la consonne stridente,
qui tend au bruit blanc. C'est pourquoi l'émancipation mutuelle
des deux traits discontinu/continu, d'une part, et strident/mat,
de l'autre, implique l'acquisition d'un liquide qui combine deux

traits autonomes, vocalique et consonantique. Il est un fait que les constrictives mates, par opposition aux constrictives stridentes, ou les plosives stridentes (affriquées), par opposition aux plosives mates (occlusives proprement dites) n'apparaissent dans le langage enfantin qu'après l'émergence de la première liquide ; dans l'aphasie elles disparaissent quand les liquides sont perdues.

Les plosives stridentes, par opposition aux plosives mates, atténuent la réduction consonantique de l'énergie. Les constrictives mates dévient de l'optimum non-vocalique incarné par les constrictives stridentes et nommément de leur structure nettement bruyante. C'est une seule et même scission entre trait consonantique, d'une part, et trait non-vocalique, de l'autre, qui se manifeste par l'apparition des liquides et des occlusives stridentes. Ceci peut expliquer ce fait « étrange mais largement répandu » que, dans certaines langues mandchou-toungouses et paléosibériennes, les occlusives stridentes et les liquides, en particulier les latérales, soient interchangeables (1).

Comme la nasalité, en superposant une structure de formant nettement définie au modèle consonantique, rapproche les consonnes des voyelles, et comme les liquides combinent les traits consonantique et vocalique, il est avantageux de grouper ces deux classes phonématiques parentes sous une rubrique commune : celle des sonantes. D'autre part, le caractère consonantique de ces deux classes est renforcé dans ces phonèmes relativement rares que sont les nasales discontinues (dites occlusives prénasalisées) et les liquides stridentes (les latérales sifflantes, ou vibrantes).

Les phonèmes oraux caractérisés par une obstruction du canal vocal ont une source de bruit au niveau de l'obstruction et peuvent n'utiliser la voix — s'ils le font — que comme une source subsidiaire ; en revanche, dans les phonèmes où le canal est ouvert, c'est la voix qui est la source principale. Tandis que la consonne optimale est non-voisée et la voyelle optimale voisée, le voisement des consonnes, ou, dans des cas très rares, le non-voisement des voyelles, est une des formes variées que peut prendre l'atténuation du contraste maximum CV.

Comme ce qui caractérise la consonne c'est avant tout la réduction de l'énergie, la consonne optimale est lâche, mais elle peut se voir ultérieurement opposer une consonne tendue, où se trouve

(1) K. Bouda, « Lateral und Sibilant », Zeitschrift für Phonetik, 1, 1947.

atténué le contraste entre consonne et voyelle. D'habitude cependant, la consonne voisée a moins d'énergie que la non-voisée ; pour cette raison, dans l'opposition des consonnes tendues et lâches, la laxité est souvent accompagnée de voisement et la tension de non-voisement, de sorte que la consonne qui représente l'optimum d'un certain point de vue — la réduction de l'énergie — s'en écarte sous un autre aspect — la présence de la voix. Si dans une langue les deux oppositions agissent séparément, alors une consonne doublement optimale, lâche et non-voisée, s'oppose à deux phonèmes, l'un tendu et non-voisé, l'autre lâche et voisé, qui, tous deux, selon des voies différentes, inclinent la structure de la consonne vers celle de la voyelle. Un pas de plus dans cette direction est représenté par une consonne dotée des deux traits distinctifs de tension et de voisement, telle que le /dᶜ/ de certaines langues de l'Inde.

Normalement l'énergie totale d'une voyelle augmente avec la concentration de l'énergie (compacité), mais, dans une voyelle tendue, comparée à la voyelle lâche correspondante, l'énergie totale augmente, tandis que la concentration de l'énergie décroît. Ce renversement sépare les voyelles tendues de l'optimum vocalique.

Avec une durée réduite, les consonnes bloquées ont une énergie accrue, ce qui les écarte de l'optimum consonantique. Dans une langue qui possède les deux oppositions bloqué/non-bloqué et tendu/lâche, la consonne optimale, lâche et non-bloquée, s'oppose à deux phonèmes, l'un bloqué (glottalisé) et l'autre tendu. De plus, une double atténuation de l'optimum consonantique peut se présenter avec la combinaison — très rare — de deux traits distinctifs, tendu et bloqué, à l'intérieur d'un seul et même phonème, tel que le /K'/ de l'Avar.

Ainsi tous les traits distinctifs intrinsèques se rangent en fait le long de deux axes. D'une part, les oppositions portant sur l'axe des sonorités manifestent différentes fissions et atténuations du contraste primitif entre la consonne optimale et la voyelle optimale, et donnent ainsi naissance à des distinctions plus fines et plus spécifiques. D'autre part, les oppositions qui jouent sur l'axe des tonalités, perpendiculaire à l'axe des sonorités, apparaissent originellement comme la contrepartie et le corollaire du contraste « voyelle optimale/consonne optimale » et subséquemment comme le corollaire de l'opposition « voyelle optimale, compacte/voyelle atténuée, diffuse » ou « consonne optimale, diffuse/consonne atténuée, compacte. »

4.2. *L'échelle dichotomique.* Dans leurs développements récents, l'analyse phonématique et la théorie mathématique de la communication sont arrivées, chacune de son côté, à des conclusions fondamentalement semblables et complémentaires, ce qui rend possible une coopération des plus fructueuses (1). Tout message parlé présente à l'auditeur deux séries complémentaires d'information : d'une part la chaîne des phonèmes fournit une information codée sous forme de séquence, d'autre part chaque phonème est composé de plusieurs traits distinctifs. La totalité de ces traits est égale au nombre minimum de choix binaires nécessaires à la spécification du phonème. En réduisant l'information phonématique contenue dans la séquence au plus petit nombre d'alternatives, nous trouvons la solution la plus économique et donc la meilleure : le nombre minimum des opérations les plus simples qui suffisent à coder et décoder le message entier. Quand nous analysons une langue donnée en ses constituants ultimes, nous cherchons à dégager le plus petit ensemble d'oppositions distinctives qui permette d'identifier chaque phonème dans tout message composé dans cette langue. Dans ce but, il est nécessaire d'isoler les traits distinctifs des traits redondants simultanés ou adjacents.

Si dans une langue un seul et même phonème est réalisé par une occlusive palatale devant /i/, une affriquée post-alvéolaire devant /e/ et une occlusive vélaire dans toutes les autres positions, l'invariante doit être définie comme une consonne compacte (centrifuge), distincte des consonnes diffuses (centripètes) /p/ et /t/ de la même langue. Tandis que, dans un cas de ce genre, les traits redondants sont conditionnés par les divers traits distinctifs des phonèmes suivants, un exemple frappant de traits redondants liés aux traits distinctifs simultanés peut être trouvé par exemple dans le système consonantique du français. Ici, la « compacité » de la consonne est réalisée par une articulation vélaire quand elle se trouve combinée à la plosion, par une arti-

---

(1) En ce qui concerne les procédures de la théorie de la communication utilisables dans l'analyse phonématique, voir en particulier C.E. Shannon et W. Weaver, *The Mathematical Theory of Communication* (Urbana, 1949) ; C.E. Shannon, « The redundancy of English », *Cybernetics*, Transactions of the VIIth Conference (New York, 1951) ; D.M. McKay, « In search of basic symbols », *Cybernetics*, Transactions of the VIIIth Conference (New York, 1952) ; D. Gabor « Lectures in communication theory », M.I.T., Resarch Laboratory of Electronics, *Report*, n° 238 (1953) ; E.C. Cherry, *On Human Communication* (Wiley and Sons et The Technology Press, New York, 1957). Cf. I. Pollack, « Assimilation of sequentially encoded information », *American Journal of Psychology*, 66 (1953). Voir ici-même, ch. V, « Linguistique et théorie de la communication ».

culation palatale en combinaison avec la nasalité dans /ɲ/ et par une articulation post-alvéolaire en combinaison avec la constriction dans /ʃ/ et /ʒ/.

Cette délimitation des traits distinctifs et redondants ne permet pas seulement d'identifier tous les phonèmes en cause mais fournit la seule solution, puisque toute analyse différente de ces cinq phonèmes s'écarte de la solution optimale. Les quinze phonèmes consonantiques du français considérés ici ne réclament que cinq décisions binaires : nasal/oral, et si c'est oral, continu/discontinu, et tendu/lâche ; compact/diffus, et si c'est diffus, grave/aigu. Chaque consonne du français contient de deux (compact, nasal) à cinq traits distinctifs. Si l'on accordait une valeur distinctive au point d'articulation, en tenant la différence entre constrictives et occlusives pour redondante, les six consonnes non-voisées du français — le /k/ vélaire, le /ʃ/ post-alvéolaire, le /s/ alvéolaire, le /t/ dental, le /f/ labio-dental et le /p/ bilabial (1) — exigeraient, pour être identifiées, quinze distinctions au lieu de trois, d'après la formule mathématique élémentaire que cite Twaddell (2) : « Si x est le nombre maximum de différenciations phonologiques significatives à l'intérieur d'une zone articulatoire donnée dans une langue, alors $2x = n(n-1)$, n étant le nombre maximum de phonèmes dans cette zone. » Certaines fines différences dans le point d'articulation ont de plus le désavantage d'être difficilement reconnaissables par elles-mêmes sur le plan acoustique. Enfin, des distinctions telles que /s/ - /f/ et /t/ - /p/ présentent un critère différentiel identique, nommément l'opposition entre consonne aiguë et consonne grave, opposition basée sur la même différence dans les dimensions et dans la forme du résonateur buccal. De même, /k/ - /t/ et /ʃ/ - /s/ manifestent (du point de vue acoustique aussi bien que génétique) une seule et même opposition, basée sur une relation parallèle des résonateurs antérieur et postérieur, de sorte que, vouloir opérer avec les deux paires comme si elles étaient distinguées par deux traits séparés, c'est introduire des redondances superflues.

La réduction du langage à ses traits distinctifs doit être menée systématiquement. Si, par exemple, le /l/ du tchèque, qui peut se rencontrer dans les mêmes positions que chacun des trente-deux autres phonèmes de cette langue, est défini comme « une unité distinctive inanalysable », on aura besoin, pour le distinguer des trente-deux autres phonèmes, de trente-deux rela-

---

(1) Voir L.E. Armstrong, *The Phonetics of French* (Londres, 1932).
(2) Twaddell, W.F., « On defining the phoneme », l.c.

tions inanalysables, tandis que, en résolvant le faisceau que constitue le /l/ en ses trois éléments — vocalique, consonantique et continu — on réduit les relations qui le lient à tous les autres phonèmes du système à trois choix binaires.

Le principe d'éliminer les redondances aux maximum et de retenir le nombre minimum d'alternatives distinctives permet de répondre par l'affirmative à la question cruciale posée par Chao en 1934 : la décomposition d'une langue donnée en ses constituants ultimes peut-elle fournir une solution unique (1) ? La question qu'il a soulevée plus récemment (1954) n'est pas moins importante : l'échelle dichotomique est-elle seulement un principe conducteur que le chercheur aura profit à imposer à l'analyse du code linguistique, ou bien cette échelle est-elle inscrite dans la structure même du langage (2) ? Plusieurs arguments de poids militent en faveur de la seconde solution.

Tout d'abord, un système de traits distinctifs basé sur une relation d'implication mutuelle entre les termes de chaque opposition binaire est le code optimum, et il serait injustifié de supposer que les interlocuteurs, au cours de leurs opérations de codage et de décodage, se réfèrent à un ensemble de critères différentiels plus compliqué et moins économique. Des expériences récentes ont révélé que des configurations auditives multidimensionnelles sont plus facilement perçues et apprises si elles sont codées selon le principe binaire (3).

Deuxièmement, le code phonématique est appris dans les premières années de l'enfance et, comme le révèle la psychologie, dans l'esprit de l'enfant, la paire est antérieure aux objets isolés (4). L'opération binaire est la première opération logique de

---

(1) Y.R. Chao, « The non-uniqueness of phonemic solution of phonetic systems », Academia Sinica, Institut d'Histoire et de Philologie, *Bulletin*, 4 (Changhaï, 1934).

(2) Y.R. Chao, c.r. de Jakobson, Fant et Halle, *Preliminaries...*, in *Romance Philology*, 8 (1954).

(3) I. Pollack et L. Ficks, « Information of elementary multidimensional auditory displays », *JASA*, 26 (1954).

(4) Voir H Wallon, *Les origines de la pensée chez l'enfant*, I, Paris, 1945. En ce qui concerne le rôle pivot joué par les fissions binaires graduelles dans le développement de l'enfant, voir T. Parsons et R.F. Bales, *Family, Socialization and Interaction Process* (Glencoe, 111, 1955).

NDT : Voici, cité d'après « Retrospect », p. 649, un passage particulièrement éclairant du livre de Wallon :

La pensée n'existe que par les structures qu'elle introduit dans les choses... Ce qu'il est possible de constater à l'origine c'est l'existence d'éléments couplés. L'élément de pensée est cette structure binaire, non les éléments qui la constituent... Le couple, ou la paire, sont antérieurs à l'élément isolé... Sans ce

l'enfant. Les deux opposés surgissent simultanément et forcent le petit enfant à choisir l'un et à rejeter l'autre des deux termes de l'alternative.

Troisièmement, presque tous les traits distinctifs présentent une structure incontestablement dichotomique sur le plan acoustique et, de la même façon, sur le plan moteur. Parmi les traits intrinsèques, seule la distinction compact/diffus dans les voyelles présente souvent un plus grand nombre de termes, le plus souvent trois. Par exemple, /æ/ est à /e/ comme /e/ est à /i/ : la moyenne géométrique /e/ est non-compacte par rapport à /æ/ et non-diffuse par rapport à /i/. Dans des expériences psychologiques on a obtenu /e/ par un mélange de /æ/ et de /i/, ce qui confirme la structure particulière de ce trait vocalique (1). Des expériences parallèles sur le mixage des voyelles situées sur l'axe des tonalités ont montré que, si on fait entendre simultanément des voyelles graves et aiguës, elles ne sont pas perçues comme une voyelle unique : /u/ et /i/ ne se fondent pas en /y/. L'opposition grave/aigu est manifestement une opposition binaire. Comme le second formant est dans /y/ plus haut que dans /u/ et plus bas que dans /i/, et comme, au point de vue de la longueur de la cavité, /y/ occupe une position moyenne par rapport à /u/ qui a le plus long résonateur, et à /i/ qui a le plus court, on a essayé de s'en tenir à une seule dimension pour les trois voyelles (2). Mais la principale distinction, sur le plan génétique, est fondamentalement différente : c'est essentiellement la disparité dans les dimensions de l'orifice labial qui est responsable de l'opposition /y/ - /i/, et c'est la disparité dans les dimensions et la forme du résonateur lui-même qui est responsable de l'opposition /y/ - /u/. Sur le plan acoustique, la distinction entre grave et aigu dans les voyelles se manifeste par la rela-

---

rapport initial qu'est le couple tout l'édifice ultérieur des rapports serait impossible... Il n'y a pas de pensée punctiforme, mais dès l'origine dualisme ou dédoublement... En règle générale toute expression, toute notion est intimement unie à son contraire, de telle sorte qu'elle ne peut être pensée sans lui... La délimitation la plus simple, la plus saisissante, est l'opposition. C'est par son contraire qu'une idée se définit d'abord et le plus facilement. La liaison devient comme automatique entre oui-non, blanc-noir, père-mère, de telle sorte qu'ils semblent parfois venir en même temps aux lèvres et qu'il faut comme faire un choix et réprimer celui des deux termes qui ne convient pas... Le couple est à la fois identification et différenciation.

(1) Voir K. Huber, « Die Vokalmischung und das Qualitätensystem der Vokale », *Archiv für Psychologie*, 91, 1934.

(2) Voir par exemple F. Delattre, « The physiological interpretation of sound spectrograms », PMLA, 66 (1951).

tive proximité des premier et second formants, qui a pour conséquence un très frappant affaiblissement des formants supérieurs, tandis que la distinction entre bémolisé et non-bémolisé est principalement due à un abaissement du second formant (1).

De même, à vouloir projeter les oppositions vocaliques tendu/lâche et compact/diffus sur une seule et même ligne, on se heurte à plusieurs obstacles, qui tiennent aux différences saillantes dans leur essence physique (2), au rôle dissemblable qu'elles jouent dans la structure linguistique et aux désavantages considérables que ce traitement unidimensionnel impose à l'analyse.

Finalement, l'application du principe dichotomique rend si transparentes la structure stratifiée des systèmes phonématiques, les lois d'implication qui les gouvernent, et la typologie des langues qui en découle, qu'il est tout à fait manifeste que cette échelle est inscrite dans le système linguistique lui-même.

4.3. *Les opérations phonématiques dans l'espace et dans le temps.*
S'il existe une différence entre les systèmes linguistiques de deux communautés, l'interlocution entre membres des deux communautés exige une adaptation de l'auditeur au locuteur et/ou du locuteur à l'auditeur. Cette adaptation peut concerner tous les aspects du langage ou seulement quelques-uns. Parfois le code phonématique est le seul à être affecté. Du côté de l'auditeur comme du côté du locuteur, il y a différents degrés possibles dans le processus d'adaptation, que les ingénieurs des communications ont joliment baptisé *code switching*. Le receveur, essayant de comprendre l'émetteur, et/ou l'émetteur, essayant de se faire comprendre, concentrent leur attention sur le fonds commun (*common core*) de leurs codes. Un plus haut degré d'adaptation apparaît avec l'effort de surmonter les différences phonématiques au moyen de règles de transformation, qui augmentent l'intelligibilité du message pour le destinataire. L'interlocuteur qui a saisi ces indications peut s'essayer à son tour à les employer, non plus seulement comme auditeur, mais d'une manière plus

(1) Cf. Jakobson, Fant et Halle, *Preliminaries...*, p. 48 ; H.K. Dunn, « The calculation of vowel resonances, and an electrical vocal tract », *JASA*, 22 (1950), p. 650 ; K.N. Stevens et A.S. House, « Development of a quantitative description of vowel articulation », *ibidem*, 27 (1955) ; pour plus de détails, voir, de Fant et de Halle, les premiers volumes de la série *Description and Analysis of Contemporary Standard Russian* (Mouton and Cᵒ, La Haye, I, Halle, 1959, II, Fant, 1960).
(2) Voir en particulier L. Barczinski et E. Thienhaus, « Klangspektren und Lautstärke deutscher Sprachlaute », *ANPE*, 11 (1935).

active, en adaptant son propre discours au système de son destinataire.

Tantôt l'adaptation phonématique couvrira la totalité du répertoire lexical, tantôt l'imitation du code phonématique du voisin se limitera à un certain groupe de mots directement empruntés à celui-ci ou du moins particulièrement marqués par l'emploi qu'il en fait. Quelles que soient les formes prises par l'adaptation, elles aident le locuteur à élargir le champ de la communication, et, pratiquées souvent, elles auront tendance à entrer dans son langage de tous les jours. Dans des circonstances favorables elles pourront ensuite s'infiltrer dans l'usage général de la communauté linguistique, donnant naissance à une mode linguistique particulière, ou bien à de nouvelles formes, pleinement substituées aux normes anciennes. La communication interdialectale et son influence sur la communication intradialectale demandent à être étudiées d'un point de vue linguistique et particulièrement d'un point de vue phonématique (1).

Supprimer la distance est un problème qui ne s'arrête ni aux limites de dialectes éloignés et hautement différenciés, ni aux frontières de langues parentes ou même sans parenté. Des médiateurs, plus ou moins bilingues, s'adaptent au code phonématique étranger. Leur prestige croît avec le cercle grandissant de leur public et peut favoriser la diffusion de leurs innovations parmi leurs compatriotes unilingues.

L'adaptation, non seulement de dialecte à dialecte, mais aussi de langue à langue, peut affecter le code phonématique sans se limiter aux mots empruntés et même en l'absence de tout emprunt lexical. Comme le confesse Sapir, les linguistes ont eu la surprise de constater dans le monde entier « ce fait remarquable que les traits phonétiques distinctifs tendent à se distribuer sur de vastes aires sans égard au vocabulaire et à la structure des langues en cause » (2). Ce phénomène, dont la portée est considérable, attend encore d'être systématiquement cartographié et étudié, en liaison avec cette autre tâche urgente qu'est l'élaboration de la typologie des systèmes phonématiques.

L'autre forme possible d'adaptation phonologique à un dialecte ou à une langue étrangère revient à conserver partiellement ou totalement la structure phonologique d'origine dans les mots empruntés. C'est un fait observé bien souvent dans la lit-

---

(1) Cf. ici-même, ch. I.
(2) Voir Sapir, « Language », in Selected Writings (1949), p. 25.

térature phonologique, et qui a fait l'objet d'un examen approfondi de la part de Fries et Pike : « le langage des membres unilingues de certaines communautés linguistiques se compose de plus d'un seul système phonologique » (1). Cette coexistence de deux systèmes à l'intérieur d'une seule langue est due soit à une différence phonologique entre le vocabulaire d'origine et des emprunts non assimilés, ou à l'emploi de deux systèmes différents, l'un indigène et l'autre imitatif, comme correspondant à deux styles différents. Ainsi donc les phénomènes spatiaux, nommément les isoglosses (en particulier les isophones) interdialectales ou interlinguales, peuvent être projetés dans le cadre d'un dialecte unique, individuel ou social.

On pourrait, *mutatis mutandis*, faire la même remarque à propos du rôle joué par le facteur temporel dans le langage, en particulier dans le domaine phonologique. Tout changement phonique en cours est un fait synchronique. Le point d'origine et le point d'aboutissement d'un changement coexistent pendant un certain temps. Si le changement différencie la jeune génération de l'ancienne, il y a toujours un certain degré d'échange entre les deux générations, et tel receveur, appartenant à l'une, a l'habitude de recoder les messages provenant de tel émetteur appartenant à l'autre. De plus, le stade initial et le stade final du changement peuvent faire bon ménage dans l'usage d'une seule et même génération, sous la forme de deux niveaux stylistiques différents : l'un plus conservateur et solennel, l'autre plus à la mode. L'analyse synchronique doit donc embrasser les changements linguistiques et, inversement, les changements linguistiques ne peuvent se comprendre qu'à la lumière de l'analyse synchronique.

C'est la mutation dans le code qui est le facteur décisif dans les changements phonologiques. L'interprétation des processus spatio-temporels a affaire essentiellement à la question : sous quels rapports de telles mutations affectent-elles la structure du code ? Les aspects moteurs et physiques de ces innovations ne peuvent être traités comme des agents autonomes, mais doivent être subordonnés à l'analyse strictement linguistique de leur rôle dans le système de codage.

(1) C.C. Fries et K.L. Pike, « Coexistent phonemic systems », *Lg*, 25 (1949).

CHAPITRE VII

TENSION ET LAXITE (1)

(en collaboration avec MORRIS HALLE)

Etudiant l'opposition des classes vocaliques dites TENDUES
et LACHES, en particulier la distinction entre le /i/ et le /u/
« tendus » et le /ɪ/ et le /ʊ/ « lâches », Daniel Jones pose que la
référence aux différents degrés de tension musculaire de la langue
est inadéquate. « Décrire le i bref anglais comme une voyelle
dans laquelle la langue est abaissée et rétractée par rapport à
la position 'fermée' est en général suffisamment précis pour le
travail pratique ordinaire. Le terme « lâche » peut aussi être
employé pour décrire la position des organes dans le u bref
anglais (dans *put* **put**) par comparaison avec le **u:** long « tendu »
(dans *boot* **bu:t**. Ici la position des organes dans le **u** bref, comparé au **u** long, pourrait être plus correctement caractérisée par
un abaissement et un avancement de la langue et une ouverture
plus large des lèvres » (2). Avec Carl Stumpf (3), nous dirons
que ce i abaissé et rétracté, de même que le **u** abaissé et avancé
et que toutes les autres voyelles « lâches », « glissent vers le milieu
du triangle vocalique ». Une voyelle lâche « est toujours située
plus près du milieu du triangle vocalique » (4) que la voyelle tendue correspondante. Aussi, comme, avec Gunnar Fant, nous le

---

(1) Ecrit en 1961, ce texte est paru dans le volume commémoratif de Daniel
Jones (Londres 1962) et dans le premier tome des *Selected Writings* (La Haye,
1962).
(2) D. Jones, *An Outline of English Phonetics*, 6e éd., Londres (1940). § 160.
(3) C. Stumpf, *Die Sprachlaute*, 1926, p. 259.
(4) « liegt stets mehr nach der Dreiecksmitte zu », ibid. p. 262.

notions dans les *Preliminaries to Speech Analysis* (1), une voyelle
tendue, comparée à sa contre-partie lâche, est produite avec une
plus grande déviation par rapport à la position neutre de l'appareil vocal, c'est-à-dire par rapport à la position que l'appareil
vocal assume en produisant un æ très ouvert ; en conséquence,
une voyelle tendue manifeste une plus grande déviation par
rapport à une structure de formant neutre (2).

Dans l'analyse qu'il donnait des voyelles, Henry Sweet (3)
déclarait que « les modifications générales les plus importantes
sont celles qui sont à l'origine de la distinction entre étroites et
larges » (rebaptisées depuis « tendues » et « lâches »). Sweet réus-
sit à démontrer l'autonomie de ces deux séries « from high to
low » (des fermées aux ouvertes) et la possibilité de diviser toute
classe vocalique en paires de voyelles tendues et lâches. Dans ce
qui suit, nous différencierons ces deux séries en employant
l'exposant [1] pour les voyelles tendues et l'exposant [2] pour les
voyelles lâches, procédé qui a été souvent utilisé en dialectologie.

Cette autonomie de la distinction tendu/lâche est manifeste
dans ces langues africaines qui connaissent une forme d'harmonie
vocalique basée sur l'opposition entre tendues et lâches. C'est
ainsi qu'en bari, langue qui possède cinq voyelles tendues et cinq
voyelles lâches correspondantes — /u¹/, /o¹/, /a¹/, /e¹/, /i¹/, et
/u²/, /o²/, /a²/, /e²/, /i²/ — « un mot possédant une voyelle tendue
dans le thème aura une voyelle tendue dans le préfixe ou le suffixe, et un mot possédant une voyelle lâche dans le thème aura
une voyelle lâche dans le préfixe ou le suffixe » : cf. /to¹-gi¹rja¹/,
« essuyer » et /to²-gi²rja²/, « cicatriser » (4). De même, en Maasai,
les thèmes consistent en voyelles soit tendues soit lâches, qui
déterminent le caractère tendu ou lâche des voyelles dans les
affixes ; de plus, dans certaines catégories grammaticales, les
voyelles de thème lâches alternent avec les voyelles tendues
correspondantes (5). En ibo, langue qui connaît quatre paires
tendues-lâches, à savoir fermées (diffuses) /u¹/ - /u²/, /i¹/ - /i²/,
et ouvertes (compactes) /o¹/ - /o²/, /e¹/ - /e²/, un jeu réciproque
des éléments lâche-tendu et compact-diffus gouverne l'harmonie vocalique : dans les préfixes verbaux, la voyelle est diffuse

(1) Cf. Jakobson, Fant, Halle, *Preliminaries to Speech Analysis*, 4ᵉ éd.,
§ 2.43.
(2) Cf. Fant, *Acoustic Theory of Speech Production*, 1960, p. 210.
(3) H. Sweet, *Handbook of Phonetics* (1877).
(4) D. Westermann et Ida C. Ward, *Practical Phonetics for Students of African Languages*, 1933, § 388.
(5) A. N. Tucker et J. Tompo Ole Mpaayei, *A Maasai Grammar*, 1955, p. 260.

devant une voyelle tendue dans la racine, et compacte si la voyelle de la racine est lâche (1).

Tandis que A.M. Bell, qui fut le premier à attirer l'attention sur la distinction tendu/lâche, attribuait le rôle décisif aux différences dans le comportement du pharynx, Sweet mit principalement l'accent sur la « forme de la langue » (2). Toutefois, les recherches postérieures, résumées dans le livre de R.M.S. Heffner (3), ont déplacé l'accent « de l'élévation de la langue et de la tension musculaire de la langue aux pressions de l'air et aux positions laryngales ».

Eduard Sievers était déjà conscient du fait que « de pair avec l'abaissement de la tension buccale, la tension des cordes vocales décroît elle aussi », et « cela se manifeste pratiquement par un « assourdissement » du son vocalique en question » (4). Plus tard, E.A. Meyer, dans son étude détaillée consacrée aux voyelles tendues, discerna le rôle cardinal de la pression du son : « C'est dans la différence de degré dans la pression des cordes vocales et dans la différence qu'elle conditionne dans la quantité de souffle qui passe à travers, dans la « plénitude du souffle » du son produit, que je vois la différence essentielle entre les voyelles tendues et non-tendues » (5).

L'augmentation de la pression subglottale de l'air dans la production des voyelles tendues est indissolublement liée à une durée plus longue. Comme l'ont maintes fois remarqué différents observateurs, les voyelles tendues sont nécessairement allongées, par comparaison avec les phonèmes lâches correspondants. Les voyelles tendues ont la durée que nécessite la production de voyelles nettement marquées, optimales, par rapport auxquelles les voyelles lâches apparaissent comme étant quantitativement et qualitativement réduites, osbcurcies, et s'écartant de leurs contreparties tendues vers une structure de formant neutre.

---

(1) Voir I.C. Ward, *An Introduction to the Ibo Language*, 1936.

(2) Sweet, ibid. § 26 sv.

(3) R.M.S. Heffner, *General Phonetics*, Madison, 1949, p. 96 sv.

(4) « dies macht sich praktisch in einer entsprechenden 'Verdumpfung'... des betreffenden Vocalklangs bemerkbar » (*Grundzüge der Phonetik*, 5e éd., 1901, § 256).

(5) « In dem verschiedenen Grade der Stimmbandpressung und der dadurch bedingten Verschiedenheit des durchstreichenden Atemquantums, der 'Luftfüllung' der hervorgebrachten Laute, erblicke ich den wesentlichen Unterschied zwischen den gespannten und ungespannten Vokalen » E.A. Meyer, in *Festschrift für Viëtor*, 1913, p. 238.

Sweet, qui en général a retenu la terminologie de Bell, qualifiée par lui d'« admirablement claire et concise », a préféré dans ce cas substituer le terme « étroit(e) » au terme « primaire », qui désignait les voyelles tendues dans le *Visible Speech* de Bell (1). Cependant la suggestion terminologique de Sweet obscurcit ce fait pertinent, si nettement exprimé dans la nomenclature de Bell, que ce sont les voyelles tendues qui constituent la structure vocalique « primaire », optimale, et que la laxité représente une réduction secondaire de cette structure.

Il existe dans les langues deux modes alternatifs de réduction quantitative, tous deux observables, par exemple dans les structures vocaliques inaccentuées ; l'un conduit de t e n d u à l â c h e, l'autre de c o m p a c t à d i f f u s. Toutes choses égales, une voyelle diffuse (fermée) est plus brève que la voyelle compacte (ouverte) correspondante, par exemple /i/, /u/ par opposition à /e/, /o/, cependant que la voyelle lâche, en dépit d'une articulation plus ouverte, témoigne d'une durée plus brève que la voyelle tendue correspondante, comme dans /i²/, /u²/, /e²/, /oᵉ/ opposés à /i¹/, /u¹/, /e¹/, /o¹/. C'est à juste titre que Sievers nous met en garde contre la confusion profondément enracinée entre ces deux distinctions : « Il faut aussi se garder de confondre les concept 'tendu' (ou 'étroit') et 'non tendu' (ou 'large') avec ceux que doivent servir à désigner les expressions traditionnelles de 'fermé' et 'ouvert' » (2).

Les voyelles fermées étroites (*high-narrow*) sont particulièrement brèves, parce qu'elles sont à la fois lâches et diffuses ; c'est pourquoi l'opposition tendu-lâche dans les voyelles diffuses peut être réalisée non seulement par des paires telles que [i] - [ɪ] ou [u] - [ʊ] mais aussi par des paires syllabique/non syllabique : [i] - [j] et [u] - [w]. Le système vocalique du français, avec son opposition systématique de phonèmes tendus et lâches, exemplifie ce type de bifurcation des voyelles diffuses : la distinction [ai] /ai¹/ « aï » - [aj] /ai²/ « ail », correspond à des paires telles que /te¹t/ « tête » - /te²t/ « tette ». En français, [i], comme les autres voyelles tendues, présente une plus longue durée et une plus grande somme de déviations par rapport à une structure de formant neutre que le [j] lâche (3).

---

(1) Bell, *Visible Speech*, 1867 : cf. Sweet, l.c., p. XI.

(2) « Man hüte sich auch davor, die Begriffe 'gespannt' (oder 'eng') und 'ungespannt' (oder 'weit') mit denen zu verwechseln, welche die althergebrachten Ausdrücke 'geschlossen' und 'offen' bezeichnen sollen » (Sievers, op. cit. § 258).

(3) Pour les données numériques, voir nos *Preliminaries*, pp. 37, 46.

Etant donné le rôle cardinal de la durée dans l'opposition tendu/lâche, la question se pose de la relation entre cet élément et l'opposition prosodique long/bref. Dans les *Fundamentals of Language* (1), nous avons essayé de délimiter deux types de traits phonématiques : « Seuls les phonèmes qui forment la crête de la syllabe présentent des t r a i t s p r o s o d i q u e s et ceux-ci ne peuvent se définir que par référence au relief de la syllabe ou de la chaîne syllabique ; il n'en est pas de même pour les traits intrinsèques qui sont manifestés par les phonèmes indépendamment de leur rôle dans le relief de la syllabe, et dont la définition ne requiert aucun renvoi au relief de la syllabe ou de la chaîne syllabique. » Dans les termes de Sweet, la quantité « appartient essentiellement à la synthèse des sons, car elle est toujours relative, impliquant toujours la comparaison », en particulier la comparaison « entre deux sons différents » (2). La longueur prosodique d'une voyelle est inférée du contraste entre voyelles longues et brèves — toutes choses égales — dans une suite de syllabes, cependant que la longueur en tant que composante du trait de tension est intrinsèquement liée aux autres manifestations, qualitatives, du trait donné à l'intérieur du même phonème.

Dans son analyse du système phonématique du néerlandais (3). A.W. de Groot note que, comparées à leurs contreparties tendues, les voyelles lâches ne sont pas seulement plus étouffées et plus faibles, mais aussi plus brèves (*ceteris paribus immer kürzer*) ; cependant pour l'identification de ces phonèmes la brièveté n'est guère décisive, car on a beau étendre le /a²/ dans /rá²t/ *rad* « roue », il ne se change pas en /rá¹t/ *raad* « conseil ». C'est ainsi qu'en dépit de l'étroite interrelation et de la convertibilité multiple qui les lient, le trait intrinsèque tendu/lâche et le trait prosodique long/bref appartiennent à deux types différents de traits distinctifs.

L'analyse attentive de l'opposition tendu/lâche nous a permis toutefois de déceler que chacune de ces deux classes — celle des traits prosodiques et celle des traits intrinsèques — est soumise à une tripartition identique. Les trois types de traits prosodiques que, à la suite de Sweet, nous avons appelés t o n, f o r c e et q u a n t i t é, et qui correspondent aux principaux attributs de la sensation sonore — hauteur musicale, intensité et durée per-

---

(1) *Fundamentals* (1956) p. 22 ; cf. ici-même ch. VI p. 121.
(2) Sweet, l.c., § 179.
(3) A.W. de Groot, in *Donum Natalicium Schrijnen*, 1929, p. 549 sv.

ceptive — trouvent un proche analogue dans les trois types de
traits intrinsèques. Les traits de « tonalité » et de « sonorité »
dont nous avons esquissé la description dans les *Fundamentals* (1),
sont apparentés aux traits prosodiques de ton et de force. Il
conviendrait, toutefois, de détacher l'opposition tendu/lâche des
traits de sonorité et de la considérer comme un trait à part — la
« protensité » — qui, parmi les traits intrinsèques, correspondrait
aux traits de quantité dans le domaine prosodique.

La neutralisation du pharynx dans la production des voyelles
lâches (dans la série antérieure des voyelles lâches il est contracté,
ce à quoi correspond une tonalité quelque peu abaissée, tandis
que le pharynx est dilaté et la tonalité haussée dans la série postérieure) révèle une certaine similarité avec la formation et la
structure des voyelles centralisées dans certaines langues nilo-
tiques, caucasiques et hindoues. Il semble que dans ces langues
le vocalisme présente une réalisation particulière de l'opposition
phonématique tendu/lâche ; c'est ainsi qu'un système comme
celui du Dinka présenterait sept paires : /u^1/ [u] - /u^2/ [ĭ], /o^1/ [o] -
/o^2/ [ö], /ɔ^1/ [ɔ] - /^{2}ɔ/ [ʻj], /a^1/ [a] - /a^2/ [ä], /ɛ^1/ [ɛ] - /ɛ^2/ [ë],
/e^1/ [e] - /e^2/ [ë], /i^1/ [i] - /i^2/ [ɪ] (2). Cette question réclame cependant des investigations plus précises.

En analysant le système phonématique du néerlandais, de
Groot (l.c.) propose à titre d'hypothèse d'identifier la relation
entre les voyelles tendues et lâches et l'opposition consonantique
des fortes et des douces. Le commun dénominateur des deux
relations est désormais évident. Les fortes s'opposent aux douces
par une pression de l'air plus élevée derrière le point d'articulation et par une durée plus longue. Cette différence peut s'accom-
pagner du non-voisement des fortes et du voisement des douces,
mais ces traits concomitants peuvent aussi manquer (3). Un
exemple typique d'occlusives et de fricatives tendues et lâches,

---

(1) Cf. ici-même, ch. VI § 3.6.

(2) Cf. Westermann et Ward, l.c. p. 207 sv.

(3) Comme l'a observé Fant, l'« opposition des occlusives tendues/lâches...
peut... être maintenue soit par une glotte ouverte/fermée, ce qui est le moyen
le plus efficace, soit par une vitesse plus lente/plus rapide d'accroissement de
l'aire à la constriction articulatoire et par une « surpression » (*over-pressure*)
plus grande/plus petite derrière la constriction. N'importe lequel de ces facteurs peut provoquer une prolongation du temps de déclin. Un souffle supplémentaire servira aussi à prolonger, ou, à tout le moins, à soutenir la surpression. Dans le cas où l'ouverture à la constriction est maintenue étroite, il en
résulte une affrication, et si la constriction s'ouvre rapidement, une fois dépassée la largeur critique, le souffle d'air aura pour résultat un intervalle de son
aspiratif très marqué. » (*Acoustic Theory...*, p. 279).

toutes produites sans participation aucune de la voix, est fourni
par le système consonantique de l'allemand de Suisse. Comme
l'indiquait J. Winteler, qui fut le premier à observer ce dialecte,
la marque distinctive, dans une paire forte/douce, est « le degré
de l'énergie expiratoire et articulatoire employée dans la formation du son, ou, plus précisément, la sensation de la force de la
pression expiratoire et de la résistance concomitante des organes
articulatoires, de même que le degré de durée des deux sons » (1).
Et ce remarquable précurseur de la phonologie moderne définit
avec précision l'essence de l'opposition fortes/douces : « Dans
la formation des fortes les organes de la parole se maintiennent
de façon perceptible à leur point culminant », tandis que « les
articulations qui produisent les douces sont abandonnées à
l'instant même où elles ont atteint leur point culminant » (2).

Il arrive que, dans le cas de certaines variantes contextuelles
ou facultatives des consonnes tendues et lâches, le principal ou
même le seul indice de leur distinction soit fourni par la durée
relative de la consonne et du phonème précédant (3).

Dans la production des phonèmes lâches, l'appareil vocal se
comporte de la même manière que dans celle des phonèmes
tendus apparentés, mais avec une atténuation notable. Cette
atténuation se manifeste par une pression de l'air plus basse
dans la cavité (avec une fermeture frappante à la glotte), par une
déformation plus légère de l'appareil vocal, par rapport à
sa position neutre, centrale, et/ou par un relâchement plus
rapide de la constriction. Ce qui caractérise les consonnes ten-

---

(1) « das Mass der auf die Bildung der Laute verwendeten Expirations-
und Artikulationsenergie oder deutlicher, die Empfindung von der Stärke
des Expirationsdruckes und des davon abhängigen Widerstandes der artiku-
lierenden Organe, sowie das Mass der Dauer der beiderlei Laute ». J. Winteler,
Die Kerenzer Mundart des Kantons Glarus in ihren Grundzügen dargestellt,
1876, p. 25.

(2) « Bei der Bildung der Fortes verharren die Sprachwerkzeuge fühlbar
in ihrer Kulminationsstellung », tandis que « diejenigen Artikulationen, welche
Lenes erzeugen, in demselben Augenblicke wieder aufgegeben werden, in
welchem sie ihre Kulmination erreicht haben » ibid., p. 27.

(3) Cf. D. Jones, *The Phoneme*, 1950, p. 52 sv. ; F. Falc'hun, *Le système consonantique du breton*, 1951, 1re partie ; P. Denes, in *JASA*, XXVII, 1955, p.
761 sv. ; P. Martens, in *Le Maître Phonétique*, n° 103, 1955, p. 5 sv ; N. Chomsky,
in *IJAL*, XXIII, 1957, p. 238.

dues, c'est essentiellement un plus long intervalle de temps passé dans une position distante de la position neutre ; quant aux voyelles tendues, non seulement elles persévèrent dans une telle position, optimale pour la réalisation d'un son soutenu, étalé, non-réduit, mais, de plus, elles présentent aussi une plus grande déformation de l'appareil vocal (1).

(1) Cf. Fant, l.c. p. 214 sv.

TROISIÈME PARTIE

GRAMMAIRE

CHAPITRE VIII

L'ASPECT PHONOLOGIQUE
ET L'ASPECT GRAMMATICAL DU LANGAGE
DANS LEURS INTERRELATIONS (1)

Edward Sapir, brillant précurseur du courant structural en linguistique, fut un des premiers à souligner que « notre tendance actuelle à isoler la phonétique et la grammaire comme des provinces linguistiques indépendantes l'une de l'autre est malheureuse », car « il existe apparemment des relations fondamentales entre elles et entre leurs histoires respectives » (2). Plus d'un quart de siècle nous sépare de cette affirmation, alors simple postulat, et il faut dire que, depuis lors, pas mal de travail a été accompli par la pensée linguistique internationale pour établir des liens entre l'étude des sons du langage et l'étude des structures grammaticales.

Jadis les prémisses méthodologiques des néo-grammairiens — *die Wirksamkeit der einzelnen Faktoren isoliert zu betrachten* (3) — rendaient difficile l'analyse interne des entités linguistiques. A première vue notre affirmation peut paraître contradictoire.

---

(1) Le texte original de cet essai est celui d'un rapport présenté par Roman Jakobson au Sixième Congrès International des Linguistes (Paris 1948), sur le thème suivant, proposé par le Comité du Congrès : « Dans quelles limites et dans quelles conditions l'étude synchronique et l'étude diachronique font-elles apparaître une solidarité et une interdépendance entre la structure phonique et la structure grammaticale d'une langue ? » Ce rapport a été publié dans les *Actes du VI⁰ Congrès International des Linguistes* (Paris, 1949).

(2) Sapir, *Le langage*, tr. fr. Paris, 1953, p. 174.

(3) « Considérer isolément l'action de chaque facteur séparé ».

Ne revient-elle pas à dire que la tendance des néo-grammairiens à morceler le langage en facteurs séparés rendait impossible l'analyse qui eût résolu le langage en ses éléments constitutifs ? N'y a-t-il pas là vraiment contradiction dans les termes ? Non, en réalité, car l'analyse structurale est tout autre chose que cette espèce de dislocation qui ne tenait compte ni des relations des parties entre elles ni de leur relation au tout.

La pensée structuraliste moderne l'a clairement établi : le langage est un système de signes, la linguistique est partie intégrante de la science des signes, la sémiotique (ou, dans les termes de Saussure, la sémiologie). La définition médiévale du signe — *aliquid stat pro aliquo* — que notre époque a ressuscitée, s'est montrée toujours valable et féconde. C'est ainsi que la marque constitutive de tout signe en général, du signe linguistique en particulier, réside dans son caractère double : chaque unité linguistique est bipartite et comporte deux aspects, l'un sensible et l'autre intelligible — d'une part le *signans* (le *signifiant* de Saussure), d'autre part le *signatum* (le *signifié*). Ces deux éléments constitutifs du signe linguistique (et du signe en général) se supposent et s'appellent nécessairement l'un l'autre.

Mais, dans la mesure où les chercheurs appliquèrent systématiquement les méthodes isolatrices postulées par les néo-grammairiens, ces deux aspects des phénomènes linguistiques, le sensible et l'intelligible, furent conçus exclusivement comme des domaines fermés et indépendants. On ne tint plus aucun compte de l'unité du signe. L'étude des sons du langage, coupés de leur fonction signifiante, perdit inévitablement sa connexion étroite avec la linguistique comme discipline sémiologique et menaça de devenir une simple branche de la physiologie et de l'acoustique ; quant au problème strictement linguistique des significations, ou bien on l'oublia dans la quête de leur arrière-plan psychologique, ou bien on le confondit avec le « royaume extrinsèque des objets non linguistiques » — selon l'expression de Charles Morris.

On ne peut mener à bien l'analyse d'un signe linguistique quel qu'il soit, qu'à la condition d'étudier son aspect sensible à la lumière de son aspect intelligible (le *signifiant* à la lumière du *signifié*) et réciproquement. Le dualisme indissoluble de tout signe linguistique est le point de départ de la linguistique moderne dans le combat obstiné qu'elle mène sur deux fronts. Le son et le sens : ces deux domaines doivent être complètement incorporés dans le champ de la science du langage ; il faut analyser systématiquement les sons de la parole à la lumière du sens, et le sens lui-même, en se référant à la forme phonique. Nous pouvons et nous devons résoudre un signe linguistique complexe en ses éléments constitutifs. Nous pouvons et nous devons obtenir finalement les plus petites unités linguistiques, mais il nous faut toujours garder présente à l'esprit l'idée que, si l'analyse linguistique, et en général l'analyse sémiotique, résoud des unités sémiotiques complexes en unités plus petites, il s'agit toujours d'unités sémiotiques. Chacune de ces unités, même les unités ultimes, doit avoir deux faces, comprendre à la fois une face *signifiante* et une face *signifiée*.

Pour procéder à l'analyse linguistique et décomposer la chaîne parlée en unités de plus en plus petites, nous commençons au niveau de l'é n o n c é. L'énoncé minimum est la p h r a s e. Une phrase consiste en m o t s : ceux-ci en sont les plus petits éléments effectivement séparables. La définition du mot pose des problèmes, mais, avec Sapir (1), nous tenons que ces problèmes n'empêchent pas le mot d'avoir, comme entité, une réalité concrète et vivante.

En allant plus loin dans la décomposition de la chaîne parlée, nous arrivons à la plus petite unité linguistique dotée d'un sens propre. Pour désigner cette ultime unité de sens, j'aurais aimé employer le terme « morphème » proposé par Baudouin de Courtenay et qui a été adopté, avec ce sens, par les linguistes slaves et de nombreux linguistes américains. Cependant, dans la tradition française, « morphème » désigne seulement l'une des deux sous-classes de la catégorie en question, celle des simples affixes par opposition aux radicaux ; dans la terminologie de Noreen, le terme s'applique non seulement aux unités grammaticales simples mais aussi aux unités grammaticales complexes ; enfin Hjelmslev l'emploie dans un sens encore tout à fait divergent. Aussi, pour éviter les malentendus et les controverses terminologiques, dans un rapport destiné à une audience internationale, je préfère désigner de manière moins ambiguë ces ultimes unités grammaticales de l'expression. Appelons-les simplement u n i t é s f o r m e l l e s m i n i m a (ou m i n i m a f o r m e l s) (2).

Ces minima formels doivent être étudiés en termes de *groupes d'ordre* et de *groupes de substitution* (dans le sens de la théorie mathématique des groupes) : par exemple, en latin, l'affixe

---

(1) *Le langage*, p. 36 sv.
(2) NDT : On remarquera que, dans les autres essais de ce volume, l'auteur emploie effectivement, pour désigner ces unités formelles minimales, le terme m o r p h è m e (qui est aussi employé, avec ce même sens, dans la traduction française des *Principes* de Troubetzkoy).

flexionnel -*mus*, formant un groupe d'ordre avec le thème précédant, est commutable avec un ensemble d'autres affixes, de
sorte qu'il exprime la première personne par opposition à -*tis*,
le pluriel par opposition à -*ō*, l'actif par opposition à -*mur*, etc.
Ainsi le corrélat sémantique de cette unité formelle -*mus* est un
faisceau (dans les termes de Bally un *cumul*) de m i n i m a s é-
m a n t i q u e s ; de plus, à certains de ces faisceaux peuvent cor-
respondre différents m i n i m a f o r m e l s, ce qui est le cas, par
exemple, des diverses terminaisons du même cas dans les différentes déclinaisons. Cette discrépance entre les unités formelles
et les unités de sens, cette asymétrie entre le *signifiant* et le
signifié — asymétrie qui est particulièrement frappante dans le
type classique des langues indo-européennes — a été à juste
titre présentée comme un des traits structuraux caractéristiques
du signe linguistique. Mais qui dit asymétrie ne dit pas manque
de correspondance entre les deux aspects, et la solidarité entre
les formes et leurs fonctions sémantiques demeure évidente. Les
m i n i m a s é m a n t i q u e s d'une langue donnée ne peuvent se
définir que par rapport à leurs contreparties formelles, et, inversement, on ne peut déterminer les u n i t é s f o r m e l l e s m i n i m a
sans se référer à leurs contreparties sémantiques. Ce fait n'inva-
lide pas la remarque de Buyssens, selon qui il est possible de laisser de côté le « contenu phonique » de ces unités formelles : « Il
suffit que les combinaisons phoniques soient distinctes.» Il suffit
de s'être assuré que ces combinaisons étaient bien distinctes
pour que l'on soit en mesure de dresser la liste, pour une langue
donnée, des significations grammaticales, de leurs oppositions,
des champs conceptuels qu'elles couvrent, des configurations
selon lesquelles elles s'organisent entre elles.

Les u n i t é s f o r m e l l e s m i n i m a peuvent être décomposées
en unités linguistiques plus petites. Voilà qui est contradictoire,
semble-t-il, puisque toute unité linguistique a, par définition,
deux faces et que, en même temps, nous définissons le « minimum
formel » comme la plus petite unité dotée d'un sens propre. Quelle
est donc la valeur sémiotique des p h o n è m e s, ces unités plus
fines en lesquelles nous décomposons les minima formels ? Nous
sommes ici à un niveau plus bas de la s é m i o s i s : le phonème
participe à la signification, sans avoir pourtant de signification
propre. La fonction sémiotique du phonème, à l'intérieur d'une
unité linguistique plus complexe, est de signaler que cette unité
a un autre sens qu'une unité équipollente qui, toutes choses
égales d'ailleurs, contient un autre phonème à la même place.

A son tour le phonème, comme un accord en musique, peut être décomposé en éléments plus petits et simultanés : c'est pourquoi j'ai proposé (1) de définir le phonème comme un ensemble (*set*) ou un faisceau (*bundle* dans la terminologie de Bloomfield) de t r a i t s   d i s t i n c t i f s (ou « éléments différentiels » au sens de Saussure) (2). Par exemple, au phonème français /b/, on peut substituer — dans une série de mots tels que *bu, pu, vu, mu,* etc. les phonèmes /p/, /v/, /m/, etc. ; /b/ est voisé par opposition à /p/, occlusif par opposition à /v/, oral (non nasal) par opposition à /m/, etc. En analysant de cette façon la valeur différentielle du phonème français /b/, nous établissons son contenu linguistique : voisement, occlusion, oralité, etc. Toutes les différences existant entre les phonèmes d'une langue donnée peuvent se ramener à des oppositions binaires, simples et indécomposables, de traits distinctifs. Il est donc possible de désintégrer tous les phonèmes de n'importe quelle langue en traits distinctifs eux-mêmes indivisibles. Le système des phonèmes (ou, comme disait Sapir, « le système des atomes symboliques ») est réductible à un réseau de quelques traits distinctifs (à un système, pourrait-on dire, de particules élémentaires) : le parallélisme est complet avec l'évolution récente des concepts en physique. En déterminant de la sorte la composition intrinsèque d'un phonème, nous appliquons des critères strictement s é m i o t i q u e s, les mêmes que pour les unités plus complexes : le *signifiant* est envisagé dans sa relation au *signifié*.

Ainsi les progrès méthodologiques accomplis par la phonologie conduisent à renverser les barrières qui tenaient séparées, comme des aires non pertinentes l'une par rapport à l'autre, l'étude des sons du langage et la science propre des signes linguistiques. Mais, de nouveau, et *mutatis mutandis*, il convient de répéter ce que nous disions plus haut à propos des significations grammaticales : quand on dresse le système phonologique d'une langue donnée, on peut laisser de côté la signification des unités formelles différenciées par les phonèmes. Il suffit d'établir que ces significations sont distinctes.

Si l'étude de la structure du mot se bornait, d'une part, à l'inventaire des significations grammaticales, et, d'autre part, à l'établissement du répertoire des phonèmes et des éléments différentiels sous-jacents, on serait justifié de dire que, pour l'exa-

---

(1) Roman Jakobson, *Ottůr slovnik naučný*, suppl. vol. 2, Prague, 1932, p. 608.

(2) Cf. Saussure, *Cours de linguistique générale*, p. 83.

men de l'aspect phonique d'une langue, les significations en elles-
mêmes n'ont pas d'importance, seul le fait qu'elles sont distinctes étant pertinent. Nous serions également justifiés de dire
que, pour l'étude de l'aspect conceptuel, l'expression des significations est en elle-même non pertinente, pourvu qu'elles reçoi-
vent chacune une expression distincte. Mais, en fait, ces deux
extrêmes n'épuisent en aucune façon le champ de la recherche
linguistique.

Si, notre enquête portant sur les phonèmes d'une langue, nous
essayons de dessiner le réseau des combinaisons de ces phonèmes
qui se trouvent effectivement réalisées, nous sommes obligés de
faire entrer en ligne de compte les catégories grammaticales : en
effet, les combinaisons de phonèmes sont différentes au début,
à l'intérieur, ou à la fin du mot. Les combinaisons à la joncture
de deux unités formelles, par exemple à la joncture d'un préfixe
ou d'un suffixe et des parties adjacentes du mot, diffèrent des
combinaisons internes ; de même, selon qu'il s'agit de préfixes
ou de suffixes, les lois de combinaison aux jonctures peuvent
varier (par exemple, le russe n'admet l'hiatus qu'à la joncture
d'un radical avec un préfixe ou avec un autre radical — tout
mot avec radical non-initial est conçu comme un composé).
Des unités formelles différentes du point de vue fonctionnel sont
souvent signalées par des configurations phonématiques différentes (dans les langues slaves, par exemple, le contour phonématique distingue clairement les suffixes des radicaux). Il peut
se faire que les radicaux de parties du discours différentes (par
exemple ceux des noms et des verbes, ou des noms et des pronoms) se différencient par la longueur et la composition de la
chaîne des phonèmes. En gilyak, des combinaisons de phonèmes,
usuelles dans les noms propres, en particulier les noms personnels, n'apparaissent jamais dans les mots ordinaires. Il se révèle
donc que l'inventaire brut des phonèmes est une fiction, car
chaque classe d'unités grammaticales, et chaque position à l'intérieur de ces unités, présente son propre tableau de combinaisons
phonématiques.

Mais ce que nous disons des combinaisons peut dans une certaine mesure s'appliquer aux phonèmes pris séparément, et, en
dernière analyse, aux traits distinctifs eux-mêmes. Les phonèmes et les traits distinctifs ne sont pas distribués indifféremment tout au long d'un mot (ou d'une unité formelle plus
petite). A côté de leur fonction distinctive, ils peuvent remplir
un rôle supplémentaire, celui de signes démarcatifs. La
présence d'un certain phonème (ou d'un certain trait distinctif)

à une certaine place d'un segment du discours signale la présence d'une limite entre des mots (ou entre des unités formelles plus petites) ou, au contraire, l'absence d'une telle limite. De tels « signes démarcatifs négatifs » (comme les appelle Troubetzkoy) (1) sont très fréquents et importants.

En tchèque de Bohême, l'opposition entre consonnes voisées et non-voisées n'est possible qu'à l'intérieur du mot, et seulement quand une voyelle, une liquide, une nasale ou un /v/ (1) suit. Si j'entends une consonne voisée suivie d'une voyelle, d'une liquide, d'une nasale ou d'un /v/, je sais que cette consonne voisée n'est pas une finale. Bref, il s'agit d'un signe démarcatif négatif. Si un suffixe commence par une nasale (ou par une voyelle, une liquide ou un /v/), la voisée finale du radical conserve son voisement : *lid-mi*, *křiž-mo*. Mais, à l'impératif, la consonne voisée finale de la racine devient non-voisée dans cette position : *hoľ-me* (de *hoď il*), *leš-me* (de *ležet*). Les verbes *tužit* et *tušit* ont la même forme à l'impératif : *tuš-me*. L'abolition de l'opposition « voisées/non-voisées » devant la désinence de l'impératif indique que, en tchèque (de même qu'en russe et en polonais), les désinences de l'impératif ne sont pas des suffixes mais des particules enclitiques autonomes devant lesquelles jouent les lois de la finale de mot. D'autre part, la consonne finale des prépositions obéit à ce point de vue aux lois de l'intérieur du mot, la seule différence étant que, à l'intérieur d'un mot, une non-voisée suivie d'une vibrante chuintante prive cette dernière de son voisement habituel (*křeči* > *kreči*) tandis qu'à la finale d'une préposition (de même qu'à la finale de tout mot autonome), une non-voisée suivie d'une vibrante chuintante devient voisée (*k řeči* > *g řeči* « envers le discours »). C'est ainsi que la diversité des lois de sandhi indique la gradation des s y n t a g m e s (au sens saussurien du terme) d'après leur degré de coalescence (cf. par exemple, en français, les groupes de mots où la liaison est obligatoire, ceux où elle est facultative, et ceux où elle est interdite).

Il est possible de caractériser les différentes classes grammaticales d'unités formelles par des listes différentes de phonèmes où même de traits distinctifs. Par exemple, sur les vingt-trois consonnes du tchèque parlé, huit seulement se retrouvent dans les suffixes flexionnels. Trois d'entre elles apparaissent dans les

---

(1) Cf. Troubetzkoy, *Principes de phonologie*, tr. fr., p. 307 sv.

(1) Si ce /v/, à son tour, est suivi d'une voyelle, d'une liquide ou d'une nasale, voir *Selected Writings*, I, p. 508 sv.

désinences nominales et six dans les verbales ; /m/ est la seule consonne qui se rencontre dans les deux classes à la fois. De même seul un pourcentage insignifiant des phonèmes anglais est admis dans les suffixes flexionnels nominaux et verbaux : on n'y trouve que quatre phonèmes consonantiques, /z/, /d/, /n/ et /ŋ/. Les voyelles de tous ces suffixes et les variantes non-voisées des suffixes -z et -d sont conditionnées automatiquement par les phonèmes précédants et n'ont pas de valeur distinctive. La présence de tout autre phonème signale qu'on n'a pas affaire à un suffixe flexionnel.

Certaines oppositions phonologiques peuvent se trouver supprimées dans certaines catégories grammaticales ; par exemple, des différentes mores susceptibles de porter l'accent de mot en grec ancien, seule celle qui est la plus éloignée de la finale peut être accentuée dans les formes finies du verbe. Il en résulte que les oppositions distinctives basées sur la place de l'accent ne sont pas possibles dans ce cas ; un accent portant sur une more plus proche de la finale signale que le mot n'est pas un *verbum finitum*. Ceci serait à comparer à la différenciation prosodique, notée par W.A. Grootaers, entre noms et verbes dans les dialectes chinois méridionaux.

Il arrive que certaines catégories de phonèmes se spécialisent dans des fonctions grammaticales déterminées. C'est ainsi que dans les langues sémitiques, en hébreu en particulier, il existe une tendance à n'employer les voyelles que dans des fonctions flexionnelles. De même, en gilyak (en Extrême-Orient) et en peul (au Soudan), on trouve une tendance à utiliser la différence entre consonnes explosives et consonnes constrictives spécialement pour exprimer les oppositions grammaticales.

Dans les langues à harmonie vocalique, certains des éléments différentiels vocaliques ne sont pertinents que dans les racines : par exemple, dans les langues turques, la paire « voyelles postérieures/voyelles antérieures » (partiellement aussi celle « arrondies/non arrondies ») ou en toungous et dans certaines autres langues d'Extrême-Prient, la paire « ouvertes/fermées ». (Si j'emploie ici des notions articulatoires plutôt que les concepts acoustiques correspondants, c'est uniquement parce que, à l'heure actuelle encore, la terminologie articulatoire est plus répandue et plus familière.) Si nous avons à étudier les phonèmes de ces langues, il nous faudra tenir compte de ce que les traits distinctifs en question ne sont autonomes que dans les racines ; dans les suffixes, il s'agira de simples variantes positionnelles servant à cimenter le mot. Bref, vouloir se limiter à un simple

inventaire des traits distinctifs et de leurs combinaisons successives ou simultanées sans spécifier quels sont leurs emplois grammaticaux, équivaudrait à projeter sans distinction des couches
diverses sur un même plan.

Que des traits phonologiques différents soient choisis et
utilisés de différentes manières selons les catégories grammaticales, est un fait essentiel pour la compréhension des traits
phonologiques de la langue en question et des relations hiérar-
chiques qu'ils ont entre eux ; une étude soigneuse de la structure
phonologique se doit d'en tenir compte. Les langues qui présentent les deux types d'harmonie vocalique mentionnés peuvent
bien contenir dans leur système vocalique les mêmes paires oppo-
sitives de traits distinctifs, par exemple « antérieures/pos-
térieures », « arrondies/non arrondies », « ouvertes/fermées » ;
elles peuvent même présenter un inventaire complètement identique de phonèmes vocaliques. Cependant ces systèmes extérieu-
rement semblables seront essentiellement différents, dans leur
structure, dans l'organisation hiérarchique des traits discrimi-
natoires en question, si, dans un cas, c'est seulement le couple
« ouvertes/fermées », et dans l'autre, tous sauf celui-là, qui servent à différencier les sens des suffixes.

Toute étude d'un système pholonogique qui se veut compréhensive se heurte inévitablement au problème des systèmes
partiels utilisés pour différencier et spécifier les diverses catégories grammaticales de la langue en question. La limite entre
la phonologie proprement dite et ce qu'on appelle la m o r -
(p h o) p h o n o l o g i e est plus que labile, on glisse de l'une à
l'autre imperceptiblement.

Inversement, si notre recherche a pour objet les significations
grammaticales d'une langue, il est parfaitement vrai qu'on peut
en dresser le catalogue en ne faisant entrer en ligne de compte
qu'un seul aspect de leurs corrélats phoniques : leur valeur différentielle. Toutefois celle-ci présente bien des degrés. Dans les
formes russes suivantes, génitif /gribá/, datif /gribú/, locatif
/grib,é/, nominatif pluriel /gribí/, les voyelles accentuées distinctes correspondent aux différents cas et nombres grammaticaux.
Mais il se fait que le trait commun de ces désinences (-a, -u, -e,
-i), le fait que l'unité formelle consiste en une seule voyelle, est
la marque caractéristique des suffixes flexionnels, marque qui les
distingue à la fois des radicaux et des suffixes dérivationnels —
autrement dit des unités formelles qui ne peuvent jamais se
réduire à une seule voyelle. Le suffixe -ok (gribók), indépendamment de son sens propre de diminutif, indique par sa composition

phonique qu'il n'appartient pas à la classe des suffixes flexionnels : en effet ceux-ci n'admettent pas d'autre occlusive que /t/. De tous les radicaux russes, seuls ceux des pronoms peuvent consister en une seule consonne (par exemple *k-*, *č-*, *t-*, *n-*, *v-*) : de ce point de vue ils sont proches des suffixes flexionnels, qui peuvent eux aussi se réduire à une seule consonne. Les racines pronominales diffèrent des autres racines en ceci que leur signification n'est pas lexicale mais grammaticale. En d'autres termes, l'affinité entre les deux catégories en question ne fait pas de doute non plus du point de vue sémantique.

Ainsi, dès que l'on passe d'un simple catalogue des significations grammaticales existant dans une langue, à l'analyse de leurs arrangements et connexions, ont doit attacher une grande importance à la composition phonologique des diverses unités formelles, et spécialement au répertoire des phonèmes et des groupes de phonèmes qui sont spécifiques de chaque classe de ces unités. Une fois de plus, et toutes choses égales, il nous faut dire que l'étude d'un système grammatical conduit inévitablement au problème des moyens phonologiques mis en œuvre pour exprimer les différentes catégories grammaticales de la langue en question.

Il apparaît que la frontière entre la morphologie au sens strict et la mor(pho)phonologie est tout à fait floue. Dès que, dans la grammaire du mot, on passe (dans les termes de A.W. de Groot et Reichling) de la « structure sémantique » à la « structure formelle », on se trouve immédiatement dans le domaine de la morphonologie, car l'analyse purement formelle des paradigmes ne signifie rien d'autre que la découverte des similitudes et des différences phonologiques entre les différents paradigmes, entre leurs membres et composants. Ainsi donc, quel que soit l'objet de l'étude — le son ou le sens — si l'étude est menée d'un point de vue linguistique, on découvre nécessairement, avec Bonfante et Pisani, que les structures phonologique et grammaticale, qui ne présentent chacune qu'un aspect d'une même totalité indissoluble, sont nécessairement et intimement coordonnées. Ajoutons, avec J. Lotz, que les deux structures présentent des similitudes nombreuses et frappantes.

La référence de Bonfante à l'« unité artistique » nous autorise à prendre un exemple dans le domaine du langage poétique. On définit ordinairement la rime comme une correspondance entre sons terminaux, mais en même temps il importe toujours de savoir si les éléments qui riment sont de simples homophones ou si au contraire ils sont grammaticalement identiques — si la rime unit des unités formelles semblables, ou des unités formelles dissemblables mais appartenant à des mots d'une seule et même classe lexicale. Les mots à la rime ont-ils ou non la même fonction syntaxique ? La technique de la rime, chez les différents poètes ou dans les différentes écoles poétiques, peut être grammaticale ou anti-grammaticale, elle ne peut être agrammaticale. Cela veut dire que, en ce qui concerne la rime, la relation entre structure phonologique et structure grammaticale est toujours pertinente. Dans les distiques basés sur le parallélisme grammatical (par exemple dans l'épopée populaire carélienne), à côté des similitudes dans les fonctions syntaxiques et les significations grammaticales des mots juxtaposés — partiellement aussi dans leurs significations lexicales — un facteur concomittant mais important est la correspondance phonique entre ces mots — ou au contraire l'absence d'une telle correspondance. De nouveau, la solidarité est manifeste entre aspect grammatical et aspect phonologique. La rime aussi bien que le parallélisme grammatical présentent nécessairement et simultanément les deux aspects, avec cette seule différence que, dans le cas de la rime, l'accent est mis sur la structure phonologique, tandis que, dans le parallélisme, le rôle dominant est dévolu à l'aspect grammatical. En poésie, la rime est d'abord, mais pas exclusivement, un phénomène phonologique ; de même le parallélisme est d'abord, mais pas uniquement, un procédé grammatical (1).

Résumons-nous : les deux aspects sont autonomes, mais pas indépendants ; leur interdépendance n'implique pas un manque d'autonomie.

Chaque langue possède un système de traits distinctifs, groupés selon certaines règles en faisceaux et en séquences ; tous ces moyens servent à distinguer des mots de significations différentes. Ce système est gouverné par des lois phonologiques autonomes. Avec Kuryłowicz, nous dirons que « les changements phonologiques consistent avant toute chose dans la création de relations nouvelles entre les membres du système phonologique.» Il est évident que des changements phoniques existent qui restructurent le système phonologique d'une langue donnée, sans égard pour le système grammatical. Par exemple, deux phonèmes peuvent se fondre en un seul, indépendamment de leur position dans le mot. Un trait distinctif peut disparaître ou laisser la place à un autre dans toutes les positions.

_____

(1) NDT : Sur ce sujet, voir ici-même, ch. XI, « Linguistique et poétique ».

D'autre part, des changements peuvent se produire, dans le système des concepts grammaticaux, qui affectent seulement leur emploi, mais non l'expression de ces concepts. Inversement des changements dans l'expression des concepts grammaticaux peuvent ne pas avoir d'équivalent au niveau des concepts euxmêmes.

Il ne fait aucun doute que des changements phonologiques peuvent affecter le système grammatical. Premièrement, un paradigme peut subir une restructuration essentielle. Dans diverses langues indo-européennes, les changements phoniques ont abouti à un déplacement de la limite entre le thème et la désinence. La perte des finales /ŭ/ et /ĭ/ a introduit une nouvelle relation entre les désinences des cas dans les langues slaves, en créant une désinence zéro opposée aux autres : nominatif *nós*/génitif *nós-a*.

Deuxièmement, la différence entre deux formes peut disparaître : c'est ce qui s'est passé pour les seconde et troisième personnes de l'aoriste slave, à la suite de la chute des consonnes finales en slave ancien (-*s* à la seconde personne,et -*l* à la troisième).

Troisièmement — comme le signalent D.M. Jones et H. Velten — les changements phoniques peuvent créer une alternance que la langue utilisera dans la suite pour rendre d'une manière nouvelle une opposition grammaticale existante. Voir par exemple les pluriels par « umlaut » qui se sont répandus systématiquement dans le yiddish de Lithuanie : *tag* /*teg*, etc. (1).

Quatrièmement, un changement phonique peut même provoquer l'apparition d'une nouvelle catégorie grammaticale. Par exemple, ce sont les changements phoniques qui ont introduit en gilyak une nouvelle entité morphologique, la forme du verbe transitif sans complément d'objet. Autrefois, dans cette langue, le verbe transitif était précédé, soit par un complément d'objet, soit, si l'objet n'était pas nommé, par le pronom indéfini *i*. Il n'y avait pas de phonème constrictif en gilyak, mais, en position intervocalique, les occlusives furent remplacées par des variantes constrictives. Cela se produisit également pour les occlusives initiales des verbes transitifs après l'objet pronominal *i*. Alors le *i* initial de ces formes complexes disparut par évolution phonétique, de sorte que les constrictives se trouvèrent au commencement absolu du mot : *i-təu-* « instruire quelqu'un » > *i-rəu-*

---

(1) Sapir, *Le langage*, p. 181.

(/r/ est en gilyak l'équivalent constrictif de /t/) > *rǝu-*. Ainsi donc on vit apparaître à l'initiale de mot l'opposition entre occlusives et constrictives, les unes et les autres devinrent des phonèmes autonomes, et l'initiale constrictive des formes verbales en vint à signaler l'emploi des verbes transitifs : le verbe transitif sans objet (*rǝu* « instruire ») trouvait sa place dans le système grammatical du gilyak.

Bien sûr, Hoenigswald a raison de dire que la perte des suffixes à la suite de changements phoniques est un phénomène fréquent et bien connu. Mais, d'un autre côté, il est bon de rappeler (comme le font Bonfante, Holt, Martinet et Pisani) qu'un simple changement phonique ne suffit pas pour provoquer des bouleversements grammaticaux. Une impulsion d'origine phonologique ne contribue à la perte des catégories grammaticales que si, dans le système grammatical lui-même, une tendance à un changement de ce genre est déjà présente. Sinon, ou bien la langue restructure les suffixes en question de manière à sauvegarder la distinction grammaticale menacée, ou bien « un phonème ayant une valeur morphologique résiste aux lois phoniques » comme le dit Pottier, à l'appui de la thèse de Wilhelm Holt.

Le thème qui, en son temps, remplissait les ouvrages des néogrammairiens — le problème du conflit permanent entre les lois phoniques et le nivellement analogique — ce thème est de nouveau à l'ordre du jour. Deux conceptions de ce conflit se sont succédées dans l'histoire de la linguistique. D'après la première, l'analogie grammaticale est une irrégularité, une infraction aux lois phoniques rigides. Le point de vue opposé, qui trouva l'expression la plus nette dans l'œuvre de Saussure, tient l'analogie grammaticale pour un contrepoids salutaire au travail destructeur de changements phoniques aveugles et fortuits. En fait, on ne peut concevoir, ni les changements phoniques, ni l'action de l'analogie grammaticale, en termes de « cambriolage ». Dans le système de la langue nous distinguons deux niveaux : le système grammatical des éléments significatifs, et, sous-jacent à celui-ci, le système phonologique des marques purement différentielles. Les changements phoniques, ou, plus généralement, les arrangements et réarrangements phonologiques, visent le système des marques différentielles, tandis que l'analogie cherche à adapter ou à réadapter le système grammatical lui-même.

Quant aux prétendus conflits entre les changements phoniques et l'analogie grammaticale, on constate qu'il s'agit simplement de changements phonologiques limités grammaticalement, c'est-à-dire de changements phonologiques qui affectent, non le système phonique général, mais seulement le système phonique particulier à certaines catégories grammaticales. Si dans une langue il y a habituellement des configurations phonématiques — et dans son histoire des changements correspondants — propres soit à l'intérieur du mot, soit aux frontières de mots, de la même manière il peut se faire que l'intérieur et les contours des unités formelles plus petites présentent des différences dans le traitement phonologique. C'est ainsi que le russe distingue, parmi les voyelles inaccentuées, les phonèmes /u/, /i/, /a/, mais, après les consonnes « mouillées » (palatales et palatalisées) le /a/ inaccentué est devenu /i/. Seuls les suffixes flexionnels conservent ce /a/ à cause de l'analogie avec le /o/ et le /a/ qu'on trouve dans les mêmes suffixes quand ils sont accentués : nominatif et génitif *pól'-a*, cf. *žil'j-ó*, *žil'-já* ; datif pluriel *ustój-am*, cf. *kraj-ám* (mais *pójas > pójis*, etc.). Il n'est pas du tout obligatoire que le nivellement analogique intervienne seulement une fois le changement phonique accompli : le passage du /a/ inaccentué à /i/ après les consonnes mouillées reste un phénomène vivant dans le russe de Moscou, et, en même temps, les suffixes flexionnels gardent le /a/ dans cette position. Il se fait simplement que le changement dans la combinaison « consonne mouillée plus voyelle inaccentée » ne s'étend pas aux jonctures des suffixes flexionnels.

La grammaire peut imposer des limitations aux changements phoniques en dehors de tout recours au « nivellement analogique ». Par exemple, dans les désinences des noms fléchis, en russe, les consonnes finales sont dépalatalisées (/dást/, /idút/, /rvalás/, /dám/, /stalóm/, etc. ; à l'infinitif, /-t'/ est seulement une variante contextuelle de la forme /-tí/), cependant que partout ailleurs les consonnes finales conservent leur palatalisation (cf. par exemple des formes isolées telles que /jést'/, /avós'/, /fpr,ám,/ ; ou des noms à désinence zéro tels que /pút,/, /lós,/, /s,ém,/,; et même la forme adverbiale du verbe réfléchi, par exemple /kapašás'/). Pour d'autres exemples, voir les études stimulantes de Michel Lejeune et de Marcel Cohen (1).

Par conséquent, le problème de la différenciation phonologique des diverses couches grammaticales nous amène à envisager à la fois l'aspect synchronique et l'aspect diachronique. Les structures phonologiques et grammaticales se rajustent mutuellement l'une à l'autre. L'autonomie interne relative de chaque système n'exclut pas une interaction et une interdépendance

---

(1) Cf. M. Lejeune, in « Le langage », *Encyclopédie française*, I, 1937, et M. Cohen, « Catégories de mots et phonologie », TCLP, VIII, 1939.

continuelles. Comme nous l'avons déjà dit, la restructuration du système phonologique peut fournir au système grammatical des *stimuli* que celui-ci adoptera ou rejettera. Inversement, les processus grammaticaux provoquent parfois avec succès des innovations dans le système phonologique, et servent même à engendrer de nouveaux phonèmes. En russe, l'emploi de l'opposition « consonnes dures/consonnes mouillées » au service d'alternances grammaticales (/rv-ú/ : /rv,-óš/, /vr-ú/ : /vr,-óš/) a fait naître une nouvelle paire /tk-ú/ : /tk,-óš/, introduisant un nouveau phonème, le /k,/ mouillé, qui, auparavant, n'était qu'une variante contextuelle du phonème /k/. En russe blanc, sur le modèle de paires telles que /l,ac,-íš/ : /l,ač-ú/, le nivellement analogique a construit des paires voisées correspondantes, telles que /ɓl,aӡ,-íš/, /ɓl,aӡ-ú/, enrichissant le système phonologique d'un nouveau phonème, l'affriquée chuintante voisée /ӡ̌/.

Concluons : à partir des multiples suggestions contenues dans les réponses au questionnaire, nous avons essayé, dans ce rapport, de donner une vue d'ensemble d'une des questions cruciales que le Comité du Congrès a proposées à notre attention. Nous nous sommes limités à la grammaire du mot, comme le suggérait la formulation même de la question posée (cf. les critiques de H. Frei). Nous avons voulu éviter autant que possible les termes équivoques et ambigus, aussi bien que les discussions terminologiques, et avons essayé d'aller au cœur même du problème. Notre réponse à la question est que l'étude synchronique comme l'étude diachronique montrent l'existence d'un intime lien de solidarité et d'interdépendance entre les deux structures autonomes — la phonologique et la grammaticale. Les progrès récents des études phonologiques, d'une part, et ceux des recherches sémantiques sur les concepts grammaticaux, de l'autre, nous amènent tout près de l'intersection de ces deux champs : le problème de la forme grammaticale. Les techniques du cataloguage des processus grammaticaux sont maintenant bien développées ; le travail urgent qui s'offre maintenant à nous est d'entreprendre une analyse structurale explicite de ces processus.

CHAPITRE IX

LES EMBRAYEURS, LES CATÉGORIES VERBALES ET LE VERBE RUSSE (1)

1. *Embrayeurs et autres structures doubles*

1.1.   Un message émis par le destinateur doit être perçu adéquatement par le receveur. Tout message est codé par son émetteur et demande à être décodé par son destinataire. Plus le destinataire est proche du code utilisé par le destinateur, plus la quantité d'information obtenue est grande. Le message (M) et le code sous-jacent (C) sont tous deux des supports de communication linguistique, mais tous deux fonctionnent d'une manière dédoublée : l'un et l'autre peuvent toujours être traités soit comme objets d'emploi, soit comme objets de référence. C'est ainsi qu'un message peut renvoyer au code ou à un autre message, et que, d'un autre côté, la signification générale d'une unité du code peut impliquer un renvoi soit au code soit au message. En conséquence quatre types doubles doivent être distingués : 1) deux types de circularité — message renvoyant au message (M/M) et code renvoyant au code (C/C) et 2) deux types de chevauchement — message renvoyant au code (M/C) et code renvoyant au message (C/M).

---

(1) Cet essai est la traduction de *Shifters, verbal categories, and the Russian verb*, Russian Language Project, Department of Slavic Languages and Literatures, Harvard University, 1957. Les parties 1 et 2 sont un résumé de deux communications faites en 1950 — « Les catégories verbales », Société Genevoise de Linguistique (voir *CFS*, IX, 6) et « Overlapping of code and message in language », University of Michigan.

1.2. M/M) Le discours cité (*oratio*) est un énoncé à l'intérieur d'un énoncé, un message à l'intérieur du message, et en même temps c'est aussi un énoncé sur un énoncé, « un message à propos d'un message », selon la formule de Vološinov (1) dans l'étude qu'il a consacrée à ce problème crucial pour la linguistique et la stylistique. Ce genre de paroles « relayées » ou « déplacées », pour reprendre les termes de Bloomfield, peut tenir une très grande place dans notre discours, car il s'en faut de beaucoup que notre conversation se limite aux événements vécus *hic et nunc* par le sujet parlant. Nous citons les autres, nous citons nos propres paroles passées et nous sommes même enclins à présenter certaines de nos expériences les plus courantes sous forme d'autocitations, par exemple en les confrontant aux déclarations d'autrui : *Vous avez appris qu'il a été dit... Eh bien ! moi je vous dis...* (Matthieu). Il existe une échelle multiple de procédés linguistiques destinés à rendre les citations ou quasi-citations : le discours direct (*oratio recta*), le discours indirect (*oratio obliqua*), et diverses formes de style indirect libre. Certaines langues, telles que le bulgare, le kwakiutl et le hopi (2) usent de procédés morphologiques spéciaux pour indiquer des événements qui ne sont connus du sujet parlant que par le témoignage des autres. C'est ainsi qu'en tunica toutes les déclarations faites par ouï-dire (ce qui couvre la majorité des phrases d'un texte à part celles qui sont au discours direct) sont indiquées par la présence de /-áni/, postfixe de citation employé avec un mot prédicatif (3).

1.3. C/C) Les noms propres, que Gardiner (4), dans son essai « polémique », présente comme un des problèmes les plus épineux de la théorie du langage, prennent une place particulière dans notre code linguistique : la signification générale d'un nom propre ne peut se définir en dehors d'un renvoi au code. Dans le code de l'anglais, « Jerry » signifie une personne nommée Jerry. La circularité est évidente : le nom désigne quiconque porte ce nom. L'appellatif « chiot » désigne un jeune chien, « bâtard » désigne un chien de race mêlée, « lévrier » un chien utilisé dans les courses, mais « Fido » ne désigne ni plus ni moins

(1) Cf. V.N. Vološinov, *Marksizm i filosofija jazyka* (Leningrad, 1930).
(2) Cf. L. Andrejčin, *Kategorie znaczeniowe konjugacji bułgarskiej* (Cracovie, 1938) ; F. Boas, *Kwakiutl Grammar*, Philadelphie, 1947 ; B.L. Whorf, « The Hopi language, Toreva dialect », *Linguistic Structures of Native America*, éd. H. Hoijer, New York, 1946.
(3) Cf. M. Haas, *Tunica*, New York, 1941.
(4) A.H. Gardiner, *The Theory of Proper Names*, Londres, 1940.

qu'un chien qui s'appelle « Fido ». La signification générale de
mots tels que « chiot », « bâtard », ou « lévrier » pourrait être indi-
quée au moyen d'abstractions telles que « la bâtardise », ou de
périphrases comme « jeune chien », « chien utilisé dans les courses », mais la signification générale de « Fido » ne peut être qualifiée de la sorte. Paraphrasant Bertrand Russell (1), nous dirons
que si beaucoup de chiens s'appellent « Fido », ils n'ont en commun aucune propriété spéciale de « fidoïté ». De même le pronom
indéfini correspondant à des noms tels que Durand, Dupont,
Duval, etc. — « Untel », « Chose », « Machinchouette » — inclut
une référence patente au code.

1.4.   M/C) Un message renvoyant au code correspond à ce
qu'on appelle en logique le mode a u t o n y m e du discours.
Quand je dis : *Le chiot est un animal caressant*, ou : *Le chiot pleur-
niche*, le mot « chiot » désigne un jeune chien, tandis que dans
une phrase comme « *Chiot* » *est un nom qui désigne un jeune chien*
ou, en plus bref, « *Chiot désigne un jeune chien*, ou encore « *Chiot
est bisyllabique*, le mot « chiot » — dirons-nous avec Carnap (2) —
est employé comme sa propre désignation. Toute interprétation
ayant pour objet l'élucidation des mots et des phrases — qu'elle
soit intralinguale (circonlocutions, synonymes) ou interlinguale
(traduction) — est un message renvoyant au code. Ce genre
d'hypostase — comme le pointe Bloomfield — « est étroitement
lié à la citation, à la répétition du discours » et joue un rôle vital
dans l'acquisition et l'usage du langage.

1.5.   Tout code linguistique contient une classe spéciale d'unités grammaticales qu'on peut appeler les e m b r a y e u r s (3) :
la signification générale d'un embrayeur ne peut être définie en
dehors d'une référence au message.

La nature sémiologique des embrayeurs a été examinée par
Burks (4) dans son étude sur la classification de Peirce des signes

---

(1) B. Russel, *An Inquiry into Meaning and Truth*, Londres, 1940.

(2) R. Carnap, *Logical Syntax of Language*, New York, 1937.

(3) NDT : Nous avons choisi ce terme pour traduire l'anglais *Shifter*, emprunté par Jakobson à O. Jespersen, *Language*, pp. 123-124. Jespersen définit
ainsi le *shifter* : « une classe de mots... dont le sens varie avec la situation...
exemple *papa*, *maman*, etc... » Le mot « embrayeur », qui est utilisé dans le langage technique pour traduire certains des sens de *shift*, *shifter*, nous a paru
propre à désigner ces unités du code qui « embrayent » le message sur la situation.

(4) A.W. Burks, « Icon, Index, Symbol », *Philosophy and Phenomenological
Research*, IX, 1949.

en symboles, index et icônes. Selon Peirce, un symbole (par exemple le mot français « rouge ») est associé à l'objet représenté par une règle conventionnelle, tandis qu'un index (par exemple l'acte de montrer quelque chose du doigt) est dans une relation existentielle avec l'objet qu'il représente. Les embrayeurs combinent les deux fonctions et appartiennent ainsi à la classe des s y m b o l e s - i n d e x. Un exemple frappant cité par Burks est le pronom personnel. « Je » désigne la personne qui énonce « Je ». Ainsi, d'un côté, le signe « Je » ne peut représenter son objet sans lui être associé « par une règle conventionnelle », et dans des codes différents le même sens est attribué à des séquences différentes, telles que « je », « ego », « ich », « I », etc. : donc « je » est un symbole. D'un autre côté, le signe « je » ne peut représenter son objet s'il n'est pas « dans une relation existentielle » avec cet objet : le mot « je » désignant l'énonciateur est dans une relation existentielle avec l'énonciation, donc il fonctionne comme un index (1).

On a souvent pensé que le caractère particulier du pronom personnel et des autres embrayeurs résidait dans l'absence d'une signification générale unique et constante. Ainsi Husserl : *Das Wort « ich » nennt von Fall zu Fall eine andere Person, und es tut dies mittels immer neuer Bedeutung* (2). A cause de cette prétendue multiplicité de leurs significations contextuelles, les embrayeurs, par opposition aux symboles, furent traités comme de simples index (3). Chaque embrayeur, cependant, possède une signification générale propre. Ainsi « je » désigne le destinateur (et « tu » le destinataire) du message auquel il appartient. Pour Bertrand Russell, les embrayeurs, ou, dans sa terminologie, les « particuliers égocentriques » sont définis par le fait qu'ils ne s'appliquent jamais à plus d'une chose à la fois. Ceci, toutefois, est commun à tous les termes syncatégorématiques. Par exemple la conjonction « mais » n'exprime à chaque fois qu'une relation adversative entre deux concepts donnés et non l'idée générique de contrariété. En réalité, la seule chose qui distingue les embrayeurs de tous les autres constituants du code linguistique, c'est le fait qu'ils renvoient obligatoirement au message.

---

(1) Cf. E. Benveniste, « La nature des pronoms », *FRJ*, La Haye, 1956.

(2) « Le mot ʼje' désigne selon les cas des personnes différentes, et prend de ce fait une signification toujours nouvelle. » (*Logische Untersuchungen*, II, Halle, 1913).

(3) K. Bühler, *Sprachtheorie*, Jena, 1934.

Les symboles-index, et en particulier les pronoms personnels, que la tradition de Humboldt concevait comme appartenant au stratum le plus élémentaire et le plus primitif du langage, sont au contraire une catégorie complexe où code et message se chevauchent. C'est pourquoi les pronoms comptent parmi les acquisitions les plus tardives du langage enfantin et parmi les premières pertes de l'aphasie. Si nous observons que même les linguistes ont eu des difficultés à définir la signification générale du terme « je » (ou « tu »), qui signifie la même fonction intermittente de différents sujets, il est tout à fait compréhensible qu'un enfant qui a appris à s'identifier à son nom propre ne s'habitue pas aisément à des termes aussi aliénables que les pronoms personnels : il peut hésiter à parler de lui-même à la première personne alors que ses interlocuteurs l'appellent « tu ». Parfois il s'efforce de redistribuer ces appellations. Par exemple, il essaiera de monopoliser le pronom de la première personne : « Essaie pour voir de t'appeler moi. Moi seul je suis moi, et toi tu n'es que toi. » Ou bien il usera sans discrimination soit de « je » (« moi »), soit de « tu » (« toi »), pour désigner aussi bien le destinateur que le destinataire, de sorte que le pronom désigne n'importe quel protagoniste du dialogue. Enfin, « je » pourra être si rigoureusement substitué par l'enfant à son nom propre qu'il en viendra à nommer spontanément les personnes de son entourage mais refusera obstinément d'énoncer son propre nom : le nom n'a plus alors pour son jeune porteur qu'une signification vocative qui s'oppose à la fonction nominative du « je ». Cette attitude peut subsister en tant que survivance infantile. Ainsi Guy de Maupassant avouait que son nom, quand il le prononçait lui-même, rendait un son tout à fait étrange à ses oreilles. Le refus de prononcer son propre nom peut être érigé en coutume sociale. Zelenin (1) note que, dans la société samoyède, le nom propre était tabou pour son porteur.

1.6.   *Jean m'a expliqué que « bidoche » veut dire « viande ».* Dans ce bref énoncé sont compris les quatre types de structures doubles : le discours indirect (M/M), un message autonyme (M/C), un nom propre (C/C), et des embrayeurs (C/M), à savoir le pronom de la première personne et le temps passé du verbe, signalant un événement antérieur à l'énonciation du message. Dans la langue et dans l'usage de la langue, les structures doubles

---

(1) D.K. Zelenin, « Tabu slov u narodov vostočnoj Evropy i severnoj Azii », II, *Sbornik Muzeja Antropologii i Ètnografii*, IX, 1930.

jouent un rôle cardinal. En particulier, la classification des catégories grammaticales et singulièrement des catégories verbales, exige une discrimination systématique des embrayeurs.

2. *Essai de classification des catégories verbales.*

2.1.   En vue de classer les catégories verbales, nous devons observer deux distinctions de base :

1) il faut distinguer entre l'é n o n c i a t i o n elle-même (^{a}) et son objet, la matière é n o n c é e (^{e}) ;

2) il faut distinguer ensuite entre l'acte ou le p r o c è s lui-même (C) et l'un quelconque de ses p r o t a g o n i s t e s (T) « agent » ou « patient » (1).

En conséquence, quatre rubriques doivent être distinguées : un événement raconté (*narrated event*) ou p r o c è s d e l ' é n o n c é (C^e), un acte de discours ou p r o c è s d e l ' é n o n c i a t i o n (C^a), un protagoniste du procès de l'énoncé (T^e), et un protagoniste du procès de l'énonciation (T^a), destinateur ou destinataire.

2.11.   Tout verbe se rapporte à un procès de l'énoncé. Les catégories verbales peuvent se subdiviser en deux classes selon qu'elles impliquent ou non les protagonistes du procès. Les catégories impliquant les protagonistes peuvent caractériser soit les protagonistes eux-mêmes (T^e), soit leur relation au procès de l'énoncé (T^eC^e). Les catégories qui font abstraction des protagonistes caractérisent soit le procès de l'énoncé lui-même (C^e), soit sa relation à un autre procès énoncé (C^eC^e). Pour les catégories ne caractérisant qu'un seul terme de l'énoncé—le procès lui-même (C^e) ou ses protagonistes eux-mêmes (T^e) — on emploiera l'expression de d é s i g n a t e u r s, tandis que les catégories qui caractérisent un tel terme (C^e ou T^e) en le rapportant à un autre terme de l'énoncé (C^eC^e ou T^eC^e) seront appelées des c o n n e c t e u r s.

---

(1) NDT : Il nous fallait choisir des symboles pour désigner ces quatre rubriques différentes. En anglais, Jakobson avait utilisé les initiales des différents mots. Comme le hasard veut que, aussi bien « énoncé » et « énonciation », d'une part, que, d'autre part, « procès » et « protagoniste », commencent de la même façon, nous avons décidé de désigner arbitrairement les deux membres de la seconde opposition par leur première consonne différente : procès/protagoniste, et les deux membres de l'autre opposition par une de leurs voyelles différentes : énoncé/énonciation.

Les désignateurs indiquent soit la qualité soit la quantité du terme de l'énoncé et peuvent être appelés respectivement q u a - lificateurs et quantificateurs.

Les désignateurs comme les connecteurs peuvent caractériser le procès de l'énoncé et/ou ses protagonistes avec ou sans référence au procès de l'énonciation (../Cᵃ) ou à ses protagonistes (../Tᵃ). Les catégories qui impliquent cette référence seront appelées embrayeurs ; celles qui ne l'impliquent pas seront dites non-embrayeurs.

A partir de ces dichotomies de base, toutes les catégories verbales génériques peuvent être définies.

2.2.   Tᵉ) Parmi les catégories qui impliquent les protagonistes du procès de l'énoncé, le genre et le nombre caractérisent les protagonistes eux-mêmes et cela sans référence au procès de l'énonciation — le genre qualifie et le nombre quantifie les protagonistes. Par exemple, en algonkin, des formes verbales indiquent si l'agent d'une part, le patient de l'autre, sont animés ou inanimés (1), et l'unicité, la dualité ou la multiplicité des agents comme des patients est exprimée dans la conjugaison koryak.

2.21.   Tᵉ/Tᵃ) La personne caractérise les protagonistes du procès de l'énoncé par référence aux protagonistes du procès de l'énonciation. Ainsi la première personne signale l'identité d'un des protagonistes du procès de l'énoncé avec l'agent du procès de l'énonciation, et la seconde personne son identité avec le patient actuel ou potentiel du procès de l'énonciation.

2.3.   Cᵉ) Le statut et l'aspect caractérisent le procès de l'énoncé lui-même sans impliquer ses protagonistes et sans référence au procès de l'énonciation. Le statut (dans la terminologie de Whorf) définit la qualité logique du procès. Par exemple, en gilyak, les statuts affirmatif, présomptif, négatif, interrogatif, et interrogatif-négatif sont exprimés par des formes verbales spéciales. En anglais, le statut assertif emploie les combinaisons avec *do* qui, dans certaines conditions, sont facultatives pour les assertions affirmatives mais obligatoires pour les assertions négatives ou interrogatives.

---

(1) Cf. L. Bloomfield, « Algonquian », *Linguistic Structures of Native America.*

2.31. C^eC^a) Le t e m p s caractérise le procès de l'énoncé par
référence au procès de l'énonciation. C'est ainsi que le prétérit
nous informe que le procès de l'énoncé est antérieur au procès
de l'énonciation.

2.4. T^eC^e) La v o i x caractérise la relation qui lie le procès
de l'énoncé à ses protagonistes sans référence au procès de l'énonciation ou au locuteur.

2.41. T^eC^e/T^a) Le m o d e caractérise la relation entre le procès de l'énoncé et ses protagonistes par référence aux protagonistes du procès de l'énonciation : dans la formulation de Vinogradov (1), cette catégorie « reflète la conception qu'a le locuteur
du caractère de la relation entre l'action et son acteur ou son
but ».

2.5. C^eC^e) Il n'existe pas de nom standardisé pour désigner
cette catégorie ; des termes tels que « temps relatif » ne recouvrent
qu'une de ses variétés. Le terme utilisé par Bloomfield (1946),
o r d r e (ou encore son modèle grec, t a x i s) semble être le plus
approprié. L'ordre caractérise le procès de l'énoncé par rapport
à un autre procès de l'énoncé et sans référence au procès de
l'énonciation : c'est ainsi que le gilyak distingue trois types
d'ordres indépendants — l'un requiert, l'autre admet, et le troisième exclut un ordre dépendant, et l'ordre dépendant exprime
diverses relations avec le verbe indépendant — simultanéité,
antériorité, interruption, connexion concessive, etc. Whorf a
décrit un système similaire en Hopi (Whorf, 1946).

2.51. C^eC^{ea}/C^a) Nous proposons d'appeler t e s t i m o n i a l
(anglais *evidential*) la catégorie verbale qui fait entrer en ligne de
compte trois procès — le procès de l'énoncé, le procès de l'énonciation, et un « procès d'énonciation énoncé » (C^{ea}), à savoir la
source d'information alléguée relativement au procès de l'énoncé.
Le locuteur rapporte un procès sur la base du rapport fait par
quelqu'un d'autre (preuve par ouï-dire), sur la base d'un rêve
(preuve par révélation), d'une conjecture (preuve par présomp-
tion) ou de sa propre expérience antérieure (preuve par la mémoire). La conjugaison bulgare distingue deux groupes de formes
opposés sémantiquement : la « narration directe » ($C^{ea} = C^a$)
et la « narration indirecte » ($C^{ea} \neq C^a$). A notre question, « qu'est-il

---

(1) V.V. Vinogradov, *Russkij jazyk*, Leningrad, 1947.

arrivé au steamer Evdokija ? » un Bulgare répondit d'abord : *zaminala* « on prétend qu'il est parti » puis ajouta : *zamina* « j'en porte témoignage, il est parti » (1).

2.6.   L'interrelation de toutes ces catégories peut être illustrée à l'aide du schéma d'ensemble suivant :

	T impliqué		*T non impliqué*	
	Désignateur	*Connecteur*	*Désignateur*	*Connecteur*
Qualificateur :	Genre		Statut	
Quantificateur :	Nombre	Voix	Aspect	Ordre
Embrayeur :	Personne		Temps	
Embrayeur :		Mode		Testimonial

En s'attachant spécialement à l'opposition embrayeurs/non-embrayeurs, on peut condenser ce modèle en un tableau plus simple :

	T impliqué		*T non impliqué*	
	Désignateur	*Connecteur*	*Désignateur*	*Connecteur*
Non-embrayeur :	T^e	T^eC^e	C^e	C^eC^e
Embrayeur :	T^e/T^a	T^eC^e/T^a	C^e/C^a	C^eC^{ea}/C^a

---

(1) Voir H.G. Lunt, *Grammar of the Macedonian Literary Language* (Skopje, 1952), sur la distinction systématique faite dans le système verbal du macédonien entre les procès « garantis » et « distancés ».

3. *Les concepts grammaticaux du verbe russe.*

3.1.   Nous allons maintenant cataloguer et classer les concepts grammaticaux exprimés par les formes verbale russes. Ce tableau corrige et complète nos études de 1932 et 1939 (1). Comme nous l'indiquions dans ces articles, de deux catégories grammaticales opposées, l'une est « marquée » et l'autre « non-marquée ». La signification générale d'une catégorie marquée réside en ceci qu'elle affirme la présence d'une certaine propriété (positive ou négative) A ; la signification générale de la catégorie non-marquée correspondante n'avance rien concernant la présence de A, et est employée principalement, mais non exclusivement, pour indiquer l'absence de A. Le terme non-marqué est toujours le négatif du terme marqué, mais, au niveau de la signification générale, l'opposition des deux termes peut être interprétée comme « affirmation de A » / « pas d'affirmation de A », tandis qu'au niveau des significations « rétrécies », nucléaires, on rencontre l'opposition « affirmation de A » / « affirmation de non-A ».

Quand nous nous référons à une paire de catégories grammaticales opposées, nous les qualifions toujours comme « marquée/non-marquée », dans cet ordre. De même, quand nous nous référons aux classes, les désignateurs sont toujours mentionnés en premier et les connecteurs en second lieu. A l'intérieur de chacune de ces classes, les catégories impliquant T sont cataloguées avant celles qui se limitent à C. Enfin il a paru approprié de considérer les embrayeurs avant les non-embrayeurs correspondants.

Toutes les catégories verbales sont passées en revue, à l'exception des participes, classe hybride qui relève grammaticalement à la fois du verbe et de l'adjectif.

3.2.   PERSONNE : a) p e r s o n n e l (signalant que $T^e = T^a$)/ i m p e r s o n n e l ; b) à l'intérieur du personnel : p r e m i è r e p e r s o n n e (signalant le destinateur)/s e c o n d e p e r s o n n e (signalant tout T^a imaginable et en un sens plus restreint le destinataire) ; c) à l'intérieur de la seconde personne : i n c l u s i f (signalant la participation du destinateur)/e x c l u s i f (manquant

---

(1) Cf. R. Jakobson, « Zur Struktur des russischen Verbums », *Charisteria Guilelmo Mathesio* (Prague, 1932), et « Signe zéro », *Mélanges Bally* (Genève, 1939).

d'une telle indication). L'impératif et le hortatif emploient cette
distinction : cf. *otdoxnem* et *otdoxni*, *otdoxnemte* et *otdoxnite*.

3.21. ⸱   GENRE : a) s u b j e c t i f (signalant la présence de T^e)/
n e u t r e ; b) à l'intérieur du subjectif, f é m i n i n (signalant que
T^e n'est pas mâle)/m a s c u l i n (qui ne spécifie pas le sexe :
Vošel staršij vrač, ženščina let soroka.

NOMBRE : p l u r i e l (signalant la pluralité de T^e)/
s i n g u l i e r.

3.3.   STATUT : est exprimé en russe sur le plan syntaxique,
non sur le plan morphologique : cf. *Ne on... Ne pojdet... On li ?...
Pojdet li ?*

ASPECT : a) p e r f e c t i f (indiquant l'accomplissement
absolu de C^e)/i m p e r f e c t i f (neutre du point de vue de l'accomplissement ou du non-accomplissement) : cf. impf. *pet'* « chanter »
et pf. *spet'* « accomplir, achever l'action de chanter » ; impf.
dopevat' « être au stade final du chant » et pf. *dopet'* « accomplir
le stade final du chant » ; impf. *zapevat'* « être au stade initial du
chant » et pf. *zapet'* « accomplir le stade initial du chant ». Le
prétérit signale que, de deux procès, C^e précède C^a, tandis que
le présent n'implique pas de séquence ; en conséquence, un verbe
perfectif au prétérit ne peut être utilisé pour exprimer un accomplissement réitéré, puisque seul le dernier accomplissement dans
la séquence temporelle est exprimé par l'aspect perfectif : *Inogda
on pogovarival* (impf.) *o reformax* (on ne pourrait pas employer
le pf. *pogovoril*) ; *To vystrel razdavalsja* (impf.), *to slyšalis' kriki*
(les prétérits perfectifs *razdalsja*, *poslyšalis'* ne pourraient être
substitués à ces formes imperfectives). C'est seulement si le procès répétitif est récapitulé et son accomplissement final affirmé
que le prétérit perfectif peut être utilisé : *Za vse èti dni on pona-
govoril o reformax.* Au présent, où, grammaticalement, aucune
séquence temporelle n'est impliquée, chaque accomplissement est
absolu, et on emploie le perfectif : *Inogda on pogovorit o reformax* ;
To vystrel razdastja, to kriki poslyšatsja. Le prétérit perfectif
signale l'antécédence temporelle de C^e (par rapport à C^a) et son
accomplissement. Le présent perfectif n'indique pas si C^e précède ou non C^a ; quand on l'emploie dans sa signification res-
treinte, nucléaire, il donne à entendre que C^e ne précède pas C^a,
et ainsi son accomplissement envisagé est postérieur à C^a : la
signification la plus usuelle du présent perfectif se rapporte à
l'avenir, ainsi *Oni zakričat* « Ils vont se mettre à crier. »

b) à l'intérieur de l'imperfectif : d é t e r m i n é (signalant l'inté-
grité, la continuité de C^e)/i n d é t e r m i n é, par exemple *exat'* -
ezdit'.

c) à l'intérieur de l'imperfectif et de l'indéterminé : i t é r a t i f
(signalant un C^e d'abord réitéré ou habituel et ensuite irrévo-
cable)/n o n - i t é r a t i f : *On pljasyval* « Il avait l'habitude de
danser mais plus tard cessa de le faire » — *On pljasal* « Il dan-
sait. »

d) à l'intérieur de l'imperfectif : i n c h o a t i f (signalant le
début de C^e)/n o n - i n c h o a t i f.

e) à l'intérieur de l'inchoatif : p e r f e c t i v i s é (« futur »)/n o n -
p e r f e c t i v i s é. Les deux variétés de l'inchoatif s'expriment au
moyen de formes périphrastiques combinant l'infinitif d'un verbe
imperfectif et les formes du présent de l'auxiliaire « être ». L'inchoatif non-perfectivisé emploie la forme imperfective de l'auxiliaire, tandis que l'inchoatif perfectivisé recourt aux formes per-
fectives correspondantes. Le présent imperfectif est exprimé par
une forme zéro ($\neq$), par opposition au prétérit imperfectif *byl*,
etc. d'une part, et au présent perfectif *budu*, etc. d'autre part.
L'inchoatif non-perfectivisé pose simplement l'acte d'amorcer le
procès : *Oni kričat'* « ils se mettent à crier » ; l'inchoatif perfectivisé anticipe l'accomplissement de l'acte d'amorcer le procès :
Oni budut kričat' « ils vont crier ». La relation entre ces deux formes est similaire à la relation usuelle entre *Oni kričat* et *Oni
zakričat* (1).

3.4.   MODE : a) c o n d i t i o n n e l (signalant des procès qui
pourraient se produire, de l'avis du sujet parlant, sans qu'ils se
soient effectivement produits)/i n d i c a t i f.

Cf. *žil by on na vole, ne znal by pečali* « S'il vivait libre, il ne
connaîtrait pas le malheur » et *žil on na vole, ne znal pečali* « il

---

(1) Sur ce point, nous nous séparons de l'interprétation de M. Isačenko
(« La structure sémantique des temps en russe ». *BSL*, 55, 1960). D'après lui,
dans les formes du type *oni kričat'*, il s'agit d'« une construction elliptique à
infinitif (*oni stali kričat'*, *načoli kričat'*) limitée à la position finale d'une phrase,
à la condition que le verbe exprime une action concrète ». L'idée de l'omission
d'un *verbum finitum* a été depuis longtemps rejetée, à juste raison, par Šaxma-
tov, et en vain chercherait-on à remplacer la forme zéro du verbe « être »
dans des proverbes comme *ljudi molotit'*, *a on zamki kolotit'*. Les deux restric-
tions introduites par M. Isačenko (« position finale » et « action concrète »),
de même que les vieilles tentatives d'exclure la seconde personne, se heurtent
à des tournures courantes telles que : *ty filosofstvorat', da vsë bez tolku* « tu te
mets à philosopher, mais toujours à tort et à travers ».

vivait libre et ne connaissait pas le malheur » ; *Žiť by emu na vole, ne znať by pečali* « s'il pouvait vivre libre, il ne connaîtrait pas le malheur » ; *Žiť by emu na vole* « Ah ! s'il pouvait vivre en liberté ! »

b) **injonctif** (signalant que le Cᵉ est imposé au protagoniste)/**indicatif**.

Il existe deux variétés fondamentales de l'injonctif : ou bien il figure comme un pur appel (forme d'adresse) ou il est transposé en un énoncé déclaratif.

Deux formes d'appel de l'injonctif doivent être distinguées : **hortatif** (signalant une participation au Cᵉ)/**impératif**. Ce dernier réclame une participation au Cᵉ, tandis que le premier ajoute une note de cajôlerie. Les verbes perfectifs et déterminés expriment ces catégories par des formes univerbales tandis que les autres verbes usent de formes périphrastiques pour indiquer la personne inclusive. Par exemple au hortatif, le verbe perfectif *napisať* et l'imperfectif correspondant *pisať* présentent le paradigme : destinateur *napišu-ka, budu-ka pisať*, destinataire *napiši-ka, piši-ka*, destinataires *napišite-ka, pišite-ka*, destinateur-destinataire *napišem-ka, budem-ka pisať* (appel atténué : *davaj-ka pisať*), destinateur-destinataires *napišemte-ka, budemte-ka pisať* (atténué *davajte-ka pisať*). L'impératif offre le même paradigme que le hortatif, mais sans la particule *ka* et sans la forme exclusive du destinateur (première personne du singulier) : à l'impératif le destinataire est toujours impliqué, qu'il soit au singulier ou au pluriel et qu'il y ait ou non participation du destinateur, tandis que le hortatif implique le destinataire et/ou le destinateur C'est seulement au hortatif des verbes déterminés que manque la forme de la première personne du singulier.

La forme déclarative de l'injonctif ne contient aucune distinction de personne ou de nombre grammatical et du point de vue syntaxique elle peut s'appliquer à chacune des soi-disant « trois personnes » au singulier comme au pluriel. Employée dans une proposition conditionnelle, elle exprime une hypothèse irréelle émise par le sujet parlant : *Pogebi* (ou *begi*) *on, emu by ne sdobrovať* « S'il s'était mis à courir (s'il avait couru) les choses auraient mal tourné pour lui. » Dans une proposition indépendante, cette forme des verbes imperfectifs exprime une obligation que le Tᵃ suppose imposée au Tᵉ : *Vse otdyxajut, a on begi* « Tout le monde se repose (se tient tranquille), tandis qu'il doit courir. » La forme perfective correspondante exprime une action accomplie par Tᵉ mais si surprenante pour Tᵃ qu'elle semble

irréelle : *Vse otdyxajut, a on (ni s togo, ni s sego) pobcgi* « Tout
le monde se repose, tandis que lui, tout à coup (sans raison) il se
met à courir. » Quand un injonctif narratif de cette sorte est
construit à partir d'un verbe imperfectif, il recourt à une forme
impérative périphrastique : *Vse otdyxajut, a on (ni s togo, ni s
sego) davaj bežal'.* « Tout le monde se repose, tandis que lui,
subitement, le voilà en train de courir. » Ainsi l'injonctif narratif
d'un verbe perfectif emploie la forme de l'impératif, portant sur
le destinataire (deuxième personne du singulier), de ce verbe,
tandis que l'injonctif narratif d'un verbe imperfectif emploie la
forme de l'impératif, portant sur le destinataire, de l'auxiliaire
davaj. Seuls les verbes imperfectifs, quand on les emploie dans
des propositions indépendantes, expriment la différence entre les
deux variétés d'injonctif déclaratif : assomptif *beyi* et narratif
davaj bežal'.

3.41.   VOIX : r é f l é c h i / n o n - r é f l é c h i. Par opposition à
ce dernier, le réfléchi restreint la participation au procès de
l'énoncé. Le verbe non-réfléchi correspondant au verbe réfléchi
peut, du point de vue syntaxique, être transitif ou intransitif.
Le transitif admet deux T^e primaires — un sujet et un objet
direct, et la forme réfléchie exclut le second de ces deux termes.
Cf. *Sonja myla posudu* « Sonia lava les plats » et *Sonja mylas'*
« Sonia se lava » ou *Posuda mylas'* « Les plats furent lavés ».
Le sujet grammatical est le seul protagoniste primaire admis par
le verbe intransitif. En règle générale, la forme réfléchie correspondante exclut le sujet et ne s'emploie que dans les constructions impersonnelles (cf. *Ja tjaželo dyšu* « Je respire difficilement »
et *Tjaželo dyšitsja* « Il est difficile de respirer »), ou bien, dans
quelques cas, la sphère de l'action subit un rétrécissement sub-
stantiel (cf. *Parus belect* « Une voile blanchoie » et *Parus beleetsja
vdali* « Une voile luit blanche dans le lointain » ; *zvonju* « je sonne »
et *zvonjus'* « je sonne à la porte »).

3.5.   Le TESTIMONIAL n'est exprimé en russe que sur le
plan syntaxique. Cf. des particules telles que *de, mol,* et les procédés utilisés dans les diverses formes de discours direct et indirect.

3.51.   ORDRE : a) d é p e n d a n t (signalant un C^e concomi-
tant à un autre C^e principal)/i n d é p e n d a n t. Le temps dans
un ordre dépendant fonctionne lui-même comme ordre : il signale
la relation temporelle au C^e principal et non au C^a comme le fait
le temps dans un ordre indépendant.

La relation prétérit/présent se change en une opposition définissable, dans les termes de Whorf, comme s é q u e n t i e l l e
(signalant la liaison temporelle entre les deux Ce). Gérondif
prétérit imperfectif : *Vstrečav ee v rannej molodosti, on snova
uvidel ee čerez dvadcať let* « Après l'avoir rencontrée à plusieurs
reprises dans sa prime jeunesse, il la vit de nouveau vingt ans
après ; « *Nikogda ne vstrečav ego ran'še, ja včera poznakomilsja s
nim* « Ne l'ayant jamais rencontré auparavant, hier je fis sa connaissance ». Gérondif présent imperfectif : *Vstrečaja druzej, on
radovalsja* ou *raduetsja* « Rencontrant des amis, il fut (il est)
charmé » ; *On umer rabotaja* « Il mourut en travaillant » (les deux
procès sont étroitement liés dans le temps). Il existe une relation
similaire entre les formes du prétérit et du présent du gérondif
perfectif — *vstretiv* et *vstretja*. Il est très difficile de substituer la
seconde forme à la première dans une phrase comme *Vstretiv ee
v rannej molodosti, on snova uvidel ee čerez dvadcať let* « Après
l'avoir rencontrée une fois dans sa prime jeunesse, il la vit de
nouveau vingt après », ou *on nikogda s nej bol'še ne videlsja* « il ne
la vit plus jamais ». On peut dire *pročitav* (ou *pročtja*) *knigu, on
zadumalsja* « ayant lu le livre, il sombra dans ses pensées » mais
pročtja ne pourrait pas être employé dans la phrase *Pročitav
knigu, on vposledstvii často govoril o nej* « Après avoir lu ce livre,
plus tard il en parlait souvent. » Exemples de gérondif présent
perfectif : *vstretja vas, ja* (on pourrait ajouter *pri ètom) ne poveril*
(ou *ne xotel veriť) svoim glazam* « Vous ayant rencontré, je n'en
crus pas (je n'en voulus point croire) mes yeux » : les deux procès
sont presque simultanés. Si le verbe principal précède cette sorte
de gérondif, celui-ci peut exprimer la résultante du premier de
deux procès liés par une contiguïté étroite: *On vnes predloženie,
vstretja (pri ètom) rjad vozraženij* « Il introduisit une proposition
qui souleva une quantité d'objections » ; *Ona upala, povredja
sebe (pri ètom) rebro* « Elle tomba et se froissa une côte. » Quelques verbes seulement forment un gérondif présent perfectif, et
même dans leurs paradigmes on a tendance à remplacer de telles
formes par la forme du prétérit et de la sorte à abolir la distinction entre séquentiel et concurrent dans les gérondifs perfectifs :
On zažeg spičku, osveliv (substitué à *osvetja) komnatu* « Il frotta
une allumette et éclaira la pièce », mais *On zažigal spičku, kazdyj
raz na mig osveščaja* (et non *osveščav) komnatu* « Chaque fois
qu'il frotta une allumette, il éclaira la pièce un instant. »

Dans le parler moscovite de ma génération, le séquentiel est
scindé en deux formes purement taxiques - c o r r é l a t i f (signalant une connexion interne entre les deux Ce) et n o n - c o r r é -

latif (n'impliquant pas de connexion interne) : *Nikogda ne vstrečavši akterov, on ne znal, kak govorit' s nimi* « Comme il n'avait jamais rencontré des acteurs, il ne savait pas comment les aborder. » *Nikogda prežde ne vstrečav akterov, on slučajno poznakomilsja s Kačalovym* « N'ayant jamais rencontré des acteurs, il fit par hasard la connaissance de K. » *Vstretivši ego, ona gusto pokrasnela* « L'ayant rencontré, elle devint toute rouge », *Vstretiv Petra, on vskore stolknulsja ešče s neskol'kimi znakomymi* « Peu après avoir rencontré Pierre, il tomba sur d'autres amis ». Il est plus facile de substituer des formes telles que *vstretiv* à des formes comme *vstretivši* que de faire l'inverse. On peut dire *Snjavši* (ou *snjav*) *pal'to, ja počušvstvoval pronizyvajuščij xolod* « Quand j'ôtai mon manteau je ressentis (en conséquence) un froid perçant ». Mais la forme *snjavši* est peu probable dans une phrase comme *Snjav pal'to, ja sel za stol* « Après avoir ôté mon manteau, je m'assis à table ». Ainsi la prétendue synonymie de formes comme *sxvatja, sxvativ, sxvativši* ou *poxalturja, poxalturiv, poxalturivši* est en fait inexistante.

3.6.   Parmi toutes les formes verbales, l'infinitif est celle qui véhicule l'information grammaticale minimale. Il ne dit rien ni sur le protagoniste du procès de l'énoncé, ni sur la relation de ce procès aux autres procès de l'énoncé ou au procès de l'énonciation. L'infinitif exclut ainsi la personne, le genre, le nombre, l'ordre et le temps.

Dans les autres formes, et à un degré moindre que dans l'infinitif, la concurrence des catégories verbales est soumise à des lois restrictives.

Genre et nombre marqué (pluriel) s'excluent mutuellement.

Personne et genre s'excluent mutuellement.

La personne implique le nombre.

Personne et temps marqué (prétérit) s'excluent mutuellement.

Les désignateurs de T et l'ordre marqué (gérondif) s'excluent mutuellement.

Parmi les aspects marqués, 1) perfectif, déterminé et itératif, et 2) perfectif, itératif et inchoatif s'excluent mutuellement ; seul le déterminé et l'inchoatif sont compatibles : par exemple *On bežat'* et *On budet bežat'*.

L'inchoatif exclut le temps marqué (prétérit), le mode marqué (non-indicatif) et l'ordre marqué (gérondif).

L'itératif exclut le présent et l'injonctif (quand il est en corrélation avec le présent).

Le conditionnel et le présent s'excluent mutuellement.

Excepté pour les formes d'appel de l'injonctif, le mode marqué
(non-indicatif) et la personne s'excluent mutuellement.

Les formes d'appel excluent l'opposition personnel/imperson-
nel et impliquent l'opposition inclusif/non-inclusif.

Le mode marqué (non-indicatif) et l'ordre marqué (gérondif)
s'excluent mutuellement.

L'aspect et la voix-sont les seules catégories compatibles avec
toutes les autres catégories quelles qu'elles soient. Parmi les
aspects, cependant, seules les paires perfectif/imperfectif et déter-
miné/indéterminé embrassent toutes les catégories verbales. La
paire inchoatif/non-inchoatif est confinée au présent, cependant
que l'opposition itératif/non-itératif exclut seulement le présent
et l'injonctif. Cf. *My živali v stolice* « Nous vivions dans la capitale dans le temps, mais c'est fini maintenant », *Esli by on ne
žival v stolice, on skoree privyk by k derevne* « S'il n'avais jamais
vécu dans la capitale comme il en avait l'habitude, il se serait
habitué plus facilement à la campagne » ; *Živavši podolgu v stolice, on ne mog svyknuť sja s provinciej* « Ayant vécu assez longtemps dans la capitale, il lui fut difficile de s'adapter à la province » ; *Emu prixodilos' živať podolgu v derevne* « Il eut l'occasion
de passer de longues périodes à la campagne » ; *V èlom gorode
nam ne živať* « Plus jamais ne vivrons-nous dans cette ville comme
nous en avions l'habitude (dans cette ville, il n'y a plus moyen
de vivre) » ; *Na čužbine ne živať - toski ne znavať* « Qui n'a pas
vécu longtemps à l'étranger n'a pas eu l'occasion d'apprendre
ce que c'est que la nostalgie ».

Pour les verbes non-transitifs, l'opposition entre voix réfléchie
et voix non-réfléchie est d'ordinaire limitée à la personne non-
marquée (impersonnel) de l'aspect non-marqué (imperfectif).

4. *Les procédés grammaticaux du verbe russe*

4.1.   Toute forme fléchie, en russe, comprend un thème et
une désinence. Les thèmes sont préfixés ou non-préfixés (simples).
Dans nos exemples la désinence est séparée du thème par un tiret,
un préfixe l'est du morphème suivant par un plus, et les morphèmes à l'intérieur d'un thème simple ou d'une désinence sont

séparés l'un de l'autre par un trait d'union, ainsi : /ví+rv-a—l-a-s/.

Un thème peut inclure un suffixe thématique, ainsi /rv-á—t,/, ou être non-suffixé, ainsi /grís—t,/. Un thème verbal peut présenter deux alternants - un thème plein et un thème tronqué, qui ordinairement diffère du premier par l'omission du phonème final, ainsi /znáj—/ : /zná—/ ; /rvá—/ : /rv—/. Les thèmes pleins se divisent en thèmes fermés, se terminant par un non-syllabique, /znáj —/, /star,-éj—/, /gríz—/, et thèmes ouverts, se terminant par un syllabique, /rvá—/, /dú-nu—/ ; (pour une description plus détaillée voir notre article de 1948) (1).

Trois types de morphèmes désinentiels doivent être distingués : un « suffixe initial » qui n'est jamais précédé par un autre suffixe désinentiel, ainsi /rv-a—l-á/ ou /rv-a—l-á-s/, /rv,—ó-m/ ou /rv,—ó-m-sa/ ; ; un « suffixe final » qui peut se présenter sans être suivi d'un autre suffixe, ainsi /rv-a—l-á/, /rv,—ó-m/ ; un « postfixe » qui peut s'ajouter à un suffixe final, ainsi /rv-a—l-á-s/, /rv,—ó-m-sa/, /rv-á—f-ši/. Si une désinence consiste en un seul suffixe, ce dernier est tout à la fois initial et final, ainsi /rv—ú/, /griz,—á/. Les désinences se divisent en consonantiques et vocaliques. Les désinences consonantiques commencent par une consonne /gríz-l-a/ ou consistent en une seule consonne /zná-f/. Les désinences vocaliques commencent par une voyelle /griz,—ó-š/ ou consistent en une seule voyelle /griz—ú/ ou en un zéro alternant avec une voyelle /m,ér,—#/ : /var,—í/.

Des catégories verbales différentes font usage de procédés grammaticaux différents.

4.2.   La personne, le genre et le nombre emploient les suffixes désinentiels finaux. Là où la personne est exprimée, la distinction entre les deux nombres et entre la première et la seconde personne est rendue par les mêmes suffixes à la fois, tandis que la « troisième personne » est rendue par le suffixe final et son nombre par le suffixe initial : /gar,—í-t/ : /gar,—á-t/. Ceci représente la seule exception à l'utilisation des suffixes finaux par les désignateurs caractérisant les protagonistes du procès de l'énoncé. A cette expression séparée du nombre et de la « troisième personne », on peut comparer le système des pronoms : tandis que la supplétion est employée dans les pronoms de la première et de la deuxième personne (/já/ et /mí/, /tí/ et /ví/, la « troisième

---

(1) R. Jakobson, « Russian Conjugation », *Word*, 4, 1948.

personne » est exprimée par la racine et la différence en genre
et en nombre par les désinences : /ón—-#/, /an—á/ et /an,—í/.

4.3.   Pour signaler les temps, des désinences vocaliques sont
utilisées pour le présent, et des consonantiques pour le prétérit :
/znáj—u/ : /zná—l-#/ ; /znáj—a/ : /zná—f/ ; /rv,—ó-m/ :
/rvá—l,-i/. Les désinences vocaliques distinguent le présent et le
mode injonctif, en corrélation avec l'indicatif présent, de toutes
les autres formes verbales — le prétérit aussi bien que l'infinitif.
Ce dernier emploie une désinence consonantique d'un seul suffixe, qui finit sur un zéro alternant avec une voyelle (/zná—t,/ :
/n,is—t,í/).

4.31   Les aspects sont différenciés par des modifications dans
le thème (suffixes thématiques ou préfixation) et par des formes
périphrastiques. La paire déterminé/indéterminé se distingue par
l'alternance de deux thèmes non préfixés : ou bien un thème
plein ouvert s'oppose à un thème plein fermé se terminant en
/-aj-/, /-áj-/, ou bien un thème non suffixé s'oppose à un thème
suffixé : /b,iž-á—/ : /b,ég-aj—/, /l,it,-é—/ : /l,it-áj—/, /kat,-í—/:
/kat-áj—/ ; /n,ás—/ : /nas-í—/. Les deux thèmes non préfixés
de la paire itératif/non-itératif se distinguent par le suffixe
/-ivaj—/ ou /-váj—/ dans la forme itérative, ainsi /p,ís-ivaj—/ :
/p,is-á—/, /čít-ivaj—/ : /čit-áj—/, /zna-váj—/ : /znaj—/. Si un
préfixe s'ajoute à une paire itératif/non-itératif ou déterminé/non-
déterminé, alors, à moins que la signification lexicale ne diverge,
la relation entre ses membres se change en l'opposition perfec-
tif/imperfectif. Le déterminé et l'indéterminé deviennent respectivement le perfectif et l'imperfectif, tandis que l'itératif passe à
l'imperfectif et le non-itératif au perfectif, cf. /pr,i+n´ós—/ :
/pr,i+nas,-i—/ ; /vi+p,ís-a—/ : /vi+p,ís-ivaj—/. Dans d'autres
paires perfectif/imperfectif, un thème préfixé s'oppose à un thème
non préfixé ou un thème plein ouvert à un fermé se terminant en
/-aj—/, /-áj—/, ainsi /na+p,is-á—/ : /p,is-á—/ ; /r,iš-í—/ :
/r,iš-áj—/, /p,ix-nú—/ : /p,ix-áj—/, /at+r,éz-a—/ : /at+r,iz-
áj—/. Si les deux membres d'une paire perfectif/imperfectif ont
des thèmes ouverts, le suffixe de thème /-nu—/, /-nú—/ signale
le verbe perfectif, ainsi /kr,ik-nu—/ : /kr,ič-á—/, /max-nú—/ :
/max-á—/.

L'aspect inchoatif combine l'infinitif du verbe donné avec le
présent perfectif (/bud—/) et imperfectif (#) du verbe « être ».

4.4.   Parmi les connecteurs, les non-embrayeurs s'expriment
au moyen de postfixes. La voix marquée joint un postfixe au

suffixe désinentiel final de la voix non-marquée correspondante ;
le réfléchi ajoute le postfixe /-s/ ou l'une de ses variantes automatiques /-sa/, /-sá/ et /-ca/, ainsi /fstr,éč—u-s/, /fstr,ét,—i-š-sa/,
/fstr,ét—i-t-ca/. La forme corrélative du gérondif prétérit ajoute
le postfixe /-ši/ aux formes non-corrélatives, ainsi /fstr,ét,-i—
f-ši/ : /fstr,ét,-i—f/. Mais devant un second postfixe, à savoir
dans le cas du gérondif prétérit des verbes réfléchis, l'opposition
corrélatif/non-corrélatif est abolie : seule la forme /fstr,ét-i—f-
ši-s/ existe. Ainsi, de deux préfixes successifs, l'antécédent est
redondant.

Les embrayeurs appartenant à la classe des connecteurs, à
savoir les modes, emploient des particules enclitiques — des
« annexes » dans la terminologie de Whorf — au lieu de suffixes
désinentiels et de postfixes. La combinaison de ces annexes avec
le morphème verbal précédant est soumise aux règles du sandhi
externe, alors que la combinaison des suffixes ordinaires est gou-
vernée par les règles du sandhi interne. Dans le cas des modes
injonctifs, au contact des annexes et du morphème précédant,
apparaissent des groupes de phonèmes normalement inadmissibles à l'intérieur d'un mot, tels que, par exemple /p,t,/, /f,t,/,
/p,s/, /f,s/, /t,s/, /s,s/, /p,k/, /f,k/ ou des distinctions telles que
/m,t,/ : /mt,/, /m,s/ : /ms/, /m,k/ : /mk/. C f./pa+znakóm,—#-
t,i/ et /pa+jd,—ó-m- t,i/, /pa+znakóm,—#- sa/ et/pa+jd, —
ó-m- sa/, /pa+znakóm,—#- ka/, et /pa+jd,—ó-m- ka/. Dans
notre transcription, un intervalle séparant les traits d'union et
les tirets de ces annexes symbolise leur caractère particulier. A
l'indicatif /v,il,—í-t,i/, figure habituellement la variante fermée
de /í/, sous l'influence de la consonne palatalisée suivante du
même mot, tandis qu'à l'impératif /v,il,—í- t,i/, on observe souvent une variante plus ouverte de /í/, comme dans le groupe de
mots /pr,i+v,i—l-í t,ibé/, puisque les lois du sandhi interne ne
jouent pas ici. Tandis que les formes de l'impératif utilisent des
particules fixes, le conditionnel opère avec la particule mobile
/bi/, /b/, /p/.

La particule /ka/ est spécifiquement hortative, tandis que les
deux autres particules utilisées par l'injonctif — celle de la deuxième personne du pluriel /t,i/ et le réfléchi /s/ ou /sa/ passent
simplement du statut de suffixe ou de postfixe à celui d'annexe.
Toutes ces particules peuvent s'enchaîner et chacune d'entre
elles, ou deux, ou toutes les trois, peuvent être rattachées aux
deux formes sans annexe de l'injonctif, qui peuvent aussi s'employer séparément. Une de ces formes est le thème verbal avec
suffixe désinentiel zéro —# ´(remplacé par /—i/, /—í/ après un

groupe de phonèmes et après un thème n'ayant pas d'accent fixe sur sa racine ou sur le suffixe thématique), ainsi /fstr,ét,—≠/, /kr,íkn,—i/, /s,id,—í/, /ví+s,id,—i/. Dans l'ensemble du système verbal russe, c'est le seul cas où le zéro joue le rôle d'alternant primaire dans une désinence. L'autre forme sans annexe est identique à la première personne du pluriel du présent perfectif mais diffère de celle-ci syntaxiquement (absence de pronom), sémantiquement (signifiant « que toi et moi... ») et paradigmatiquement : /fstr,ét,—i-m/ s'oppose à /fstr,ét,—i-m t,i/ comme « destinataire singulier » à « destinataire pluriel » et à /fstr,ét,—i-m ka/ comme l'impératif au hortatif. Cf. l'accumulation maximale de morphèmes grammaticaux dans /pra+gul,id-áj—i-m- ti - s - ka/. La première personne du singulier du présent perfectif s'emploie aussi dans les formes de l'injonctif mais seulement jointe à l'annexe /ka/.

Quelques formes périphrastiques des modes injonctifs combinent l'infinitif du verbe donné avec des formes de l'injonctif des verbes auxiliaires : /búd,—i-m/, /búd,—i-m- t,i/, /búd,—i-m- ka/, /búd,—i-m -t,i -ka/, /da-váj—≠/, /da-váj—≠- t,i/, /da-váj—≠- ka/, /da-váj-≠- t,i -ka/.

4.5.   En résumé, en mettant de côté quelques formes périphrastiques employées par les verbes imperfectifs, l'expression des catégories verbales russes présente, grossièrement, la structure suivante :

Les désignateurs de T (désignant les protagonistes), embrayeurs (personne) ou non-embrayeurs (genre et nombre), font usage de suffixes désinentiels finaux.

Les désignateurs de C (désignant le procès) utilisent les composants du mot antérieurs au suffixe final. Les embrayeurs (temps) emploient des suffixes désinentiels initiaux, tandis que les non-embrayeurs (aspect) remontent plus loin ; ils ignorent la désinence et opèrent avec le thème — à savoir avec les suffixes de thème et la préfixation.

Les connecteurs font un large emploi des unités postérieures au suffixe final. Les non-embrayeurs (voix et ordre) utilisent les postfixes, tandis que les embrayeurs (mode) tendent à réduire la désinence au zéro et à remplacer les suffixes désinentiels habituels par des annexes autonomes, partie en transformant les suffixes en annexes, partie en ajoutant de nouvelles particules purement modales.

CHAPITRE X

LA NOTION DE SIGNIFICATION GRAMMATICALE
SELON BOAS (1)

The man killed the bull (« L'homme tua le taureau »). Les gloses
de Boas sur cette phrase, dans sa brève esquisse *Language* (1938),
constituent une de ses plus pénétrantes contributions à la théorie linguistique. « Dans la langue », dit Boas, « l'expérience à
communiquer est classée suivant un certain nombre d'aspects
distincts » (2). C'est ainsi que dans les phrases « l'homme tua le
taureau » et « le taureau tua l'homme », l'inversion dans l'ordre
des mots exprime des expériences différentes. Les *topoi* (3) sont
les mêmes — homme et taureau — mais l'agent et le patient
sont distribués différemment.

La grammaire, d'après Boas, choisit, classe, et exprime différents aspects de l'expérience, et, de plus, elle remplit une autre
fonction importante : « elle détermine quels sont les aspects de
chaque expérience qui *doivent* être exprimés ». Boas indique avec
finesse que le caractère obligatoire des catégories grammaticales est le trait spécifique qui les distingue des significations
lexicales :

---

(1) Publié sous le titre « Boas' view of grammatical meaning » dans *The
Anthropology of Franz Boas*, éd. W. Goldschmidt, *American Anthropologist*,
vol. 61, n° 5, part 2, October 1959, Memoir n° 89 of the American Anthropological Association.

(2) Franz Boas, « Language » in *General Anthropology*, Boston, 1938, p. 127.

(3) NDT : nous avons choisi ce terme grec pour rendre l'anglais *topic*, terme
générique suggéré par Yuen Ren Chao pour désigner le *sujet* et l'*objet*, cf.
Y. R. Chao, « How Chinese logic operates », in *Anthropological Linguistics*, I,
1-8, 1959.

Quand nous disons : *The man killed the bull*, nous enten-
dons qu'un homme unique et défini a tué, dans le passé,
un taureau unique et défini. Il ne nous est pas possible
d'exprimer cette expérience de telle manière qu'un doute
subsiste sur le fait qu'il s'agit d'une personne définie ou
indéfinie (ou d'un taureau défini ou indéfini), d'une ou de
plusieurs personnes (ou taureaux), du présent ou du passé.
Nous avons à choisir parmi les aspects, et l'un ou l'autre
doit être choisi. Les aspects obligatoires sont rendus par
le moyen de procédés grammaticaux (1).

Dans la communication verbale nous sommes confrontés à un
ensemble de choix binaires. Si l'action rapportée est *kill* et si
the man et *the bull* fonctionnent respectivement comme agent et
comme patient, le locuteur anglais doit choisir entre (A) une
construction p a s s i v e et une construction a c t i v e, la première
centrée sur le patient, la seconde sur l'agent. Dans le second cas
le patient, et dans le premier l'agent, peuvent être ou ne pas
être nommés : *The man killed (the bull)* et *The bull was killed
(by the man)* [« l'homme tua (le taureau) » et « le taureau fut tué
(par l'homme) »]. Puisque la mention de l'agent dans les constructions passives est facultative, son omission ne peut pas être
considérée comme elliptique, tandis qu'une phrase telle que *was
killed by the man* (« fut tué par l'homme ») présente une ellipse
frappante. Le locuteur, s'il a choisi la construction active, doit
encore faire une série de choix binaires entre, par exemple (B)
le p r é t é r i t (distancé) et le n o n - p r é t é r i t : *killed* s'oppose à
kills ; (C) le p a r f a i t — selon l'interprétation de Otto Jespersen (2) rétrospectif, permansif, inclusif — et le n o n - p a r f a i t :
has killed s'oppose à *kills*, *had killed* à *killed* ; (D) le p r o g r e s s i f
(développé — *expanded* —, continuatif) et le n o n - p r o g r e s -
s i f : *is killing* s'oppose à *kills*, *was killing* à *killed*, *has been ki-
ling* à *has killed*, *had been killing* à *had killed* ; (E) le p o t e n t i e l
et le n o n - p o t e n t i e l : *will kill* opposé à *kills*, *would kill* opposé
à *killed*, *will have killed* opposé à *has killed*, *will be killing* opposé
à *is killing*, *would be killing* opposé à *was killing*, *will have been
killing* opposé à *has been killing*, *would have been killing* opposé
à *had been killing* (j'omets les autres verbes auxiliaires de la série

---

(1) Boas, « Language », p. 132.

(2) Cf. Otto Jespersen : *The Philosophy of Modern Grammar*, Londres et
New York, 1924, et *A Modern English Grammar on Historic Principles* (nouvelle édition), Londres/Copenhague, 1954.

double *will-shall* et *can-may*, qui, de la même manière, n'ont qu'une forme au prétérit et une forme au non-prétérit) (1).

L'auxiliaire *do*, employé dans les constructions assertoriques, vérificatives — l'affirmation ostensible, la « négation nexale », et l'« interrogation nexale », dans les termes de Jespersen (2) — ne peut pas se combiner avec les autres auxiliaires, de sorte que le nombre de choix possibles entre (F) a s s e r t o r i q u e et n o n-a s s e r t o r i q u e est considérablement réduit : *does kill* s'oppose à *kills* et *did kill* à *killed* (3). Comme la négation et l'interrogation nexales ont une modalité manifestement assertorique, vérificative (une modalité « verdictive », d'après la suggestion terminologique de Willard Quine), dans leur cas une forme verbale simple (*kills*, *killed*) se trouve remplacée obligatoirement par la construction avec *do*, et il n'y a pas d'alternative possible, tandis que la distinction entre une confirmation et un simple énoncé positif exige un choix entre deux constructions possibles — *the man does kill the bull* ou *the man kills the bull*, *he did kill* ou *he killed*. De la sorte, l'absence (ou du moins le caractère tout à fait inusité) de constructions interrogatives, telles que *killed he* ou *read you*, dans le système formel de l'anglais, a une motivation sémantique.

On peut résumer dans un diagramme cet aperçu des catégories verbales sélectives dans les constructions personnelles positives : chaque fois, des deux termes de l'opposition, c'est le plus spécifié, le terme « marqué » de l'opposition, qui est noté par un « plus », et le moins spécifié, le terme non-marqué, qui est noté par un « moins » ; les « moins » entre parenthèses indiquent qu'il n'existe pas de « plus » correspondant.

Le choix d'une forme grammaticale par le locuteur met l'auditeur en présence d'un nombre défini d'unités (*bits*) d'information. Cette sorte d'information a un caractère obligatoire pour tout échange verbal à l'intérieur d'une communauté linguistique donnée. De plus, des différences considérables caractérisent

---

(1) Ni le parfait progressif ni le potentiel progressif ne sont employés au passif, parce que deux formes non conjuguées de l'auxiliaire *to be* sont incompatibles.

(2) Jespersen, *Philosophy of Modern Grammar*. NDT : Jespersen distingue deux types de construction, *jonction* (*a furiously barking dog*) et *nexus* (*the dog barks furiously*) (p. 97). « La notion négative peut appartenir logiquement soit à une seule idée (négation spéciale) soit à la combinaison des deux parties d'un nexus (négation nexale) » (id. p. 329).

(3) En dehors de l'indicatif, cet auxiliaire ne s'emploie que dans les constructions impératives : *do kill* ! opposé à *kill* !

FORMES VERBALES	CATÉGORIES SÉLECTIVES					
	A	B	C	D	E	F
kills	—	—	—	—	—	—
killed	—	+	—	—	—	—
has killed	—	—	+	—	—	(—)
had killed	—	+	+	—	—	(—)
will kill	—	—	—	—	+	(—)
would kill	—	+	—	—	+	(—)
will have killed	—	—	+	—	+	(—)
would have killed	—	+	+	—	+	(—)
is killing	—	—	—	+	—	(—)
was killing	—	+	—	+	—	(—)
has been killing	—	—	+	+	—	(—)
had been killing	—	+	+	+	—	(—)
will be killing	—	—	—	+	+	(—)
would be killing	—	+	—	+	+	(—)
will have been killing	—	—	+	+	+	(—)
would have been killing	—	+	+	+	+	(—)
does kill	—	—	(—)	(—)	(—)	+
did kill	—	+	(—)	(—)	(—)	+
is killed	+	—	—	—	—	(—)
was killed	+	+	—	—	—	(—)
has been killed	+	—	+	(—)	—	(—)
had been killed	+	+	+	(—)	—	(—)
will be killed	+	—	—	(—)	+	(—)
would be killed	+	+	—	(—)	+	(—)
will have been killed	+	—	+	(—)	+	(—)
would have been killed	+	+	+	(—)	+	(—)
is being killed	+	—	—	+	—	(—)
was being killed	+	+	—	+	—	(—)

l'information grammaticale véhiculée par les différentes langues.
C'est ce que Franz Boas, grâce à son étonnante maîtrise des multiples modèles sémantiques du monde linguistique, avait parfaitement compris :

> Les aspects choisis varient fondamentalement suivant les groupes de langues. En voici un exemple : tandis que pour nous le concept du défini ou de l'indéfini (*definiteness*), le nombre et le temps sont obligatoires, dans une autre langue nous trouvons, comme aspects obligatoires, le lieu — près du locuteur ou ailleurs — et la source d'information — vue, entendue (c'est-à-dire connue par ouï-dire) ou inférée. Au lieu de dire « l'homme tua le taureau », je devrais dire « cet (ces) homme(s) tue (temps indéterminé) vu par moi ce(s) taureau(x) » (1).

A l'intention de ceux qui auraient tendance à tirer, d'une série de concepts grammaticaux, des inférences d'ordre culturel, Boas ajoute immédiatement que les aspects obligatoirement exprimés peuvent être nombreux dans telle langue et rares dans telle autre, mais que « la pauvreté des aspects obligatoires n'implique en aucune façon l'obscurité du discours. Quand c'est nécessaire, on atteint à la clarté en ajoutant des mots explicatifs. » Pour exprimer le temps ou la pluralité, les langues qui ne connaissent pas le temps ou le nombre grammatical recourent à des moyens lexicaux. C'est ainsi que la vraie différence entre les langues ne réside pas dans ce qu'elles peuvent ou ne peuvent pas exprimer mais dans ce que les locuteurs doivent ou ne doivent pas transmettre. Si un Russe dit : *Ja napisal prijatelju* « j'ai écrit à un ami » (*I wrote a friend*), la distinction entre le caractère défini ou indéfini du complément (*le* opposé à *un*) n'est pas exprimée, tandis que l'aspect verbal indique que la lettre a été achevée, et que le genre masculin exprime le sexe de l'ami. Comme en russe ces concepts sont grammaticaux, on ne peut pas les omettre dans la communication. En revanche, si vous demandez à un Anglais, qui vient de dire *I wrote a friend*, si la lettre a été achevée et s'il l'a adressée à un ami ou à une amie, il risque de vous répondre : « Mêlez-vous de vos affaires ! »

La grammaire est un véritable *ars obligatoria*, comme disaient les scolastiques ; elle impose au locuteur des décisions par oui ou non. Comme Boas n'a cessé de le faire remarquer, les concepts grammaticaux d'une langue donnée orientent l'attention de la

---

(1) Boas, « Language », p. 133.

communauté linguistique dans une direction déterminée, et, par leur caractère contraignant, influencent la poésie, les croyances, et même la pensée spéculative, sans cependant diminuer la capacité, inhérente à toute langue, de s'adapter aux besoins suscités par les progrès de la connaissance.

En plus de ces concepts qui sont grammaticalisés, et par conséquent obligatoires, dans certaines langues, mais lexicalisés, et seulement facultatifs, dans d'autres, Boas entrevit que certaines catégories relationnelles sont obligatoires dans le monde entier : « les méthodes au moyen desquelles ces relations sont exprimées varient considérablement, mais ce sont des éléments nécessaires de la grammaire ». C'est le cas, par exemple, de la distinction entre sujet et prédicat, et de celle entre prédicat et épithète, aussi bien que de la référence grammaticale au destinateur et au destinataire (1). Ce problème des catégories grammaticales indispensables, universelles, fut esquissé par Boas, et par son pénétrant disciple, Sapir (2), en défi à l'aversion des néogrammairiens pour toute recherche de lois universelles ; c'est devenu un problème crucial pour la linguistique d'aujourd'hui.

Quels aspects de l'information sont obligatoires pour n'importe quelle communication verbale dans le monde ? Quels autres ne le sont que dans un certain nombre de langues ? C'était là, pour Boas, le point décisif, qui séparait la grammaire universelle de la description grammaticale des langues isolées, et qui, de plus, l'autorisait à tracer une ligne de démarcation entre le domaine de la morphologie et de la syntaxe, avec leurs règles obligatoires, et le champ plus libre du vocabulaire et de la phraséologie. En anglais, dès que l'on emploie un nom, deux choix — l'un entre le pluriel et le singulier, l'autre entre le défini et l'indéfini — sont faits nécessairement, tandis que dans une langue indienne d'Amérique qui n'a pas de procédés grammaticaux pour exprimer le nombre et le concept du défini, la distinction entre « la chose », « une chose », « les choses » et « des choses » peut être, ou bien simplement passée sous silence, ou bien délibérément exprimée par des moyens lexicaux.

Il était clair pour Boas que toute différence dans les catégories grammaticales est porteuse d'une information sémantique. Si le langage est bien un outil servant à transmettre de l'information, il doit être impossible de décrire les parties constitutives de cet

---

(1) Cf. ici même, ch. IX.
(2) Sapir, *Le langage*, tr. fr., Paris, 1950.

instrument sans égard à leurs fonctions, de même que la description d'une automobile qui ne se référerait pas aux tâches de ses parties actives serait incomplète et inadéquate. Boas ne renonça jamais à la question-clé : quelle est, du point de vue de l'information, la différence entre les procédés grammaticaux observés ? Il n'entendait pas accepter une théorie non sémantique de la structure grammaticale et toute allusion défaitiste à la prétendue obscurité de la notion de sens lui paraissait elle-même obscure et dépourvue de sens.

Son travail avec les informateurs indigènes, en particulier avec ce membre d'une tribu Kwakiutl qui fut pendant longtemps son invité, témoigne des scrupules de Boas et de l'objectivité de sa démarche. Il observa attentivement comment la vie insolite de New York interférait chez l'Indien avec les modèles indigènes. Dans la conversation, Boas se plaisait à dépeindre l'indifférence de cet homme, venu de Vancouver, à l'égard des gratte-ciel de Manhattan (« chez nous on construit les maisons les unes à côté des autres, vous, vous les empilez les unes sur les autres »), de l'Aquarium (« des poissons pareils, nous les rejetons dans le lac ») ou du cinéma, ennuyeux et vide de sens à ses yeux. En revanche, l'étranger restait figé sur place pendant des heures, dans Times Square, à contempler les géants et les nains, les femmes à barbe et les filles à queue de renard des baraques foraines, ou devant les distributeurs automatiques où boissons et sandwiches surgissaient miraculeusement : il se sentait transporté dans l'univers des mythes Kwakiutl. De la même façon, la manière capricieuse dont il entremêlait l'anglais et le parler indien fournit à Boas des indications inestimables sur les particularités des concepts grammaticaux en Kwakiutl.

Les équations bilingues, mais avant tout l'interprétation de ces concepts au moyen d'expressions équivalentes, voilà précisément ce que les linguistes entendent par « sens », ce qui correspond à la définition sémiotique donnée par Charles Peirce (1) : le sens d'un symbole est sa traduction en d'autres symboles. Ainsi le sens peut et doit être établi en termes de discriminations et d'identifications linguistiques, exactement comme, de leur côté les discriminations linguistiques sont toujours faites en tenant compte de leur valeur sémantique. Les sujets réagissent à la langue qu'ils parlent par ce qu'on appelle maintenant des « opérations métalinguistiques » ; celles-ci consistent en propositions

(1) C. S. Peirce, *Collected Papers*, vol. 5.

équationnelles qui surgissent dès qu'il y a incertitude : les deux interlocuteurs emploient-ils le même code ? Jusqu'à quel point le discours de l'un est-il compris par l'autre ? L'interprétation métalinguistique des messages, au moyen de paraphrases, de synonymes, ou par la traduction effective du message dans une autre langue, ou même dans un système de signes différent, joue un rôle énorme dans tout processus d'apprentissage du langage, tant chez l'enfant que chez l'adulte. Ces propositions équationnelles occupent une place importante dans le corpus total des énoncés, et, au même titre que tous les autres spécimens d'un corpus donné, elles peuvent être soumises à l'analyse distributionnelle (est-il dit, et dans quels contextes, que « A est B », que « B est A » et/ou que « A n'est pas B » et « B n'est pas A » ?) Ainsi la technique purement linguistique de l'analyse distributionnelle s'avère parfaitement applicable aux problèmes du sens tant sur le plan du lexique que sur celui de la grammaire, et il n'est plus permis de considérer les significations comme des « impondérables subjectifs ». C'est un procédé plus sûr et plus objectif de se référer aux opérations métalinguistiques des locuteurs indigènes, en vue de tirer au clair les significations, que de réclamer de ces mêmes indigènes qu'ils jugent simplement si telle phrase est *acceptable* ou non dans leur langue. En effet, des ellipses ou des anacoluthes, parce qu'elles sont inadmissibles dans un style explicite et châtié, pourraient se trouver condamnées par l'informateur, en dépit de l'emploi qu'elles trouvent dans un langage familier, poétique, ou teinté d'émotion.

Chomsky (1), avec beaucoup d'ingéniosité, a tenté de construire une « théorie complètement non sémantique de la structure grammaticale ». Cette entreprise compliquée se révèle être en fait une magnifique preuve par l'absurde, qui rendra d'utiles services aux recherches actuelles sur la hiérarchie des significations grammaticales. Les exemples produits dans le livre de Chomsky, *Syntactic Structures*, peuvent servir à illustrer la manière dont Boas délimite la classe des significations grammaticales. Décomposons la phrase, prétendue absurde, *Colorless green ideas sleep furiously* « D'incolores idées vertes dorment furieusement » (2) : nous en extrayons un sujet au pluriel, « idées », dont on nous dit qu'il a une activité, « dormir » ; chacun des deux termes est caractérisé — les « idées » comme « incolores » et « vertes », le « sommeil » comme « furieux ». Ces relations grammaticales créent une phrase

---

(1) Noam Chomsky, *Syntactic Structures*, La Haye, 1957.
(2) l.c. p. 15.

douée de sens, qui peut être soumise à une épreuve de vérité :
existe-t-il ou non des choses telles que des idées incolores, des
idées vertes, des idées qui dorment, ou un sommeil furieux ?
L'expression « vert incolore » est synonyme de « vert pâle » et
produit l'effet, légèrement épigrammatique, d'un oxymoron appa-
rent. L'épithète métaphorique, dans « idées vertes », rappelle le
vers fameux d'Andrew Marvell, *Green thought in a green shade*
(« une verte pensée dans une ombre verte »), l'expression russe
« un ennui vert » (*zelenaja skula*) (1) ou encore l'image de Tolstoï,
« une horreur rouge, blanche et carrée » (*Vse tot zhe uzhas krasnyj,
belyj, kvadratnyj*). Au sens figuré, « dormir » peut signifier « être
dans un état comparable au sommeil : inertie, léthargie, engour-
dissement », par exemple « sa haine ne s'endormit jamais » (*his
hatred never slept*) (2) ; pourquoi donc ne pourrait-on pas dire,
des idées de quelqu'un, qu'elles dorment ? Finalement, pourquoi
l'attribut « furieux » ne rendrait-il pas l'idée d'une frénésie de
sommeil ? En fait, il s'est trouvé quelqu'un, Dell Hymes, pour
faire un sort à cette phrase dans un poème tout à fait sensé, écrit
en 1957, et dont le titre est précisément : « D'incolores idées
vertes dorment furieusement ».

Cependant, même si nous censurons pédantiquement toute
expression imagée et dénions l'existence aux idées vertes, même
alors, comme dans le cas de la « quadrature du cercle » ou du
« lait de poule », la non-existence, le caractère fictif de ces entités,
n'ont pas de portée s'il s'agit de déterminer leur valeur sémantique. C'est la possibilité même de mettre en doute leur existence
qui fournit la meilleure mise en garde contre toute confusion de
l'irréalité ontologique avec l'absence de sens. Il n'y a, de plus,
aucune raison d'assigner aux constructions en question « un degré
inférieur de grammaticalité ». Dans un important dictionnaire
russe, l'adjectif signifiant « enceint » était classé comme uniquement féminin, parce que — *beremennyj muzhchina nemyslim* « un
homme enceint est inconcevable ». Cette phrase russe, cependant,
emploie la forme masculine de l'adjectif, et l'« homme enceint »
paraît dans les légendes populaires, dans les canards des jour-
naux, et dans le poème de David Burljuk : *Mne nravistja beremennyj mužčina prislonivšijsja k pamjatniku Puškina* « J'aime
l'homme enceint qui s'appuie contre le monument de Pouch-

---

(1) NDT : Cp. fr. « une trouille verte », « en voir de vertes », etc.
(2) NDT : Cp. fr. : « il ne dort que d'un œil », « des eaux dormantes », « laisser
dormir une affaire ».

kine » (1). Le masculin apparaît, de plus, dans un emploi figuré du même adjectif. De la même façon,une petite fille française, à l'école primaire, prétendait que, dans sa langue maternelle, non seulement les noms, mais aussi les verbes ont un genre : par exemple le verbe « couver » est féminin, puisque « les poules couvent mais pas les coqs ». Nous n'avons pas non plus le droit de recourir à l'argument ontologique pour établir des degrés de grammaticalité, en excluant des inversions telles que *golf plays John*, qui, d'après Chomsky, ne sont pas des phrases (2) (cf. des énoncés aussi clairs que *John does not play golf* ; *golf plays John* « John ne joue pas au golf ; c'est le golf qui se joue de lui) (3).

L'agrammaticalité effective prive un énoncé de son information sémantique. Plus les formes syntaxiques et les concepts relationnels qu'elles véhiculent viennent à s'oblitérer, plus difficile est-il de soumettre le message à une épreuve de vérité, et seule l'intonation de phrase tient encore ensemble des « mots en liberté »(4) tels que *silent not night by silently unday* « silencieux pas nuit par silencieusement non-jour » (e.e. cummings) ou *Furiously sleep ideas green colorless* (N. Chomsky) « Furieusement dormir idées vert incolore ». Un énoncé tel que « Cela semble toucher à sa fin » dans sa version agrammaticale « fin toucher semble à sa » peut difficilement être suivi par la question : « Est-ce vrai ? » ou « En êtes-vous sûr ? » Des énoncés d'où toute grammaire a complètement disparu sont évidemment dénués de sens. Le pouvoir contraignant du modèle grammatical, reconnu par Boas, et qui contraste, comme il l'avait bien vu, avec la liberté relative qui règne dans le choix des mots, est mis en pleine lumière par une recherche sémantique dans le domaine du non-sens.

---

(1) NDT : Cf. aussi, entre autres exemples, le mythe pawnee du « garçon enceint », dans Lévi-Strauss, *Anthropologie Structurale*, p. 258 sv.

(2) Chomsky, l.c. p. 42, « inverted non-sentences ».

(3) NDT : Un exemple plus frappant en français serait, en parlant d'un sculpteur : « il travaille la pierre »/« la pierre le travaille ».

(4) NDT : En français dans le texte.

QUATRIÈME PARTIE

POÉTIQUE

CHAPITRE XI

LINGUISTIQUE ET POÉTIQUE (1)

Fort heureusement, les conférences scientifiques et politiques n'ont rien de commun. Le succès d'une convention politique dépend de l'accord de la majorité ou de la totalité de ses participants. En revanche, le recours au vote et au veto est étranger aux débats scientifiques, où le désaccord se révèle en général plus productif que l'accord. Le désaccord dévoile des antinomies et des tensions à l'intérieur du champ étudié ; il est le prétexte à de nouvelles explorations. En fait, plus qu'aux conférences politiques, c'est aux expéditions dans l'Antarctique que font penser les réunions scientifiques : de part et d'autre, des experts internationaux appartenant à des disciplines diverses s'efforcent de dresser la carte d'une région inconnue, de déterminer où se trouvent les obstacles gênants pour l'explorateur, les pics et les précipices infranchissables. C'est à cette besogne de cartographie, semble-t-il, que s'est principalement consacrée notre conférence, et de ce point de vue, elle aura été une réussite. Nous nous faisons sans doute maintenant une idée plus nette des problèmes cruciaux, des questions controversées. Nous avons sans doute aussi appris à ajuster nos codes respectifs, à expliciter ou même à éviter certains termes, de manière à prévenir les malen-

---

(1) Paru en anglais, sous le titre « Closing statements : Linguistics and Poetics », dans T. A. Sebeok, éd., *Style in Language*, New York, 1960. Cet ouvrage a son origine dans une conférence interdisciplinaire sur le style, qui s'est tenue à l'Université d'Indiana et qui réunissait des linguistes, des anthropologues, des psychologues et des critiques littéraires.

tendus, entre gens parlant des jargons scientifiques différents.
Pour la plupart des membres de cette assemblée, sinon pour tous,
de telles questions, j'en suis persuadé, sont maintenant un peu
plus claires qu'elles ne l'étaient il y a trois jours.

On m'a demandé, pour conclure, d'esquisser une vue d'ensembles des relations entre la poétique et la linguistique. L'objet de
la poétique, c'est, avant tout, de répondre à la question : *Qu'est-ce
qui fait d'un message verbal une œuvre d'art* ? Comme cet objet
concerne la différence spécifique qui sépare l'art du langage des
autres arts et des autres sortes de conduites verbales, la poétique
a droit à la première place parmi les études littéraires.

La poétique a affaire à des problèmes de structure linguistique,
exactement comme l'analyse de la peinture s'occupe des structures picturales. Comme la linguistique est la science globale des
structures linguistiques, la poétique peut être considérée comme
faisant partie intégrante de la linguistique.

Les objections que peut soulever ce point de vue réclament un
examen attentif. De toute évidence, un bon nombre des procédés
qu'étudie la poétique ne se limitent pas à l'art du langage. On
sait qu'il est possible de faire un film des *Hauts de Hurlevent*, de
transposer les légendes médiévales sous forme de fresques ou de
miniatures, de tirer, de *L'Après-Midi d'un Faune*, un poème musical, un ballet, une œuvre graphique. Aussi biscornue que paraisse
l'idée de mettre *L'Illiade* et *L'Odyssée* en bandes dessinées, certains éléments structuraux de l'action subsistent, en dépit de la
disparition de la forme linguistique. On peut se demander si les
illustrations de Blake pour la *Divine Comédie* sont adéquates :
que la question se pose est bien la preuve que des arts différents
sont comparables. Les problèmes du baroque, ou de tout autre
style historique, débordent le cadre d'un seul art. Celui qui étudierait la métaphore chez les surréalistes pourrait difficilement
passer sous silence la peinture de Max Ernst ou les films de
Luis Bunuel, *L'Age d'Or* et *Le Chien Andalou*. Bref, de nombreux
traits poétiques relèvent non seulement de la science du langage,
mais de l'ensemble de la théorie des signes, autrement dit, de la
sémiologie (ou sémiotique) générale. Cette observation, d'ailleurs, vaut non seulement pour l'art du langage, mais aussi pour
toutes les variétés de langage, le langage partageant de nombreuses propriétés avec certains autres systèmes de signes, ou
même avec l'ensemble de ces systèmes (éléments pansémiotiques).

De même, une seconde objection ne contient rien qui soit spécifique à la littérature : la question des relations entre le mot et le monde ne concerne pas seulement l'art du langage, mais bien toutes les formes de discours. La linguistique est en passe d'explorer tous les problèmes que posent les relations entre le discours et l'« univers du discours » : qu'est-ce qui, de cet univers, est mis en forme par un discours donné ? Et comment est-ce mis en forme ? Les valeurs de vérité, toutefois, dans la mesure où elles sont — pour parler comme les logiciens — des « entités extralinguistique », ne sont visiblement pas du ressort de la poétique, ni de celui de la linguistique en général.

On entend parfois dire que la poétique, par opposition à la linguistique, a pour tâche de juger de la valeur des œuvres littéraires. Cette manière de séparer les deux domaines repose sur une interprétation courante mais erronée du contraste entre la structure de la poésie et les autres types de structures verbales : celles-ci, dit-on, s'opposent par leur nature fortuite, non intentionnelle, au caractère intentionnel, prémédité, du langage poétique. En fait, toute conduite verbale est orientée vers un but, mais les objectifs varient — ce problème, de la conformité entre les moyens employés et l'effet visé, préoccupe de plus en plus les chercheurs qui travaillent dans les différents domaines de la communication verbale. Il y a une correspondance étroite, beaucoup plus étroite que ne le pensent les critiques, entre la question de l'expansion des phénomènes linguistiques dans le temps et dans l'espace, et celle de la diffusion spatiale et temporelle des modèles littéraires. Même des formes d'expansion discontinue telles que la résurrection de poètes négligés ou oubliés — je pense à la découverte posthume et à la canonisation subséquente de Gerard Manley Hopkins (+1889), à la célébrité tardive de Lautréamont (+1870) auprès des poètes surréalistes, à l'influence saillante d'un Cyprien Norwid (+1883), resté jusqu'alors ignoré, sur la poésie polonaise moderne — même de tels phénomènes ne sont pas sans parallèle dans l'histoire des langues courantes : on peut y rencontrer la tendance à faire revivre des modèles archaïques, parfois oubliés depuis longtemps ; ce fut le cas pour le tchèque littéraire, qui, au début du xixe siècle, se tourna vers des modèles datant du xvie siècle.

Malheureusement, la confusion terminologique des « études littéraires » avec la « critique » pousse le spécialiste de la littérature à se poser en censeur, à remplacer par un verdict subjectif la description des beautés intrinsèques de l'œuvre littéraire. La dénomination de « critique littéraire », appliquée à un savant étudiant la littérature est aussi erronée que le serait celle de « critique grammatical (ou lexical)», appliquée à un linguiste. Les recher-

ches syntaxiques et morphologiques ne peuvent être supplantées
par une grammaire normative, et, de même, aucun manifeste,
débitant les goûts et opinions propres à un critique sur la littérature créatrice, ne peut se substituer à une analyse scientifique
objective de l'art du langage. Qu'on ne s'imagine pas, cependant,
que nous prônons le principe quiétiste du *laissez-faire* (1) : toute
culture verbale implique des entreprises normatives, des pro-
grammes, des plans. Mais pourquoi devrait-on faire une nette
distinction entre la linguistique pure et la linguistique appliquée,
entre la phonétique et l'orthophonie, et non entre les études
littéraires et la critique ?

Les études littéraires, avec la poétique au premier rang, portent, tout comme la linguistique, sur deux groupes de problèmes :
des problèmes synchroniques, et des problèmes diachroniques.
La description synchronique envisage non seulement la production littéraire d'une époque donnée, mais aussi cette partie de
la tradition littéraire qui est restée vivante ou a été ressuscitée
à l'époque en question. C'est ainsi qu'à l'heure actuelle, dans le
monde poétique anglais, il y a une présence vivante de Shakespeare, d'une part, de Donne, Marvell, Keats, Emily Dickinson,
de l'autre, tandis que l'œuvre de James Thomson ou celle de
Longfellow, pour le moment, ne comptent pas au nombre des
valeurs artistiques viables. Le choix qu'un nouveau courant
fait parmi les classiques, la réinterprétation qu'il en donne, voilà
des problèmes essentiels pour les études littéraires synchroniques.
Il ne faut pas confondre la poétique synchronique, pas plus que
la linguistique synchronique, avec la statique : chaque époque
distingue des formes conservatrices et des formes novatrices.
Chaque époque est vécue par les contemporains dans sa dynamique temporelle ; d'autre part, l'étude historique, en poétique
comme en linguistique, a affaire, non seulement à des changements, mais aussi à des facteurs continus, durables, statiques.
La poétique historique, tout comme l'histoire du langage, si elle
se veut vraiment compréhensive, doit être conçue comme une
superstructure, bâtie sur une série de descriptions synchroniques
successives.

L'insistance à tenir la poétique à l'écart de la linguistique ne
se justifie que quand le domaine de la linguistique se trouve
abusivement restreint, par exemple quand certains linguistes
voient dans la phrase la plus haute construction analysable, ou

---

(1) En français dans le texte.

quand la sphère de la linguistique est confiné à la seule grammaire, ou uniquement aux questions non sémantiques de forme externe, ou encore à l'inventaire des procédés dénotatifs à l'exclusion des variations libres. Voegelin (1) a mis le doigt sur les deux très importants problèmes, d'ailleurs apparentés, qui se posent à la linguistique structurale : il nous faut réviser l'« hypothèse du langage monolithique » et reconnaître l' « interdépendance de diverses structures à l'intérieur d'une même langue ». Sans aucun doute, pour toute communauté linguistique, pour tout sujet parlant, il existe une unité de la langue, mais ce code global représente un système de sous-codes en communication réciproque ; chaque langue embrasse plusieurs systèmes simultanés dont chacun est caractérisé par une fonction différente.

Nous serons évidemment d'accord avec Sapir pour dire que, dans l'ensemble, « l'idéation règne en maître dans le langage... » (2), mais cette suprématie n'autorise pas la linguistique à négliger les « facteurs secondaires ». Les éléments émotifs du discours qui, à en croire Joos, ne pourraient être décrits « au moyen d'un nombre fini de catégories absolues », sont classés par lui parmi les « éléments non linguistiques du monde réel ». Aussi, conclut-il, « ils restent pour nous des phénomènes vagues, protéiques, fluctuants, et nous refusons de les tolérer dans notre science » (3). Joos est à vrai dire un brillant expert en expériences de réduction ; en exigeant aussi carrément que l'on expulse les éléments émotifs de la science du langage, il s'embarque dans une radicale expérience de réduction — de *reductio ad absurdum*.

Le langage doit être étudié dans toute la variété de ses fonctions. Avant d'aborder la fonction poétique, il nous faut déterminer quelle est sa place parmi les autres fonctions du langage. Pour donner une idée de ces fonctions, un aperçu sommaire portant sur les facteurs constitutifs de tout procès linguistique, de tout acte de communication verbale, est nécessaire. Le d e s t i - n a t e u r envoie un m e s s a g e au d e s t i n a t a i r e. Pour être opérant, le message requiert d'abord un c o n t e x t e auquel il renvoit (c'est ce qu'on appelle aussi, dans une terminologie quelque peu ambiguë, le « référent »), contexte saisissable par le destinataire, et qui est, soit verbal, soit susceptible d'être verbalisé ; ensuite, le message requiert un c o d e, commun, en tout ou au

(1) C.F. Voegelin : « Casual and Noncasual Utterances within Unified Structure » in SL (= *Style in Language*), pp. 57-68.

(2) Cf. Sapir, *Le langage*.

(3) M. Joos, « Description of Language Design », JASA, 22.701-708 (1950).

moins en partie, au destinateur et au destinataire (ou, en d'autres termes, à l'encodeur et au décodeur du message) ; enfin, le message requiert un c o n t a c t, un canal physique et une connexion psychologique entre le destinateur et le destinataire, contact qui leur permet d'établir et de maintenir la communication. Ces différents facteurs inaliénables de la communication verbale peuvent être schématiquement représentés comme suit :

CONTEXTE

DESTINATEUR ...... MESSAGE ...... DESTINATAIRE.

CONTACT

CODE

Chacun de ces six facteurs donne naissance à une fonction linguistique différente. Disons tout de suite que, si nous distinguons ainsi six aspects fondamentaux dans le langage, il serait difficile de trouver des messages qui rempliraient seulement une seule fonction. La diversité des messages réside non dans le monopole de l'une ou l'autre fonction, mais dans les différences de hiérarchie entre celles-ci. La structure verbale d'un message dépend avant tout de la fonction prédominante. Mais, même si la visée du référent, l'orientation vers le c o n t e x t e — bref la fonction dite « dénotative », « cognitive », r é f é r e n t i e l l e — est la tâche dominante de nombreux messages, la participation secondaire des autres fonctions à de tels messages doit être prise en considération par un linguiste attentif.

La fonction dite « expressive » ou é m o t i v e, centrée sur le destinateur, vise à une expression directe de l'attitude du sujet à l'égard de ce dont il parle. Elle tend à donner l'impression d'une certaine émotion, vraie ou feinte ; c'est pourquoi la dénomination de fonction « émotive », proposée par Marty (1) s'est révélée préférable à celle de « fonction émotionnelle ». La couche purement émotive, dans la langue, est présentée par les interjections. Celles-ci s'écartent des procédés du langage référentiel à la fois par leur configuration phonique (on y trouve des séquences phoniques particulières ou même des sons inhabituels partout ailleurs) et par leur rôle syntaxique (une interjection n'est

---

(1) A. Marty : *Untersuchungen zur Grundlegung der allgemeinen Grammatik und Sprachphilosophie*, vol. 1, Halle, 1908.

pas un élément de phrase, mais l'équivalent d'une phrase complète). « *Tt* ! *Tt* ! dit McGinty » : l'énoncé complet, proféré par le personnage de Conan Doyle, consiste en deux clicks de succion. La fonction émotive, patente dans les interjections, colore à quelque degré tous nos propos, aux niveaux phonique, grammatical et lexical. Si on analyse le langage du point de vue de l'information qu'il véhicule, on n'a pas le droit de restreindre la notion d'information à l'aspect cognitif du langage. Un sujet, utilisant des éléments expressifs pour indiquer l'ironie ou le courroux, transmet visiblement une information, et il est certain que ce comportement verbal ne peut être assimilé à des activités non sémiotiques comme celle, nutritive, qu'évoquait, à titre de paradoxe, Chatman (« manger des pamplemousses ») (1). La différence, en français, entre [si] et [si:], avec allongement emphatique de la voyelle, est un élément linguistique conventionnel, codé, tout autant que, en tchèque, la différence entre voyelles brèves et longues, dans des paires telles que [vi] « vous » et [vi:] « sait » ; mais, dans le cas de cette paire-ci, l'information différentielle est phonématique, tandis que dans la première paire elle est d'ordre émotif. Tant que nous ne nous intéressons aux invariants que sur le plan distinctif, /i/ et /i:/ en français ne sont pour nous que de simples variantes d'un seul phonème ; mais si nous nous occupons des unités expressives, la relation entre invariant et variantes se renverse : c'est la longueur et la brièveté qui sont les invariants, réalisés par des phonèmes variables. Supposer, avec Saporta (2), que les différences émotives sont des éléments non linguistiques, « attribuables à l'exécution du message, non au message lui-même », c'est réduire arbitrairement la capacité informationnelle des messages.

Un ancien acteur du théâtre de Stanislavski à Moscou m'a raconté comment, quand il passa son audition, le fameux metteur en scène lui demanda de tirer quarante messages différents de l'expression *Segodnja večerom* « Ce soir », en variant les nuances expressives. Il fit une liste de quelque quarante situations émotionnelles et émit ensuite l'expression en question en conformité avec chacune de ces situations, que son auditoire eut à reconnaître uniquement à partir des changements dans la configuration phonique de ces deux simples mots. Dans le cadre des recherches que nous avons entreprises (sous les auspices de la Fondation

---

(1) S. Chatman, « Comparing Metrical Styles », in SL, pp. 149-172.
(2) Sol Saporta : « The Application of Linguistics to the Study of Poetic Language », in SL, pp. 82-93.

Rockefeller) sur la description et l'analyse du russe courant contemporain, nous avons demandé à cet acteur de répéter l'épreuve de Stanislavski. Il nota par écrit environ cinquante situations impliquant toutes cette même phrase elliptique et enregistra sur disque les cinquante messages correspondants. La plupart des messages furent décodés correctement et dans le détail par des auditeurs d'origine moscovite. J'ajouterai qu'il est facile de soumettre tous les procédés émotifs de ce genre à une analyse linguistique.

L'orientation vers le d e s t i n a t a i r e, la fonction c o n a t i v e, trouve son expression grammaticale la plus pure dans le vocatif et l'impératif, qui, du point de vue syntaxique, morphologique, et souvent même phonologique, s'écartent des autres catégories nominales et verbales. Les phrases impératives diffèrent sur un point fondamental des phrases déclaratives : celles-ci peuvent et celles-là ne peuvent pas être soumises à une épreuve de vérité. Quand, dans la pièce d'O'Neill, *La Fontaine*, Nano « (sur un violent ton de commandement) » dit « Buvez ! », l'impératif ne peut pas provoquer la question « est-ce vrai ou n'est-ce pas vrai ? », qui peut toutefois parfaitement se poser après des phrases telles que : « on buvait », « on boira », « on boirait ». De plus, contrairement aux phrases à l'impératif, les phrases déclaratives peuvent être converties en phrases interrogatives : « buvait-on ? » « boira-t-on ? », « boirait-on ? »

Le modèle traditionnel du langage, tel qu'il a été élucidé en particulier par Bühler (1), se limitait à ces trois fonctions — émotive, conative et référentielle — les trois sommets de ce modèle triangulaire correspondant à la première personne, le destinateur, à la seconde personne, le destinataire, et à la « troisième personne » proprement dite — le « quelqu'un » ou le « quelque chose » dont on parle. A partir de ce modèle triadique, on peut déjà inférer aisément certaines fonctions linguistiques supplémentaires. C'est ainsi que la fonction magique ou incantatoire peut se comprendre comme la conversion d'une « troisième personne » absente ou inanimée en destinataire d'un message conatif. « Puisse cet orgelet se dessécher, *tfu, tfu, tfu, tfu* » (2). « Eau, reine des rivières, aurore ! Emporte le chagrin au delà de la mer bleue, au fond de la mer, que jamais le chagrin ne vienne alourdir le cœur

---

(1) Cf. K. Bühler : « Die Axiomatik der Sprachwissenschaft, » *Kant-Studien*, 38.19-90 (Berlin, 1933).

(2) Formule magique lithuanienne, cf. V.T. Mansikka, *Litauische Zaubersprüche. Folklore Fellows Communications*, 87 (1929), p. 69

léger du serviteur de Dieu, que le chagrin s'en aille, qu'il sombre au loin » (1), « Soleil, arrête-toi sur Gabaôn, et toi, lune, sur la vallée d'Ayyalôn ! Et le soleil s'arrêta et la lune se tint immobile » (2). Nous avons toutefois reconnu l'existence de trois autres facteurs constitutifs de la communication verbale ; à ces trois facteurs correspondent trois fonctions linguistiques.

Il y a des messages qui servent essentiellement à établir, prolonger ou interrompre la communication, à vérifier si le circuit fonctionne (« Allo, vous m'entendez ? »), à attirer l'attention de l'interlocuteur ou à s'assurer qu'elle ne se relâche pas (« Dites, vous m'écoutez ? » ou, en style shakespearien, « Prêtez-moi l'oreille ! » — et, à l'autre bout du fil, « Hm-hm ! »). Cette accentuation du c o n t a c t — la fonction p h a t i q u e, dans les termes de Malinowski (3) — peut donner lieu à un échange profus de formules ritualisées, voire à des dialogues entiers dont l'unique objet est de prolonger la conversation. Dorothy Parker en a surpris d'éloquents exemples : « Eh bien ! » dit le jeune homme. « Eh bien ! » dit-elle. « Eh bien, nous y voilà, » dit-il, « Nous y voilà, n'est-ce pas, » dit-elle. « Je crois bien que nous y sommes, » dit-il, « Hop ! Nous y voilà. » « Eh bien ! » dit-elle. « Eh bien ! » dit-il, « eh bien. » L'effort en vue d'établir et de maintenir la communication est typique du langage des oiseaux parleurs ; ainsi la fonction phatique du langage est la seule qu'ils aient en commun avec les êtres humains. C'est aussi la première fonction verbale à être acquise par les enfants ; chez ceux-ci, la tendance à communiquer précède la capacité d'émettre ou de recevoir des messages porteurs d'information.

Une distinction a été faite dans la logique moderne entre deux niveaux de langage, le « langage-objet », parlant des objets, et le « métalangage » parlant du langage lui-même. Mais le métalangage n'est pas seulement un outil scientifique nécessaire à l'usage des logiciens et des linguistes ; il joue aussi un rôle important dans le langage de tous les jours. Comme Monsieur Jourdain faisait de la prose sans le savoir, nous pratiquons le métalangage sans nous rendre compte du caractère métalinguistique de nos opérations. Chaque fois que le destinateur et/ou le destinataire jugent nécessaire de vérifier s'ils utilisent bien le

(1) Incantation du Nord de la Russie, cf. P.N. Rybnikov, *Pesni*, vol. 3, Moscou, 1910, p. 217 sv.
(2) Josué, 10:12.
(3) **Malinowski, B.** : « The Problem of Meaning in Primitive Languages », in C.K. Ogden et I.A. Richards, *The Meaning of Meaning*, New York et Londres, 9e éd., 1953, pp. 296-336.

même code, le discours est centré sur le c o d e : il remplit une
fonction m é t a l i n g u i s t i q u e (ou de glose). « Je ne vous suis
pas — que voulez-vous dire ? » demande l'auditeur, ou, dans le
style relevé : « Qu'est-ce à dire ? » Et le locuteur, par anticipation, s'enquiert : « Comprenez-vous ce que je veux dire ? » Qu'on
imagine un dialogue aussi exaspérant que celui-ci : « Le sophomore s'est fait coller. » « Mais qu'est-ce que *se faire coller* ? » « *Se
faire coller* veut dire la même chose que *sécher*. » « Et *sécher* ? »
« *Sécher*, c'est *échouer à un examen*. » « Et qu'est-ce qu'un *sophomore ?* » insiste l'interrogateur ignorant du vocabulaire estu-
diantin. « Un *sophomore* est (ou signifie) un étudiant de seconde
année. » L'information que fournissent toutes ces phrases équationnelles porte uniquement sur le code lexical du français : leur
fonction est strictement métalinguistique. Tout procès d'apprentissage du langage, en particulier l'acquisition par l'enfant de la
langue maternelle, a abondamment recours à de semblables opérations métalinguistiques ; et l'aphasie peut souvent se définir
par la perte de l'aptitude aux opérations métalinguistiques (1).

Nous avons passé en revue tous les facteurs impliqués dans la
communication linguistique sauf un, le message lui-même. La
visée (*Einstellung*) du message en tant que tel, l'accent mis sur
le message pour son propre compte, est ce qui caractérise la
fonction p o é t i q u e du langage. Cette fonction ne peut être
étudiée avec profit si on perd de vue les problèmes généraux du
langage, et, d'un autre côté, une analyse minutieuse du langage
exige que l'on prenne sérieusement en considération la fonction
poétique. Toute tentative de réduire la sphère de la fonction
poétique à la poésie, ou de confiner la poésie à la fonction poétique, n'aboutirait qu'à une simplification excessive et trom-
peuse. La fonction poétique n'est pas la seule fonction de l'art
du langage, elle en est seulement la fonction dominante, déter-
minante, cependant que dans les autres activités verbales elle ne
joue qu'une rôle subsidiaire, accessoire. Cette fonction, qui met
en évidence le côté palpable des signes, approfondit par là même
la dichotomie fondamentale des signes et des objets. Aussi,
traitant de la fonction poétique, la linguistique ne peut se limiter
au domaine de la poésie.

« Pourquoi dites-vous toujours *Jeanne et Marguerite*, et jamais
Marguerite et Jeanne ? Préférez-vous Jeanne à sa sœur jumelle ? »
« Pas du tout, mais ça sonne mieux ainsi. » Dans une suite de
deux mots coordonnés, et dans la mesure où aucun problème de

---

(1) Cf. ici-même, ch. II, 3e partie.

hiérarchie n'interfère, le locuteur voit, dans la préséance donnée au nom le plus court, et sans qu'il se l'explique, la meilleure configuration possible du message.

Un jeune fille parlait toujours de « l'affreux Alfred. » « Pourquoi affreux ? » « Parce que je le déteste. » « Mais pourquoi pas *terrible*, *horrible*, *insupportable*, *dégoûtant* ? » « Je ne sais pas pourquoi, mais *affreux* lui va mieux. » Sans s'en douter, elle appliquait le procédé poétique de la paronomase.

Analysons brièvement le slogan politique *I like Ike* : il consiste en trois monosyllabes et compte trois diphtongues /ay/, dont chacune est suivie symétriquement par un phonème consonantique, /..l..k..k/. L'arrangement des trois mots présente une variation : aucun phonème consonantique dans le premier mot, deux autour de la diphtongue dans le second, et une consonne finale dans le troisième. Hymes (1) a noté la dominance d'un semblable noyau /ay/ dans certains sonnets de Keats. Les deux colons de la formule *I like / Ike* riment entre eux, et le second des deux mots à la rime est complètement inclus dans le premier (rime en écho), /layk/ - /ayk/, image paronomastique d'un sentiment qui enveloppe totalement son objet. Les deux colons forment une allitération vocalique, et le premier des deux mots en allitération est inclus dans le second : /ay/ - /ayk/, image paronomastique du sujet aimant enveloppé par l'objet aimé. Le rôle secondaire de la fonction poétique renforce le poids et l'efficacité de cette formule électorale.

Comme nous l'avons dit, l'étude linguistique de la fonction poétique doit outrepasser les limites de la poésie, et, d'autre part, l'analyse linguistique de la poésie ne peut se limiter à la fonction poétique. Les particularités des divers genres poétiques impliquent la participation, à côté de la fonction poétique prédominante, des autres fonctions verbales, dans un ordre hiérarchique variable. La poésie épique, centrée sur la troisième personne, met fortement à contribution la fonction référentielle ; la poésie lyrique, orientée vers la première personne, est intimement liée à la fonction émotive ; la poésie de la seconde personne est marquée par la fonction conative, et se caractérise comme supplicatoire ou exhortative, selon que la première personne y est subordonnée à la seconde ou la seconde à la première.

Maintenant que notre rapide description des six fonctions de

---

(1) Dell Hymes : « Phonological Aspects of Style : Some English Sonnets », in SL, pp. 109-131.

base de la communication verbale est plus ou moins complète, nous pouvons compléter le schéma des six facteurs fondamentaux par un schéma correspondant des fonctions :

RÉFÉRENTIELLE

ÉMOTIVE   POÉTIQUE   CONATIVE
                       PHATIQUE
                  MÉTALINGUISTIQUE

Selon quel critère linguistique reconnaît-on empiriquement la fonction poétique ? En particulier, quel est l'élément dont la présence est indispensable dans toute œuvre poétique ? Pour répondre à cette question, il nous faut rappeler les deux modes fondamentaux d'arrangement utilisés dans le comportement verbal : la *sélection* et la *combinaison* (1). Soit « enfant » le thème d'un message : le locuteur fait un choix parmi une série de noms existants plus ou moins semblables, tels que enfant, gosse, mioche, gamin, tous plus ou moins équivalents d'un certain point de vue ; ensuite, pour commenter ce thème, il fait choix d'un des verbes sémantiquement apparentés — dort, sommeille, repose, somnole. Les deux mots choisis se combinent dans la chaîne parlée. La sélection est produite sur la base de l'équivalence, de la similarité et de la dissimilarité, de la synonymie et de l'antonymie, tandis que la combinaison, la construction de la séquence, repose sur la contigüité. *La fonction poétique projette le principe d'équivalence de l'axe de la sélection sur l'axe de la combinaison.* L'équivalence est promue au rang de procédé constitutif de la séquence. En poésie, chaque syllabe est mise en rapport d'équivalence avec toutes les autres syllabes de la même séquence ; tout accent de mot est censé être égal à tout autre accent de mot ; et de même, inaccentué égale inaccentué ; long (prosodiquement) égale long, bref égale bref ; frontière de mot égale frontière de mot, absence de frontière égale absence de frontière ; pause syntaxique égale pause syntaxique, absence de pause égale absence de pause. Les syllabes sont converties en unités de mesure, et il en va de même des mores ou des accents.

On peut faire remarquer que le métalangage lui aussi fait un usage séquentiel d'unités équivalentes, en combinant des expressions synonymes en une phrase équationnelle : A = A (« *La*

---

(1) Cf. ici-même, ch. II, 2ᵉ et 5ᵉ parties.

jument est la femelle du cheval »). Entre la poésie et le métalangage, toutefois, il y a une opposition diamétrale : dans le métalangage, la séquence est utilisée pour construire une équation, tandis qu'en poésie c'est l'équation qui sert à construire la séquence.

En poésie, et jusqu'à un certain point dans les manifestations latentes de la fonction poétique, les séquences délimitées par des frontières de mot deviennent commensurables, un rapport est perçu entre elles, qui est soit d'isochronie, soit de gradation. Dans « Jeanne et Marguerite », nous voyons à l'œuvre le principe poétique de la gradation syllabique, ce même principe qui, dans les cadences des épopées populaires serbes, a été élevé au rang de loi obligatoire (1). Sans les deux dactyles qui la composent, l'expression anglaise *innocent bystander* serait difficilement devenue un cliché (2). C'est la symétrie des trois verbes dissyllabiques avec consonne initiale et voyelle finale identiques qui donne sa splendeur au laconique message de victoire de César : « *Veni, vidi, vici.* »

La mesure des séquences est un procédé qui, en dehors de la fonction poétique, ne trouve pas d'application dans le langage. C'est seulement en poésie, par la réitération régulière d'unités équivalentes, qu'est donnée, du temps de la chaîne parlée, une expérience comparable à celle du temps musical — pour citer un autre système sémiotique. Gerard Manley Hopkins, qui fut un grand pionnier de la science du langage poétique, a défini le vers comme « un discours répétant totalement ou partiellement la même figure phonique » (3). La question que Hopkins pose ensuite : « Mais tout ce qui est vers est-il poésie ? » peut recevoir une réponse définitive à partir du moment où la fonction poétique cesse d'être arbitrairement confinée au domaine de la poésie. Les vers mnémoniques cités par Hopkins — du genre « Tes père et mère honoreras... » — les modernes bouts-rimés publici-

---

(1) Cf. T. Maretic : « Metrika narodnih nasih pjesama », *Rad Yugoslavenske Akademije*, 168, 170 (Zagreb, 1907).

(2) NDT : Le lecteur français n'aura pas de peine à trouver des exemples au moins aussi frappants. Dans « OAS, assassins » /o-a-es a-sa-sɛ̃/, on trouve appliqué le principe d'isochronie ; l'équivalence des sons induit l'équivalence des sens. Dans « OAS, SS » /o-a-es es-es/, le second terme, écho amplifié, dédoublé, de la dernière syllabe du premier terme, sur le plan du son, offre l'image paronomastique des séquelles fâcheuses de l'action de l'OAS, sur le plan du sens. Ces exemples indiquent assez l'importance de la fonction poétique, son action structurante, cristallisatrice, sur la réalité sociale et culturelle.

(3) G.M. Hopkins : *The Journals and Papers*, H. House, ed., Londres (1959).

taires, les lois médiévales versifiées qu'a mentionné Lotz (1), ou
encore les traités scientifiques sanscrits en vers — que la tradition indienne distingue strictement de la vraie poésie (*kāvya*)—
tous ces textes métriques font usage de la fonction poétique sans
toutefois assigner à cette fonction le rôle contraignant, déterminant, qu'elle joue en poésie. En fait donc, le vers dépasse les
limites de la poésie, mais en même temps le vers implique toujours la fonction poétique. Et apparemment aucune culture
n'ignore la versification, cependant qu'il existe beaucoup de types
culturels où le « vers appliqué » est inconnu ; de plus, même dans
les cultures qui connaissent à la fois le vers pur et le vers appliqué, celui-ci apparaît toujours comme un phénomène secondaire,
incontestablement dérivé. L'utilisation de moyens poétiques
dans une intention hétérogène ne masque pas leur essence première, pas plus que des éléments de langage émotif, utilisés
dans la poésie, ne perdent leur nuance émotive. Un flibustier (2)
peut bien réciter *Hiawatha* parce que ce texte est long, la poésie
(*poeticalness*) n'en reste pas moins le but premier du texte lui-
même. Il va de soi que l'existence de sous-produits commer-
ciaux de la poésie, de la musique ou de la peinture ne suffit pas
à séparer les questions de forme — qu'il s'agisse du vers, de la
musique ou de la peinture — de l'étude intrinsèque de ces
différents arts eux-mêmes.

En résumé, l'analyse du vers est entièrement de la compétence de la poétique, et celle-ci peut être définie comme cette
partie de la linguistique qui traite de la fonction poétique dans
ses relations avec les autres fonctions du langage. La poétique au
sens large du mot s'occupe de la fonction poétique non seulement
en poésie, où cette fonction a le pas sur les autres fonctions du
langage, mais aussi en dehors de la poésie, où l'une ou l'autre
fonction prime la fonction poétique.

La « figure phonique » réitérative, dans laquelle Hopkins
voyait le principe constitutif du vers, peut être déterminée de
manière plus précise. Une telle figure utilise toujours au moins
un (ou plus d'un) contraste binaire entre le relief relativement
haut et relativement bas des différentes sections de la séquence
phonématique.

(1) J. Lotz : « Metric Typology », in SL, pp. 135-148.
(2) NDT : « Flibustier » est le nom donné, aux Etats-Unis, aux parlemen-
taires qui, dans le but de faire de l'obstruction, gardent la parole à la tribune
le plus longtemps possible, en discourant sur n'importe quel sujet. *Hiawatha*
est le titre d'un célèbre poème de Longfellow.

A l'intérieur d'une syllabe, la partie proéminente, nucléaire, syllabique, constituant le sommet de la syllabe, s'oppose aux phonèmes moins saillants, marginaux, non syllabiques. Toute syllabe contient un phonème syllabique, et l'intervalle entre deux phonèmes syllabiques successifs est, toujours dans certaines langues, très souvent dans les autres, rempli par des phonèmes marginaux non syllabiques. Dans la versification dite syllabique, le nombre des phonèmes syllabiques dans une chaîne métriquement délimitée (unité de durée) est une constante, tandis que la présence d'un phonème ou d'un groupe de phonèmes non syllabiques entre deux syllabiques consécutifs dans une chaîne métrique n'est une constante que dans les langues qui prescrivent l'occurence de phonèmes non syllabiques entre les syllabiques, et, de plus, dans les systèmes de versification qui proscrivent l'hiatus. Une autre manifestation de la tendance à un modèle syllabique uniforme consiste à éviter les syllabes fermées à la fin du vers ; c'est ce qu'on observe, par exemple, dans les chants épiques serbes. Le vers syllabique italien montre une tendance à traiter une suite de voyelles non séparées par des phonèmes consonantiques comme une seule syllabe métrique (1).

Dans certains types de versification, la syllabe est la seule unité constante dans la mesure du vers, et une limite grammaticale est la seule ligne de démarcation constante entre les séquences mesurées, tandis que, dans d'autres types, les syllabes à leur tour sont dichotomisées en proéminentes et non-proéminentes, et/ou deux niveaux de limites grammaticales sont distingués du point de vue de la fonction métrique, les frontières de mots et les pauses syntaxiques.

Si l'on excepte les variétés du vers dit libre qui sont basées sur la combinaison des intonations et des pauses, tout mètre utilise la syllabe comme unité de mesure au moins dans certaines sections du vers. Ainsi, dans le vers accentuel pur (*sprung rhythm*— « rythme bondissant » — dans la terminologie de Hopkins), le nombre de syllabes sur le temps faible (*slack* — « mou » — selon Hopkins) peut varier, mais le temps fort (ictus) ne contient jamais qu'une seule syllabe.

Dans toute forme de vers accentuel, le contraste entre proéminence et non-proéminence est obtenu en recourant à la distinction entre syllabes accentuées et inaccentuées. La plupart des types accentuels jouent essentiellement du contraste entre syl-

(2) Cf. Levi, A. : « Della versificazione italiana », *Archivum Romanicum*, 14. 449-526 (1930), sections VIII-IX.

labes porteuses et syllabes non porteuses de l'accent de mot, mais certaines variétés de vers accentuel utilisent les accents syntaxiques ou accents de groupe, ceux que Wimsatt et Beardsley (1) désignent comme « les accents principaux des mots principaux » et qui sont opposés comme proéminents aux syllabes dépourvues de tels accents syntaxiques principaux.

Dans le vers quantitatif (« chronématique »), les syllabes longues et brèves s'opposent mutuellement comme étant respectivement proéminentes et non-proéminentes. Ce contraste est normalement assuré par les centres de syllabes, phonologiquement longs et brefs. Mais, dans des types métriques comme ceux de l'arabe et du grec ancien, qui identifient longueur « par position » et longueur « par nature » les syllabes minimales consistant en un phonème consonantique plus une voyelle d'une more s'opposent aux syllabes comportant un surplus (une seconde more ou une consonne terminale) comme des syllabes simples et non-proéminentes s'opposant à des syllabes complexes et proéminentes.

La question reste pendante de savoir si, à côté du vers accentuel et du vers quantitatif, il existe un type « tonématique » de versification dans les langues où les différences d'intonation syllabique sont utilisées pour distinguer les significations des mots (2). Dans la poésie chinoise classique (3), les syllabes à modulations (en chinois *tsê*, « tons défléchis ») s'opposent aux syllabes non modulées (*p'ing*, « tons étales »), mais il semble bien qu'un principe quantitatif sous-tend cette opposition ; c'est ce qu'avait déjà entrevu Polivanov, et Wang Li en a donné une judicieuse interprétation (4). Il apparaît que dans la tradition métrique chinoise les tons étales s'opposent aux tons défléchis comme des sommets de syllabe tonaux longs à des sommets brefs, de sorte que le vers est basé sur l'opposition long/bref.

Joseph Greenberg a attiré mon attention sur une autre variété de versification tonématique — c'est le vers des énigmes Efik, qui est basé sur la particularité prosodique de registre ou de niveau (5).

---

(1) Wimsatt, W.K. Jr et M.C. Beardsley : « The Concept of Meter : an Exercise in Abstraction », *Publications of the Modern Language Association of America*, 74.585-598 (1959) ; résumé dans SL pp. 191-196.

(2) R. Jakobson : *O češskom stixe...* Berlin-Moscou, 1923.

(3) Bishop, J.L. : « Prosodic Elements in T'ang Poetry », *Indiana University Conference on Oriental Western Literary Relations*, Chapel Hill, 1955.

(4) (*a*) Polivanov, E.D. : « O metričeskom xaraktere kitajskogo stixosloženija » *Doklady Rossijskoj Akademii Nauk*, serija V, 156-158 (1924) ; (*b*) Wang Li : *Han-yü shih-lü-hsuëh* (= « Versification chinoise ») Changhaï, 1958.

(5) Cf. ici-même, ch. VI, « Phonologie et phonétique », 3.31.

Dans les exemples cités par Simmons (1), la question et la réponse
forment deux octosyllabes, présentant la même distribution de
phonèmes syllabiques à tons hauts (*h*) et bas (*b*) ; de plus, dans
chaque hémistiche, les trois dernières des quatre syllabes présentent un schéma tonématique identique : *bhhb*/*hhhb*//*bhhb*/*hhhb*.
Tandis que la versification chinoise se présente comme une variété
particulière du vers quantitatif, le vers des énigmes Efik est lié
au vers accentuel habituel par l'opposition de deux degrés dans
le relief (force ou hauteur) du ton vocal. De sorte qu'un système
métrique de versification ne peut être basé que sur l'opposition
des sommets et des marges de syllabe (vers syllabique), sur le
niveau relatif des sommets (vers accentuel) ou sur la longueur
relative des sommets syllabiques ou des syllabes entières (vers
quantitatif).

Dans les manuels de littérature, on trouve parfois exprimé le
préjugé que le syllabisme, par opposition à la vivante pulsation
du vers accentuel, se réduit à un compte mécanique des syllabes.
Si, cependant, on examine les mètres binaires caractéristiques
d'un type de versification à la fois strictement syllabique et accentuel, on y observe deux successions homogènes de sommets et de
dépressions semblables à des vagues. De ces deux courbes ondulatoires, l'une, la syllabique, est faite de phonèmes nucléaires
sur la crète et habituellement de phonèmes marginaux dans les
creux de la vague. Quant à la courbe accentuelle qui se superpose à la courbe syllabique, en règle générale elle fait alterner les
syllabes accentuées et inaccentuées sur les crêtes et dans les
creux respectivement.

En vue d'une comparaison avec les mètres anglais, j'attirerai
votre attention sur les formes similaires du vers binaire en russe,
formes qui, au cours des cinquante dernières années, ont vraiment
été soumises à une étude exhaustive (2). La structure du vers
peut être très complètement décrite et interprétée en termes de
probabilités enchaînées. En plus de la frontière de mot obligatoire entre les vers, qui est un invariant dans tous les mètres
russes, dans le type classique du vers russe syllabique et accentuel (« syllabo-tonique » dans la terminologie indigène), on observe
les constantes suivantes : (1) le nombre de syllabes dans le vers,

(1) Simmons, D.C. : « Specimens of Efik Folklore », *Folklore*, 66. 417-424
(1955).

(2) Voir en particulier Taranovski, K. : *Ruski dvodelni ritmovi*, Belgrade,
1955.

du début au dernier temps marqué, est stable ; (2) ce tout dernier temps marqué porte un accent de mot ; (3) une syllabe accentuée ne peut tomber sur le temps non-marqué si un temps marqué est occupé par une syllabe inaccentuée appartenant au même mot (de sorte qu'un accent de mot ne peut coïncider avec un temps non-marqué que dans le cas où il appartient à un mot monosyllabique).

A côté de ces caractéristiques qui sont obligatoires pour tout vers composé dans un mètre donné, il y a des éléments qui présentent une haute probabilité d'occurrence sans être constamment présents. A côté des signaux à occurrence certaine (« probabilité un »), des signaux à occurrence probable (« probabilité inférieure à un ») interviennent dans la notion du mètre. En reprenant les termes dans lesquels Cherry (1) décrit la communication humaine, on pourrait dire que, évidemment, le lecteur de poésie « peut être incapable d'attacher des fréquences numériques » aux constituants du mètre, mais que, dans la mesure où il saisit la forme du vers, il se fait inconsciemment une idée de leur ordre hiérarchique (*rank order*).

Dans les mètres russes binaires, toutes les syllabes impaires en comptant à reculons à partir du dernier temps marqué — en bref, tous les temps non-marqués — sont normalement occupées par des syllabes inaccentuées, si on excepte un pourcentage très faible de monosyllabes accentués. Toutes les syllabes paires, à nouveau en comptant à partir du dernier temps marqué, montrent une assez nette tendance à être des syllabes porteuses de l'accent de mot, mais les probabilités d'occurrence en sont inégalement distribuées parmi les temps marqués successifs du vers. Plus la fréquence relative des accents de mot est élevée pour un temps marqué donné, plus la proportion est basse pour le temps marqué précédant. Comme le dernier temps marqué est toujours accentué, l'avant-dernier présente le plus bas pourcentage d'accents de mots ; sur le temps marqué précédant la quantité en est à nouveau plus élevée, sans atteindre le maximum manifesté par le dernier temps marqué ; si on remonte encore d'un temps marqué vers le début du vers, le pourcentage des accents diminue à nouveau, sans atteindre le minimum représenté par l'avant-dernier ; et ainsi de suite. Ainsi la distribution des accents de mots parmi les temps marqués à l'intérieur du vers, le clivage en temps marqués forts et faibles, crée une *courbe ondulatoire régressive*

---

(1) C. Cherry : *On Human Communication*, New York, 1957.

qui se superpose à l'alternance balancée des temps marqués et
des temps non-marqués. Incidemment, disons qu'il serait intéressant de rechercher quelle est la relation entre les « temps marqués forts » et les accents de groupe.

Il y a donc dans le mètre russe binaire trois couches super-
posées, stratifiées, de courbes ondulatoires : (1) l'alternance des
centres et des marges de syllabes ; (2) la division des centres de
syllabes en temps marqués et temps non-marqués alternés ; (3)
l'alternance de temps marqués forts et faibles. Par exemple, le
tétramètre iambique masculin des xixᵉ et xxᵉ siècles peut être
représenté par la figure I ; un système triadique semblable se
retrouve dans les formes anglaises correspondantes.

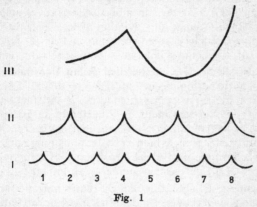

Fig. 1

Trois temps marqués sur cinq sont privés d'accent de mot
dans le vers iambique de Shelley : *Laugh with an inextinguishable
laughter*. Sept temps marqués sur seize sont inaccentués dans le
quatrain suivant, que nous extrayons d'un récent poème de
Pasternak, écrit en tétramètres iambiques, *Zemlja* (« La Terre ») :

> I úlica za panibráta
> S okónnicej podslepovátoj,
> I béloj nóči i zakátu
> Ne razminút'sja u rekí.

Comme une majorité considérable de temps marqués coïncident avec des accents de mots, l'auditeur ou le lecteur de vers
russes est préparé à rencontrer, selon un haut degré de probabilité, un accent de mot sur toute syllabe paire des vers iambiques, mais, au début même du quatrain de Pasternak, à la
quatrième, et, un peu plus loin, à la sixième syllabe — et cela
dans le premier et dans le second vers — il se trouve en position

d'*attente frustrée*. Le degré de cette « frustration » est plus élevé
si c'est sur un « temps marqué fort » que l'accent manque, et
il devient particulièrement remarquable si deux temps marqués
successifs tombent sur des syllabes inaccentuées. La non-accen-
tuation de deux temps marqués adjacents sera d'autant moins
probable et d'autant plus frappante si elle embrasse un hémistiche entier, comme c'est le cas dans un vers ultérieur du même
poème : *Čtoby za gorodskój o grán'ju* [stəbyzəgərackój u grán'ju].
L'attente dépend du traitement d'un temps marqué donné dans
le poème et plus généralement de la tradition métrique existante
dans sa totalité. L'avant-dernier temps marqué, cependant, peut
se trouver plus souvent inaccentué qu'accentué. C'est ainsi que,
dans ce poème de Pasternak, dix-sept vers seulement sur quarante et un ont un accent de mot sur la sixième syllabe. Mais
dans ce cas l'alternance des syllabes paires accentuées et des
syllabes impaires inaccentuées crée une inertie qui fait attendre
un accent sur la sixième syllabe aussi dans le tétramère iambique.

Tout naturellement, c'est à Edgar Allan Poe, poète et théo-
ricien de l'anticipation déçue, qu'il a été donné d'évaluer, du
point de vue métrique et psychologique, la satisfaction qui chez
l'homme est liée au sentiment de l'inattendu surgissant de l'at-
tendu, l'un et l'autre impensables sans leur contraire, « comme le
mal ne peut exister sans le bien » (1). Ici nous pourrions aisément
appliquer la formule de Robert Frost dans « La figure faite par
le poème » : « La figure est la même qu'en amour » (2).

Le glissement de l'accent de mot du temps marqué sur le temps
non-marqué (« pied renversé ») dans les mots polysyllabiques, est
inconnu dans les formes traditionnelles du vers russe, mais fréquent dans la poésie anglaise après une pause métrique et/ou
une pause syntaxique. Un exemple notable en est la variation
rythmique portant sur le même adjectif, dans le vers de Milton :
Infinite wrath and infinite despair (« Colère infinie et infini désespoir »). Dans le vers *Nearer, my God, to Thee, nearer to Thee*
(« Plus près de Toi, mon Dieu, plus près de Toi »), la syllabe accentuée d'un même mot apparaît deux fois sur le temps non-marqué,
d'abord au début du vers et une seconde fois au début d'un groupe
de mots. Cette licence, étudiée par Jespersen (3), et qui est courante dans de nombreuses langues, s'explique entièrement par la
teneur particulière de la relation entre un temps non-marqué et

---

(1) E.A. Poe : « Marginalia », *The Works*, vol. 3, New York, 1857.
(2) R. Frost : *Collected Poems*, New York, 1939.
(3) Jespersen, O. : « Cause psychologique de quelques phénomènes de métrique germanique ». *Psychologie du langage*, Paris, 1933.

le temps marqué immédiatement précédant. Là où l'insertion
d'une pause vient brouiller ce rapport d'antériorité immédiate,
le temps non-marqué devient une sorte de *syllaba anceps*.

En plus des règles qui définissent les éléments obligatoires du
vers, les règles gouvernent ses traits facultatifs relèvent elle aussi
du mètre. Nous avons tendance à considérer des phénomènes
tels que l'absence d'accent sur les temps marqués ou l'accentuation des temps non-marqués comme des déviations, mais il faut
se souvenir qu'il s'agit là d'oscillations admises, de déviations qui
restent dans les limites de la loi. Comme diraient les parlemen-
taires anglais, il ne s'agit pas d'une opposition à sa majesté le
mètre, mais d'une opposition de sa majesté. Pour ce qui est de la
transgression effective des lois métriques, quand on discute de ce
genre de violations, cela me rappelle toujours ce qu'en disait Osip
Brik, le plus astucieux peut-être de tous les Formalistes russes :
on ne poursuit et on ne condamne les conspirateurs politiques,
disait-il, que quand leur coup de force a échoué ; en cas de réussite, ce sont les conspirateurs eux-mêmes qui s'érigent en accusa-
teurs et en juges. Si les violences envers le mètre prennent racine,
elles acquièrent elles-mêmes force de loi métrique.

Loin d'être un schème théorique, abstrait, le mètre — ou, en
termes plus explicites, le *modèle de vers* — régit la structure de
chaque vers particulier — disons de chaque *exemple de vers* (1)
particulier. Modèle et exemple sont des concepts corrélatifs.
Le modèle de vers détermine les éléments invariants des exemples
de vers et fixe les limites des variations. En Serbie, les rhapsodes
paysans mémorisent, récitent, et, dans une large mesure, impro-
visent des milliers, parfois des dizaines de milliers de vers de poésie épique, et le mètre en est vivant dans leur esprit. Incapables
d'en abstraire les règles, ils reconnaissent cependant et répu-
dient les violations de ces règles, même les plus minimes. Dans
l'épopée serbe chaque vers comporte exactement dix syllabes et
est suivi d'une pause syntaxique. Il y a de plus une frontière de
mot obligatoire avant la cinquième syllabe et une absence obligatoire de frontière de mot avant la quatrième et la dixième syllabes. De plus, le vers présente des caractéristiques importantes
sur le plan de la quantité et de l'accent (2).

(1) *Verse design* et *verse instance*.
(2) R. Jakobson : « Studies on Comparative Slavic Metrics », *Oxford Slavonic Papers*, 3.21-66 (1952) ; « Ueber den Versbau der Serbokroatischen Volksepen », *Archives néerlandaises de phonétique expérimentale*, 7-9.44-53 (1933).

Cette coupe épique serbe, à côté de nombreux exemples similaires présentés par la métrique comparée, nous garantit de l'identification erronée de la coupe à une pause syntaxique. La frontière de mot obligatoire n'a pas à se combiner à une pause et n'est même pas conçue comme devant être perceptible à l'oreille. L'analyse de chants épiques serbes enregistrés au phonographe prouve qu'il n'existe aucun signal audible obligatoire indiquant la coupe, et cependant, tout essai d'abolir la frontière de mot avant la cinquième syllabe par le moindre changement dans l'ordre des mots est immédiatement condamné par le narrateur. Le fait grammatical que la quatrième et la cinquième syllabes appartiennent à deux mots différents suffit à faire apprécier la coupe. Ainsi le problème du modèle de vers va bien au delà des questions de pure forme phonique : c'est un phénomène linguistique beaucoup plus vaste, que n'épuise pas un traitement seulement phonétique.

Je dis « un phénomène linguistique » même si Chatman (1) a déclaré que « le mètre existe comme système en dehors du langage ». C'est vrai, le mètre existe aussi dans d'autres arts qui utilisent la chaîne temporelle. Il y a beaucoup de problèmes linguistiques — par exemple la syntaxe — qui de la même façon dépassent les limites du langage et sont communs à différents systèmes sémiotiques. On peut même parler d'une grammaire des signaux de la circulation. Il existe un certain code de ces signaux, dans lequel une lumière jaune, combinée au vert, avertit que le libre passage est près de cesser ; combinée au rouge, elle annonce la proche cessation de l'arrêt ; ce signal jaune offre une étroite analogie avec l'aspect complétif du verbe. Le mètre poétique, cependant, a tant de particularités intrinsèquement linguistiques qu'il est plus commode de le décrire d'un point de vue purement linguistique.

Ajoutons qu'aucune propriété linguistique du type de vers ne devrait être négligée. Ainsi, par exemple, ce serait une erreur regrettable de dénier une valeur constitutive à l'intonation dans les mètres anglais. Sans même parler de son rôle fondamental dans les mètres d'un artiste du vers libre tel que Walt Whitman, il est impossible d'ignorer la signification métrique de l'intonation de pause (« joncture finale »), soit cadence ou anticadence (2), dans des poèmes tels que *The Rape of the Lock*, qui évite inten-

---

(1) Chatman, l.c.
(2) Karcevskij, S. : « Sur la phonologie de la phrase », TCLP IV, 188-223 (1931).

tionnellement l'enjambement. Cependant, même l'accumulation véhémente d'une série d'enjambements n'en vient jamais à masquer le statut de digression, de variation qui est le leur ; les enjambements ont toujours pour fonction de faire ressortir la coïncidence normale de la pause syntaxique et de l'intonation de pause avec la limite métrique. Quelle que soit la manière de lire adoptée par le récitant, le poème reste soumis à une contrainte sur le plan de l'intonation. Le problème du contour intonationnel caractéristique d'un poème, d'un poète, d'une école poétique, est un des thèmes de réflexion les plus notables qu'aient proposés les formalistes russes (1).

Le *modèle de vers* s'incarne dans les *exemples de vers*. Habituellement, la libre variation de ces « exemples » est désignée par le terme quelque peu équivoque de « rythme ». La variation des *exemples de vers* à l'intérieur d'un poème donné doit être strictement distinguées des *exemples d'exécution* (2), eux-mêmes variables. Vouloir « décrire les vers particuliers tels qu'ils sont effectivement prononcés » a moins d'intérêt pour l'analyse synchronique et historique de la poésie elle-même que pour l'étude de sa récitation dans le présent et le passé. L'état des choses est simple et clair : « Il y a de nombreuses récitations possibles du même poème — différant les unes des autres de bien des façons. Une récitation est un événement, mais le poème lui-même, à partir du moment où nous nous accordons à dire qu'un poème a une existence propre, doit être, d'une manière ou d'une autre, un objet qui dure » (3). Cette sage remarque de Wimsatt et Beardsley appartient sans conteste aux principes essentiels de la métrique moderne.

Dans les vers de Shakespeare, la syllabe accentuée, la seconde, du mot *absurd* tombe habituellement sur le temps marqué, mais une fois, au troisième acte de *Hamlet*, elle tombe sur le temps ncn-marqué : *No, let the candied tongue lick absurd pomp* (« Non, que la langue sucrée lèche le faste absurde »). Le récitant peut soit scander le mot *absurd* dans ce vers avec un accent initial sur la première syllabe soit respecter l'accent final de mot, en accord avec l'accentuation courante. Il peut aussi subordonner l'accent de mot sur l'adjectif à l'accent syntaxique fort sur le mot principal suivant, somme le suggère Hill : *No, lèt thĕ cândīed tóngue*

---

(1) Cf. Eichenbaum, Boris : *Melodika stixa*, Leningrad, 1922, et Zhirmunskij, V. : *Voprosy teorii literatury*, Leningrad, 1928.
(2) *delivery instance*.
(3) Wimsatt et Beardsley, l.c.

lĭck ăbsùrd pómp (1), comme dans la conception que se fait Hopkins des antispastes anglais — *regrét nèver* (2). Il y a finalement encore la possibilité de modifications emphatiques, soit grâce à une « accentuation fluctuante » (*schwebende Betonung*) embrassant les deux syllabes, soit par un renforcement exclamatif de la première syllabe [àb-súrd]. Mais, quelle que soit la solution choisie par le récitant, le déplacement de l'accent de mot du temps marqué sur le temps non-marqué sans pause antécédante reste frappant, et le moment d'attente frustrée est bel et bien présent. Où que le récitant mette l'accent, le décalage entre l'accent de mot anglais sur la seconde syllabe de *absurd* et le temps marqué attaché à la première syllabe subsiste comme élément constitutif de l'« exemple de vers ». La tension entre l'ictus et l'accent de mot habituel est inhérente à ce vers, indépendamment des différentes réalisations que peuvent en donner différents acteurs ou lecteurs. Comme l'observe Gerard Manley Hopkins dans la préface de ses poèmes, « deux rythmes, de quelque manière, se déroulent en même temps » (3). Il est possible de réinterpréter la description qu'il donne de ce déroulement contrapunctique. La superposition du principe d'équivalence sur la suite des mots ou, en d'autres termes, le montage, le chevauchement, de la forme métrique sur la forme usuelle du discours, donne nécessairement la sensation d'une configuration double, ambiguë, à quiconque est familier avec la langue donnée et avec le mètre. Les convergences aussi bien que les divergences entre les deux formes, les attentes comblées aussi bien que les attentes frustrées provoquent cette sensation.

La manière dont un « exemple de vers » donné est réalisé par un « exemple d'exécution » donné dépend du *modèle d'exécution* (4) propre au récitant ; celui-ci peut se tenir à un style scandé, tendre au contraire vers une prosodie proche de la prose, ou encore osciller librement entre ces deux pôles. Nous devons nous garder du binarisme simpliste qui réduit deux couples à une seule opposition, soit en supprimant la distinction cardinale entre modèle de vers et exemple de vers (aussi bien que celle entre modèle d'exécution et exemple d'exécution), soit en identifiant faussement le modèle d'exécution et l'exemple d'exécution avec respectivement le modèle et l'exemple de vers.

---

(1) A.A. Hill, c.r. dans *Language*, 29.549-561.

(2) G.M. Hopkins, l.c.

(3) G.M. Hopkins, *Poems*, W.H. Gardner, éd., New York et Londres, 3e éd. 1948.

(4) *delivery design*.

> Mais tout n'est pas détruit et vous en laissez vivre
> Un... Votre fils, Seigneur, me défend de poursuivre.

Ces deux vers de Phèdre (1) contiennent un lourd enjambement
qui met une frontière de vers avant le monosyllabe concluant un
groupe de mots, une proposition, un énoncé. La récitation de
ces alexandrins peut être strictement métrique, avec une pause
manifeste entre « vivre » et « Un », et pas de pause après le pronom. Ou, au contraire, dans un style tendant vers la prose, on ne
séparera pas les mots « laissez vivre un » et on marquera nettement une pause à la fin de la phrase (sur les points de suspen-
sion). Aucun de ces deux modes de récitation n'arrive cependant
à dissimuler le décalage intentionnel entre les divisions syntaxique et métrique. La configuration propre à un poème sur
le plan du vers demeure complètement indépendante de ses
exécutions variables — ce qui ne veut pas du tout dire que la
séduisante question, soulevée par Sievers (2), de l'*Autorenleser*
et du *Selbstleser*, soit sans importance.

Le vers est sans doute toujours d'abord une figure phonique
récurrente ; mais il n'est jamais uniquement cela. Vouloir confiner les conventions poétiques telles que le mètre, l'allitération,
la rime, au seul niveau phonique serait sombrer dans la ratio-
cination spéculative sans la moindre justification empirique. La
projection du principe d'équivalence sur la séquence a une signification beaucoup plus vaste et plus profonde. La formule de
Valéry — « le poème, hésitation prolongée entre le son et le
sens » (3) — est beaucoup plus réaliste et scientifique que toutes
les formes d'isolationnisme phonétique.

Quoique la rime repose par définition sur la récurrence régulière de phonèmes ou de groupes de phonèmes équivalents, ce
serait commettre une simplification abusive que de traiter la
rime simplement du point de vue du son. La rime implique nécessairement une relation sémantique entre les unités qu'elle lie
(les « compagnons de rime » — *rhyme-fellows* — dans la terminologie de Hopkins). Dans l'analyse d'une rime nous devons nous
demander s'il s'agit ou non d'un homéotéleute, confrontant des
suffixes de dérivation et/ou de flexion similaires (*congratulations -
décorations*), ou si les mots qui riment appartiennent à la même

---

(1) NDT : Nous avons ici substitué cet exemple à un exemple pris par Jakobson dans *The Handsome Heart* de Hopkins.
(2) Sievers : *Ziele und Wege der Schallanalyse*, Heidelberg, 1924.
(3) Paul Valéry, *Tel Quel* II, « Rhumbs », Pléiade II, p. 637.

catégorie grammaticale ou à des catégories différentes. Ainsi, par exemple, une rime quadruple de Hopkins fait s'accorder deux noms — *kind* et *mind* — qui tous deux contrastent avec un adjectif *blind* et un verbe *find*. Y a-t-il un voisinage sémantique, une ressemblance faisant image, entre des unités lexicales à la rime, comme dans « solitude » — « désuétude », « mémoire » — « grimoire », « visage » — « paysage », « essor » — « effort » ? Les éléments qui riment ont-ils la même fonction syntaxique ? La différence entre la classe morphologique et l'application syntaxique peut être rehaussée par la rime. Ainsi, dans les vers de Poe : *While I nodded, nearly* **napping**, *suddenly there came a* **tapping**, *As of someone gently* **rapping** (1), les trois mots à la rime, morphologiquement pareils, sont tous trois syntaxiquement différents. Les rimes totalement ou partiellement homonymes sont-elles prohibées, tolérées, ou favorisées ? Qu'en est-il par exemple des homonymes complets tels que sein-saint, faim-fin, (la) joue-(il) joue, ou encore, d'autre part, des rimes en écho comme cadence-danse, délivre-ivre, livide-vide, profonde-onde ? Qu'en est-il encore des rimes composées (telles que, chez Mallarmé, « ce l'est » - « bracelet », « hormis l'y taire » - « militaire », « s'y lance » - « silence »), où un mot s'accorde à un groupe de mots ?

Un poète ou une école poétique peut être ou non en faveur de la rime grammaticale ; les rimes doivent être grammaticales ou antigrammaticales (2) ; une rime agrammaticale, indifférente à la relation entre le son et la structure grammaticale, relèverait, comme toutes les formes d'agrammàtisme, de la pathologie verbale. Si un poète tend à éviter les rimes grammaticales, alors pour lui, comme disait Hopkins, « il y a deux éléments dans la beauté de la rime pour l'esprit, la ressemblance ou l'identité des sons et la différence ou le contraste des sens » (3). Quelle que soit la relation entre le son et le sens dans les différentes techniques de la rime, les deux sphères sont nécessairement impliquées. Après les pénétrantes observations de Wimsatt sur la portée

---

(1) « tandis que je dodelinais la tête, somnolant presque : soudain se fit un heurt, comme de quelqu'un frappant doucement... » (trad. de Mallarmé, in Mallarmé, *Œuvres Complètes*, Pléiade, p. 190).

(2) NDT : Autrement dit, les mots à la rime appartiennent à des catégories grammaticales identiques ou au contraire différentes. Comme exemple de la première tendance, pour le français, on peut citer, dans une large mesure, la tragédie classique ; comme exemple de la seconde tendance, Mallarmé (voir par exemple *L'Après-midi d'un Faune* où seulement 11 rimes sur 54 sont grammaticales).

(3) G.M. Hopkins, *The Journals and Papers*, l.c.

sémantique de la rime (1), et après les sagaces études récemment faites des systèmes de rimes slaves, l'idée que, si les rimes signifient, c'est d'une manière très vague, cette idée ne peut plus décemment être soutenue par le chercheur en poétique.

La rime n'est qu'un cas particulier, condensé en quelque sorte, d'un problème beaucoup plus général, nous pouvons même dire du problème fondamental de la poésie, qui est le *parallélisme*. Ici encore, Hopkins, dans ses articles d'étudiant de 1865, témoigne d'une prodigieuse intuition de la structure de la poésie :

> La partie artificielle de la poésie, peut-être serait-il juste de dire toute forme d'artifice, se réduit au principe du parallélisme. La structure de la poésie est caractérisée par un parallélisme continuel, allant des parallélismes techniques de la poésie hébraïque, et des antiennes de la musique d'Eglise, à la complexité du vers grec, italien ou anglais. Mais le parallélisme est nécessairement de deux sortes — ou bien l'opposition est clairement marquée, ou bien elle est transitionnelle plutôt ou chromatique. C'est seulement la première sorte, celle du parallélisme marqué, qui est en cause dans la structure du vers — dans le rythme (récurrence d'une certaine séquence de syllabes), dans le mètre récurrence d'une certaine séquence rythmique), dans l'allitération, dans l'assonance, dans la rime. La force de cette récurrence consiste en ceci qu'elle engendre une récurrence ou un parallélisme correspondant dans les mots ou dans la pensée ; on peut dire, en gros, et en notant qu'il s'agit d'une tendance plutôt que d'un résultat invariable, que c'est le parallélisme le plus marqué dans la structure (soit d'élaboration soit de mise en relief) qui engendre le parallélisme le plus marqué dans les mots et le sens... A l'espèce abrupte ou marquée du parallélisme appartiennent la métaphore, la comparaison, la parabole, etc., où l'effet est cherché dans la ressemblance des choses, et l'antithèse, le contraste, etc., où il est cherché dans la dissemblance (2).

Bref, l'équivalence des sons, projetée sur la séquence comme son principe constitutif, implique inévitablement l'équivalence sémantique, et, sur chaque plan du langage, chaque constituant d'une telle séquence suggère une des deux expériences corrélatives que Hopkins dépeint joliment comme « la comparaison

(1) Wimsatt, W.K., Jr : *The Verbal Icon*, Lexington, 1954.
(2) G.M. Hopkins, o.c.

pour l'amour de la ressemblance et la comparaison pour l'amour de la dissemblance ».

C'est le folklore qui offre les formes de poésie les plus nettement découpées et stéréotypées, et elles se prêtent particulièrement bien à l'analyse structurale (comme l'a montré Sebeok sur des exemples Cheremis) (1). Les traditions orales qui usent du parallélisme grammatical pour relier des vers consécutifs, par exemples les formes poétiques finno-ougriennes (2), dans une large mesure aussi la poésie populaire russe, peuvent être fructueusement analysées sur tous les plans linguistiques — phonologique, morphologique, syntaxique et lexical : nous apprenons à voir quels éléments sont conçus comme équivalents et comment les ressemblances sur certains plans sont tempérées par des différences marquantes sur d'autres plans. Des exemples de ce genre nous permettent de vérifier le bien-fondé de la suggestion de Ransom, selon laquelle « l'interaction du mètre et du sens est le principe actif de la poésie et embrasse tous ses caractères importants » (3). Ces structures traditionnelles bien marquées pourraient dissiper les doutes de Wimsatt sur la possibilité d'écrire une grammaire de l'interaction du mètre et du sens, aussi bien qu'une grammaire de l'arrangement des métaphores. A partir du moment où le parallélisme est promu au rang de canon, l'interaction entre le mètre et le sens et l'arrangement des tropes cessent d'être « les parties libres, individuelles et imprévisibles de la poésie ».

Voici la traduction de quelques vers typiques des chants de noces russes sur l'apparition du fiancé :

> Un vaillant compagnon se dirigeait vers le porche,
> Vasilij marchait vers le manoir.

La traduction est littérale ; en russe, cependant, les verbes sont en position finale dans les deux propositions (*Dobroj mólodec k séničkam privoracival,/ / Vasílij k téremu prixážival*). Il y a correspondance totale entre les deux vers sur les plans morphologique et syntaxique. Les deux verbes prédicatifs ont les mêmes préfixes et suffixes et le même alternant vocalique dans la racine ; ils ont même aspect, temps, mode, et, de plus, ils sont synonymes.

---

(1) Voir T.A. Sebeok : « Decoding a text : Levels and Aspects in a Cheremis Sonnet », in SL, pp. 221-235.
(2) Cf. Austerlitz, R. : *Ob-Ugric Metrics. Folklore Fellows Communications,* 174 (1958) ; Steinitz, W. : *Der Parallelismus in der finnisch-karelischen Volksdichtung* ; *Folklore Fellows Communications,* 115 (1934).
(3) Ransom, J.C. *The New Criticism,* Norfolk, Conn. 1941.

Les deux sujets, le nom commun et le nom propre, renvoient à la même personne et sont dans un rapport d'apposition. Les deux compléments de lieu sont exprimés par des constructions prépositionnelles identiques et le premier est dans une relation de synecdoque avec le second.

Il arrive que ces vers soient précédés par un autre vers, ayant une structure grammaticale (syntaxique et morphologique) similaire : « Pas un clair faucon ne volait par delà les collines », ou « Pas un fier cheval ne galopait vers la cour ». Le « clair faucon » et le « fier cheval » de ces variantes sont dans une relation métaphorique avec le « vaillant compagnon ». C'est le traditionnel parallélisme négatif slave — la réfutation de l'état métaphorique en faveur de l'état réel. La négation *ne* peut toutefois être omise : *Jasjón sokol zá gory zaljótyval* (Un clair faucon volait par delà les collines) ou *Retiv kon' kó dvoru priskákival* (Un fier cheval galopait vers la cour). Dans le premier de ces deux exemples la relation m é t a p h o r i q u e est maintenue : un vaillant compagnon apparaît devant le porche, comme un clair faucon venant d'au delà des collines. Dans l'autre exemple cependant, le lien sémantique devient ambigu. Une comparaison entre l'apparition du fiancé et le galop du cheval est suggérée, mais en même temps la halte du cheval dans la cour anticipe en réalité l'arrivée du héros à la maison. Ainsi, avant de présenter le cavalier et le manoir de sa fiancée, le chant évoque les images contiguës, m é t o n y m i q u e s, du cheval et de la cour : l'objet possédé au lieu du possesseur, et le plein air au lieu de l'intérieur. La présentation du fiancé peut être scindée en deux moments successifs même sans substitution du cheval au cavalier : « Un vaillant compagnon galopait vers la cour, // Vasilij marchait ver le porche ». Ainsi, le « fier cheval », venant au vers précédant à la même place métrique et syntaxique, que le « vaillant compagnon », figure simultanément comme une image et comme une possession représentative de ce compagnon ; à proprement parler, par rapport au cavalier, il est *pars pro toto*. L'image du cheval est sur une ligne frontière entre la métonymie et la synecdoque. De ces connotations suggestives du « fier cheval » il s'ensuit une synecdoque métaphorique : dans les chants de noces et les autres variétés du trésor érotique russe, le masculin *retiv kon'* apparaît comme symbole phallique latent ou même patent.

Dès les années 1880, Potebnja, qui fut un remarquable chercheur dans le domaine de la poétique slave, indiquait que, dans la poésie populaire, les symboles se trouvent matérialisés (*oveščestvlen*), convertis en accessoires de l'ambiance. « (Un sym-

bole) reste un symbole, mais il est relié à l'action. Ainsi une comparaison est présentée sous la forme d'une séquence temporelle » (1). Dans les exemples tirés par Potebnja du folklore slave,
le saule, sous lequel passe une jeune fille, est en·même temps
l'image de cette jeune fille ; l'arbre et la jeune fille sont tous deux
co-présents dans le même simulacre verbal du saule. De la même
façon le cheval des chansons d'amour reste un symbole de viri-
lité non seulement quand le garçon demande à la fille de nourrir
son coursier, mais même quand on le selle, quand on le met à
l'étable, ou quand on l'attache à un arbre.

En poésie, non seulement la séquence phonologique, mais,
de la même manière, toute séquence d'unités sémantiques tend
à construire une équation. La superposition de la similarité sur la
contiguïté confère à la poésie son essence de part en part symbolique, complexe, polysémique, essence que suggère si heureusement la formule de Goethe, *Alles Vergængliches ist nur ein Gleich-
nis* (Tout ce qui passe n'est que symbole). Dit en termes plus
techniques : tout élément de la séquence est une comparaison.
En poésie, où la similarité est projetée sur la contiguïté, toute
métonymie est légèrement métaphorique, toute métaphore a une
teinte métonymique.

L'ambiguïté est une propriété intrinsèque, inaliénable, de tout
message centré sur lui-même, bref c'est un corollaire obligé de la
poésie. Nous répéterons, avec Empson, que : « Les machinations
de l'ambiguïté sont aux racines mêmes de la poésie » (2). Non seulement le message lui-même, mais aussi le destinateur et le destinataire deviennent ambigus. En plus de l'auteur et du lecteur,
il y a le « je » du héros lyrique ou du narrateur fictif et le « tu »
ou le « vous » du destinataire supposé des monologues drama-
tiques, des supplications, des épitres. Par exemple, le poème
Wrestling Jacob (La lutte avec l'ange) est adressé par son héros
éponyme au Sauveur et en même temps joue le rôle d'un message
subjectif du poète Charles Wesley à ses lecteurs. Virtuellement
tout message poétique est une sorte de citation et présente tous
les problèmes spéciaux et compliqués que le « discours à l'intérieur du discours » offre au linguiste.

La suprématie de la fonction poétique sur la fonction référentielle n'oblitère pas la référence (la dénotation), mais la rend
ambiguë. A un message à double sens correspondent un desti-

---

(1) Potebnja, A. *Ob' 'jasnenija malorusskix i srodnyx narodnyx pesen.* Varsovie, I (1883), II (1887).

(2) Empson, W. *Seven Types of Ambiguity*, New York, 3ᵉ éd., (1955).

nateur dédoublé, un destinataire dédoublé, et, de plus, une référence dédoublée — ce que soulignent nettement, chez de nombreux peuples, les préambules des contes de fée : ainsi, par exemple, l'exorde habituel des conteurs majorquins : « Aixo era y no era » (cela était et n'était pas) (1). Par l'application du principe d'équivalence à la séquence, un principe de répétition est acquis qui rend possible non seulement la réitération des séquences constitutives du message poétique, mais aussi bien celle du message lui-même dans sa totalité. Cette possibilité de réitération, immédiate ou différée, cette réification du message poétique et de ses éléments constitutifs, cette conversion du message en une chose qui dure, tout cela en fait représente une propriété intrinsèque et efficiente de la poésie.

Dans une séquence, où la similarité est superposée à la contiguïté, deux suites de phonèmes voisines qui se ressemblent se prêtent à exercer une fonction paronomastique. Il est vrai, comme l'a noté Valéry, que le premier vers de la strophe finale du *Corbeau* d'Edgar Poe recourt abondamment aux allitérations répétitives ; mais l'« effet irrésistible » de ce vers, et de toute la strophe d'ailleurs, est dû essentiellement au pouvoir de l'étymologie poétique.

And the Raven, never flitting, still is sitting, *still* is sitting
On the pallid bust of Pallas just above my chamber door ;
And his eyes have all the seeming of a demon's that is dreaming,
And the lamp-light o'er him streaming throws his shadow on
the floor ;
And my soul from out that shadow that lies floating on the
floor
Shall be lifted — nevermore (2).

Le perchoir du corbeau, *the pallid bust of Pallas*, est fondu, grâce à la sonore paronomase /pǽləd/ - /pǽləs/ en un tout organique (comparable au vers fameux de Shelley : *Sculptured on alabaster obelisk* /sk.lp/ - /l.b.st/ - /b.l.sk/ « Sculpté sur un obélisque d'albâtre »). Les deux mots ici confrontés s'étaient trouvés plus haut amalgamés en une autre épithète portant sur le même buste —

---

(1) Giese, W. « Sind Märchen Lügen ? » *Cahiers S. Puscariu* 1. 137 sv.

(2) « Et le Corbeau, sans voleter, siège encore — siège encore sur le buste pallide de Pallas, juste au-dessus de la porte de ma chambre, et ses yeux ont toute la semblance des yeux d'un démon qui rêve, et la lumière de la lampe ruisselant sur lui, projette son ombre à terre : et mon âme, de cette ombre qui gît flottante à terre, ne s'élèvera — jamais plus ! » (trad. Mallarmé, Pléiade, p. 193).

placid /plǽsəd/ — mot-valise poétique (1), et une paronomase avait aussi resserré le lien entre l'oiseau perché et son perchoir : b*ird or* b*east upon the...* b*ust*. L'oiseau est perché « sur le buste pallide de Pallas, juste au dessus (*just above*) de la porte de ma chambre » et le corbeau sur son perchoir, en dépit de l'ordre impératif que lui intime l'amant (*take thy form from off my door*), est cloué à sa place par les mots /ǯʌst əbʌ́v/, tous deux fondus dans /bʌ́st/.

Le séjour sans fin de l'hôte sinistre est exprimé par une chaîne d'ingénieuses paronomases, partiellement inversées — ce à quoi on pouvait s'attendre de la part de ce maître dans l'art d'écrire à reculons, de cet expérimentateur délibéré en matière de création anticipative ou régressive, que fut Edgar Allan Poe. Dans le vers introductif de la dernière strophe, *raven*, contigu au morne mot refrain, *never*, apparaît une fois de plus comme l'image en miroir incarnée de ce « jamais » : /n.v.r/ - /r.v.n/. De frappantes paronomases entremêlent ces deux emblèmes de l'éternel désespoir ; c'est d'abord *the Raven, never flitting*, au début de la toute dernière strophe, et, ensuite, dans les tout derniers vers, *that shadow that lies floating on the floor* et *shall be lifted - nevermore* : /névər flítíŋ/ - /flótíŋ/... /flór/... /líftəd névər/. Les allitérations qui frappaient Valéry construisent une chaîne paronomastique : /stí.../ - /sít.../ - /stí.../ - /sít.../. L'invariance du groupe est particulièrement accentuée par la variation dans l'ordre de succession. Dans le clair-obscur, deux effets lumineux — les « yeux de feu » du noir oiseau et la lueur de la lampe, « qui projetait son ombre à terre » — assombrissent d'autant plus le tableau, et sont encore liées par le « vif effet » des paronomases : /ɔ́lðə símɪŋ/... /dímənz/... /ɪz drímɪŋ/ - /ɔrɪm strímɪŋ/ (*all the seeming... demon's... is dreaming... o'er him streaming*). « L'ombre qui gît » (*lies*) /láyz/ répond aux « yeux » (*eyes*) /áyz/ du Corbeau, en une rime en écho astucieusement déplacée.

En poésie, toute similarité apparente dans le son est évaluée en termes de similarité et/ou de dissimilarité dans le sens. Mais le précepte allitératif que Pope adresse aux poètes — *the sound must seem an Echo of the sense* « le son doit sembler un écho du sens » — est d'une application plus vaste. Dans le langage référentiel, le lien entre le signifiant et le signifié est, dans l'écrasante majorité des cas, un lien de contiguïté codifiée — c'est ce qu'on a souvent appelé, d'un terme qui prête à confusion, l'« arbitraire

---

(1) Cf. trad. de Mallarmé, strophe 10 : « Mais le Corbeau, perché solitairement sur ce buste placide... »

du signe linguistique ». La pertinence du nexus son/sens n'est qu'un simple corollaire de la superposition de la similarité sur la contiguïté. Le symbolisme des sons est une relation indéniablement objective, fondée sur une connexion phénoménale entre différents modes sensoriels, en particulier entre les sensations visuelles et auditives. Si les résultats des recherches faites dans ce domaine ont été parfois vagues et discutables, cela tient à l'insuffisance du soin apporté dans les méthodes d'enquête psychologique et/ou linguistique. Du point de vue linguistique, en particulier, on a souvent déformé la réalité, faute d'une attention suffisante à l'aspect phonologique des sons du langage, ou parce qu'on s'est obstiné à opérer avec des unités phonématiques complexes au lieu de se placer au niveau des composantes ultimes. Mais si, faisant porter un test, par exemple sur l'opposition phonématique grave/aigu, on demande lequel des deux termes, de /i/ ou de /u/, est le plus sombre, certains sujets pourront bien répondre que cette question n'a pas de sens pour eux, mais on en trouvera difficilement un seul pour affirmer que /i/ est le plus sombre des deux.

La poésie n'est pas le seul domaine où le symbolisme des sons fasse sentir ses effets, mais c'est une province où le lien entre son et sens, de latent, devient patent, et se manifeste de la manière la plus palpable et la plus intense, comme l'a noté Hymes dans sa stimulante communication (1). Une accumulation, supérieure à la fréquence moyenne, d'une certaine classe de phonèmes, ou l'assemblage contrastant de deux classes opposées, dans la texture phonique d'un vers, d'une strophe, d'un poème, joue le rôle d'un « courant sous-jacent de signification », pour reprendre la pittoresque expression de Poe. Dans deux mots polaires, la relation phonématique peut être en accord avec l'opposition sémantique, comme c'est le cas en russe pour /d,en,/ « jour » et /noč/ « nuit », où la voyelle aiguë et la consonne diésée du mot « diurne » s'opposent à la voyelle grave du mot « nocturne ». Que l'on renforce ce contraste en entourant le premier mot de phonèmes aigus et diésés et en mettant le second dans le voisinage de phonèmes graves, et le son devient vraiment l'« écho du sens ». Mais en français, dans les mots « jour » et « nuit » la distribution des voyelles grave et aiguë est inversée, ce dont se plaignait Mallarmé dans ses *Divagations* : « quelle déception, devant la perversité conférant à *jour* comme à *ņuit*, contradic-

---

(1) Dell Hymes, l.c.

toirement, des timbres obscur ici, là clair » (1). Whorf affirme que quand, dans sa configuration phonique, « un mot présente une similarité acoustique avec son propre sens, nous pouvons le remarquer... Mais quand le contraire se produit, personne ne le remarque ». La langue poétique, cependant, tourne la difficulté ; par exemple, dans le cas d'une collision entre le son et le sens comme celle que décèle Mallarmé, la poésie française, tantôt cherchera un palliatif phonologique au désaccord, noyant la distribution « converse » des éléments vocaliques en entourant *nuit* de phonèmes graves et *jour* de phonèmes aigus, tantôt recourra à un déplacement sémantique, substituant, aux images de clair et d'obscur associées au jour et à la nuit, d'autres corrélats synesthésiques de l'opposition phonématique grave/aigu, contrastant par exemple la chaleur lourde du jour et la fraîcheur aérienne de la nuit ; « il semble », en effet, « que les sujets humains ont tendance à associer, d'une part, tout ce qui est lumineux, pointu, dur, haut, léger, rapide, aigu, étroit, et ainsi de suite en une longue série, et, inversement, tout ce qui est obscur, chaud, mou, doux, émoussé, bas, lourd, lent, grave, large, etc., en une autre longue série » (2).

Quelle que soit l'importance de la répétition en poésie, la texture phonique est loin de se confiner seulement à des combinaisons numériques, et un phonème qui n'apparaît qu'une seule fois, mais dans un mot-clé, et dans une position pertinente, sur un fond contrastant, peut prendre un relief significatif. Comme disent les peintres, « un kilo de vert n'est pas plus vert qu'un demi-kilo » (3).

Toute analyse de la texture phonique de la poésie doit systématiquement tenir compte de la structure phonologique de la langue dont il s'agit, et non seulement du code phonologique global, mais aussi de la hiérarchie des distinctions phonologiques dans la tradition poétique. Ainsi les rimes assonancées qu'utilisent les peuples slaves dans la tradition orale et à certaines époques de la tradition écrite admettent des consonnes différentes dans les membres de la rime (comme par exemple en tchèque *boty, boky, stopy, kosy, sochy*) mais, comme l'a remarqué Nitsch, aucune correspondance n'est admise entre consonnes voisées et non-voisées (4), de sorte que les mots tchèques cités ne peu-

---

(1) Mallarmé, « Variations sur un sujet », Pléiade, p. 364.
(2) Cf. B.L. Whorf, *Language, Thought and Reality*, p. 267 sv.
(3) En français dans le texte.
(4) Nitsch, K. « Z historii polskich rymów » *Wybór pism polonistycznych* 1.33-77 (Wroklaw, 1954).

vent rimer avec *body*, *doby*, *kozy*, *rohy*. D'après les observations de
Herzog, dont un bref résumé seulement a été publié (1), dans les
chants de certains peuples indiens d'Amérique tels que les Pima-
Papago et les Tepecano, la distinction phonématique entre plosives voisées et non-voisées et entre plosives et nasales est remplacée par une variation libre, tandis que la distinction entre
labiales, dentales, vélaires et palatales est rigoureusement maintenue. Ainsi, dans ces langues, en poésie, les consonnes perdent
deux traits distinctifs sur quatre : voisé/non-voisé et nasal/oral,et
conservent les deux autres : grave/aigu et compact/diffus. La
sélection et la stratification hiérarchique des catégories agis-
santes constituent un facteur de première importance pour la
poétique, sur le plan phonologique comme sur le plan grammatical.

Dans l'Inde ancienne et le Moyen-Age latin, la théorie littéraire distinguait deux pôles de l'art littéraire, appelés, en sanscrit
Pāñcālī et *Vaidarbhī* et en latin respectivement *ornatus difficilis*
et *ornatus facilis* (2), ce dernier style étant évidemment beaucoup
plus difficile à analyser linguistiquement : en effet dans des formes littéraires de ce genre les procédés linguistiques sont très
sobres et la langue semble n'être plus qu'un vêtement presque
transparent. Mais il faut dire, avec Charles Sanders Peirce, que
« ce vêtement, on ne peut jamais s'en dépouiller complètement,
mais seulement l'échanger contre un autre plus diaphane » (3).
Dans la « composition non versifiée » (*verseless composition*) —
c'est ainsi que Hopkins appelle l'art de la prose — les parallé-
lismes sont moins strictement marqués, moins strictement réguliers que dans le « parallélisme continuel », et il n'y a pas de figure
phonique dominante : aussi la prose présente à la poétique des
problèmes plus compliqués, comme c'est toujours le cas en linguistique pour les phénomènes de transition. Dans ce cas particulier, la transition se situe entre le langage strictement poétique
et le langage strictement référentiel. Mais le travail précurseur de
Propp (4) sur la structure des contes populaires nous montre
comment une approche syntaxique conséquente peut apporter
une aide décisive, même dans la classification des actions tradi-

---

(1) Herzog, G. « Some linguistic aspects of American Indian poetry », *Word*
2.82 (1946).

(2) Voir Arbusow, L. *Colores rethorici*. Göttingen, 1948.

(3) C.S. Peirce, *Collected Papers*, vol. I, p. 171.

(4) Propp, V. « Morphology of the Folktale », *Part III*, *IJAL*, vol. 24, n° 4,
octobre 1958 — *Publication Ten of the Indiana University Research Center in
Anthropology, Folklore and Linguistics.* Pp. X + 134.

tionnelles et dans le relevé des lois déroutantes sur lesquelles reposent le choix et la composition de celles-ci. Dans ses études récentes, Lévi-Strauss (1) applique une méthode beaucoup plus pénétrante mais essentiellement semblable au même problème, celui de la construction du conte et du mythe.

Ce n'est pas un hasard si les structures métonymiques ont été moins explorées que le domaine de la métaphore. J'ai, il y a déjà longtemps, fait remarquer que l'étude des tropes poétiques s'est orientée principalement vers la métaphore, et que la littérature dite réaliste, qui est intimement liée au principe métonymique, continue à défier l'interprétation, alors que la même méthodologie linguistique qui est utilisée par la poétique dans l'analyse du style métaphorique de la poésie romantique est entièrement applicable à la texture métonymique de la prose réaliste (2).

Les manuels croient à l'existence de poèmes dépourvus d'images, mais en fait la pauvreté en tropes lexicaux est contrebalancée par de somptueux tropes et figures grammaticaux. Les ressources poétiques dissimulées dans la structure morphologique et syntaxique du langage, bref la poésie de la grammaire, et son produit littéraire, la grammaire de la poésie, ont été rarement reconnues par les critiques, et presque totalement négligées par les linguistes ; en revanche, les écrivains créateurs ont souvent su en tirer un magistral parti (3).

La force dramatique de l'exorde d'Antoine à l'oraison funèbre de César résulte principalement de la manière dont Shakespeare

---

(1) Cf. Cl. Lévi-Strauss : « Analyse morphologique des contes russes », *International Journal of Slavic linguistics and poetics*, 3 (1960), = « La structure et la forme », *Cahiers de l'Institut de science économique appliquée. Recherches et dialogues philosophiques et économiques*, no 99, mars 1960 (série M, no 7) pp. 3-36 ;

« La geste d'Asdiwal », *Ecole Pratique des Hautes Etudes*, annuaire 1958-1959, pp. 3-43, reproduit dans *Les Temps Modernes*, mars 1961 ;

« La structure des mythes », in *Anthropologie structurale*, pp. 227-255 (Paris 1958).

(2) Cf. ici-même, ch. II, 5e partie.

(3) Sur ce sujet voir notre ouvrage à paraître chez Mouton and Cⁿ, La Haye, *The Poetry of Grammar and the Grammar of Poetry*. NDT : Il s'agit d'un ouvrage comportant une partie théorique, en anglais, et une série d'analyses de poèmes écrits dans diverses langues et datant de diverses époques, du Moyen-Age au XXe siècle ; l'analyse est chaque fois faite dans la langue dans laquelle est écrit le poème. Un extrait de ce livre, écrit en collaboration avec Claude Lévi-Strauss, et qui est une analyse d'un sonnet de Baudelaire, « Les chats », a paru en français dans la revue *L'Homme*, II, 1, 1962.

joue des catégories et constructions grammaticales (1). Marc
Antoine discrédite le discours de Brutus en changeant, en pures
fictions linguistiques, les raisons alléguées pour justifier l'assas-
sinat de César. L'accusation portée par Brutus, *as he was ambitious*,
I slew him (« comme il était ambitieux, je l'ai tué ») est soumise à
des transformations successives. D'abord, Antoine la réduit à
une simple citation, ce qui met la responsabilité de l'affirmation
sur l'orateur cité. « Le noble Brutus//Vous a dit... » Puis cette
référence à Brutus est répétée, opposée aux propres assertions
d'Antoine par un « mais » adversatif et ensuite dégradée par un
« pourtant » concessif. La référence répétée à l'honneur du

---

(1) NDT : Nous donnons les exemples analysés en traduction, étant donné
que les effets relevés par Jakobson sont aisément perceptibles en français.
En revanche, nous donnons ici en entier le texte anglais de l'exorde de Marc
Antoine :

>Friends, Romans, countrymen, lend me your ears ;
>I come to bury Caesar, not to praise him.
>The evil that men do lives after them,
>The good is oft interred with their bones ;
>So let it be with Caesar. The noble Brutus
>Hath told you Caesar was ambitious ;
>If it were so, it was a grievous fault,
>And grievously hath Caesar answer'd it.
>Here, under leave of Brutus and the rest, —
>For Brutus is an honourable man ;
>So are they all, all honourable men, —
>Come I to speak in Caesar's funeral.
>He was my friend, faithful and just to me :
>But Brutus says he was ambitious ;
>And Brutus is an honourable man.
>He hath brought many captives home to Rome,
>Whose ransoms did the general coffers fill :
>Did this in Caesar seem ambitious ?
>When that the poor have cried, Caesar hath wept ;
>Ambition should be made of sterner stuff :
>Yet Brutus says he was ambitious ;
>And Brutus is an honourable man.
>You all did see that on the Lupercal
>I thrice presented him a kingly crown,
>Which he did thrice refused : was this ambition ?
>Yet Brutus says he was ambitious ;
>And, sure, he is an honourable man.
>I speak not to disprove what Brutus spoke,
>But here I am to speak what I do know.
>You all did love him once, not without cause :
>What cause withholds you then to mourn for him ?
>O judgment ! thou art fled to brutish beasts,
>And men have lost their reason. Bear with me ;
>My heart is in the coffin there with Caesar,
>And I must pause till it come back to me.

témoin cesse de justifier le témoignage une fois qu'elle n'est plus
précédée que d'un « et » copulatif au lieu du « car » causal et enfin
quand elle est décidément mise en question par la malicieuse insertion d'un « assurément » modal :

> Le noble Brutus
> Vous a dit que César était ambitieux ;
>
> Car Brutus est un homme honorable,
>
> Mais Brutus dit qu'il était ambitieux,
> Et Brutus est un homme honorable.
>
> Pourtant Brutus dit qu'il était ambitieux,
> Et Brutus est un homme honorable.
>
> Pourtant Brutus dit qu'il était ambitieux,
> Et, assurément, c'est un homme honorable.

Ensuite vient un polyptote — « Je parle... Brutus a parlé... Je
suis ici pour parler... » (*I speak... Brutus spoke... I am to speak*) —
qui présente l'affirmation répétée (« César était ambitieux »)
comme portant sur de simples paroles, non sur des faits. L'effet
réside, comme on dirait en logique modale, dans le contexte
oblique des arguments produits, qui les transforme en opinions
indémontrables :

> Je parle, non pour désapprouver ce dont Brutus a parlé,
> Mais je suis ici pour parler de ce que je sais.

Le procédé le plus efficace au service de l'ironie d'Antoine
consiste à changer le *mode oblique* de certains passages du discours de Brutus en un *mode direct*, dévoilant ainsi, en ces attributs réifiés, de simples fictions linguistiques. A Brutus disant :
« il était ambitieux », Antoine réplique d'abord en transférant
l'adjectif de l'agent à l'action (« Ceci en César semblait-il ambitieux ? ») puis en introduisant le mot abstrait « ambition » pour
en faire d'abord le sujet d'une construction passive concrète
(« L'ambition devrait être de plus rude étoffe ») et ensuite l'attribut d'une phrase interrogative : « Etait-ce là de l'ambition ? » —
L'appel de Brutus : « écoutez-moi plaider ma cause » reçoit pour
réponse le même nom au mode direct, sujet hypostasié d'une
construction interrogative active : « Quelle cause vous empêche...? » Tandis que Brutus appelle : *Awake your senses, that you
may the better judge* « Tenez votre raison en éveil, afin de mieux
juger », le substantif abstrait dérivé de « juger » devient, dans la

bouche de Marc Antoine, un agent, objet d'une apostrophe :
« O jugement, tu t'es réfugié chez les bêtes brutes ». Notons au
passage, dans cette apostrophe, avec la meurtrière paronomase
Brutus-brutes, une réminiscence de l'exclamation d'adieu de
César : *Et tu, Brute* ! Les qualités, les actes, sont exhibés au mode
direct, tandis que les sujets de ces actes et qualités apparaissent,
tantôt au mode oblique (« *vous* empêche », « chez les bêtes brutes »
« jusqu'à ce qu'il *me* revienne ») tantôt comme sujets d'actions
négatives (« les hommes ont perdu », « je dois m'arrêter ») :

> Vous l'avez tous aimé naguère, et non sans cause ;
> Quelle cause vous empêche donc de le pleurer ?
> O jugement, tu t'es réfugié chez les bêtes brutes,
> Et les hommes ont perdu leur raison !

Les deux derniers vers de l'exorde d'Antoine manifestent l'ostensible indépendance de ces métonymies grammaticales. La formule stéréotypée : « je pleure Untel » et cette autre, figurative
mais tout aussi stéréotypée : « Un tel est au tombeau (dans le
cercueil) et mon cœur est avec lui » ou « il a emporté mon cœur
avec lui » font place dans l'exorde d'Antoine à une hardie métonymie ; le trope devient une partie de la réalité poétique :

> Mon cœur est là dans le cercueil avec César,
> Et je dois m'arrêter jusqu'à ce qu'il me revienne.

En poésie, la forme intérieure des mots, autrement dit la charge
sémantique de leurs constituants, retrouve sa pertinence, comme
dans l'une des *Cent phrases pour éventail* de Paul Claudel : « Dialogue de l'éventail et du paravent ». Ou encore, un nom propre
peut retrouver tout le contenu du mot commun dont il est issu,
comme dans ce raccourci saisissant, dans la *Ballade des Dames
du Temps Jadis* de Villon : « La reine Blanche comme lis... » (1).

En 1919, le Cercle Linguistique de Moscou s'efforçait de définir et de délimiter le champ des *epitheta ornantia*. Mais le poète
Maïakowski nous en blâma, disant que pour lui, dès qu'on était
dans le domaine de la poésie, n'importe quel adjectif devenait
par le fait même une épithète poétique, même « grand » dans
« la Grande Ourse » ou encore « grand » et « petit » dans des noms
de rues de Moscou tels que *Bol'shaja Presnja* et *Malaja Presnja*.

----

(1) NDT : Nous avons écourté et transformé ce paragraphe, substituant des
exemples français au bref commentaire que faisait Jakobson de deux poèmes,
l'un de McHammond, l'autre de Wallace Stevens, qui tournent autour de jeux
de mots intraduisibles.

En d'autres termes, la poésie ne consiste pas à ajouter au discours des ornements rhétoriques : elle implique une réévaluation totale du discours et de toutes ses composantes quelles qu'elles soient.

En Afrique, un missionnaire blâmait ses ouailles de ne pas porter de vêtements. « Et toi-même », dirent les indigènes, en montrant sa figure, « n'es-tu pas, toi aussi, nu quelque part ? » « Bien sûr, mais c'est là mon visage ». « Eh bien » répliquèrent-ils, « chez nous, c'est partout le visage. » Il en va de même en poésie : tout élément linguistique s'y trouve converti en figure du langage poétique.

J'ai donc essayé devant vous de soutenir le droit et le devoir, pour la linguistique, d'entreprendre l'étude de l'art du langage sous tous ses aspects et dans toute son étendue ; en guise de conclusion, je pourrais reprendre la maxime qui résumait mon rapport à la Conférence qui se tint ici-même, à l'Université d'Indiana, en 1953 : « Linguista sum ; linguistici nihil a me alienum puto » (1). Si le poète Ransom a raison — et il a raison — de soutenir que « la poésie est une sorte de langage » (2), le linguiste, dont l'objet d'étude embrasse toutes les formes de langage, peut et doit inclure la poésie dans ses recherches. La présente conférence a clairement montré que le temps où les linguistes aussi bien que les historiens de la littérature éludaient les questions de structure poétique est heureusement loin derrière nous. En vérité, comme le disait Hollander, « il semble n'y avoir aucune raison valable pour séparer les questions de littérature des questions linguistiques en général ». S'il est encore des critiques pour douter de la compétence de la linguistique en matière de poésie, je pense à part moi qu'ils ont dû prendre l'incompétence poétique de quelques linguistes bornés pour une incapacité fondamentale de la science linguistique elle-même. Chacun de nous ici, cependant, a définitivement compris qu'un linguiste sourd à la fonction poétique comme un spécialiste de la littérature indifférent aux problèmes et ignorant des méthodes linguistiques sont d'ores et déjà, l'un et l'autre, de flagrants anachronismes.

---

(1) Cf. ch. I du présent volume, p. 27.
(2) J.C. Ransom, *The World's Body*, New York, 1938.

APPENDICES

APPENDICES

A. — Liste des abréviations

AA. : *American Anthropologist*, New York.
ANPE : *Archives néerlandaises de phonétique expérimentale.*
ANSSR : *Akademia Nauk SSSR, Otdelenie literatury i jazyka.*
BSL : *Bulletin de la Société de linguistique de Paris.*
CFS : *Cahiers Ferdinand de Saussure*, Genève.
FRJ : *For Roman Jakobson*, La Haye, 1956.
IJAL : *International Journal of American Linguistics*, Baltimore.
JASA : *Journal of the Acoustical Society of America*, New York.
Lg : *Language*, Baltimore.
MIT : *Massachusetts Institute of Technology*, Cambridge, Mass.
NTSV : *Norsk Tidsskrift for Sprogvidenskap*, Oslo.
SL : *Style in Language*, éd. par T.A. Sebeok, New York, 1960.
TCLC : *Travaux du Cercle Linguistique de Copenhague.*
TCLP : *Travaux du Cercle Linguistique de Prague.*

B. — Bibliographie abrégée de Roman Jakobson

La liste des publications de Roman Jakobson étant très longue, on ne trouvera ici que les titres les plus importants. Pour une bibliographie complète jusqu'à l'année 1956, voir *For Roman Jakobson*, ouvrage collectif d'hommages, offert à Jakobson à l'occasion de ses soixante ans, et publié par Mouton and Cº, La Haye. De plus, là où il existe plusieurs versions successives d'un même travail, nous n'avons retenu que la dernière (exemple : 1949, a, b, c).

1919 : « Futurizm », *Isskusstvo*, Moscou, 2 août.

1921 : *Novejšaja russkaja poèzija. Viktor Xlebnikov*, Prague, 68 pp.

1922 : « Brjusovskaja stixologija i nauka o stixe », *Naučnye Izvestija*, II, Moscou, 222-240.

1923 (a)   (avec P. Bogatyrev) : *Slavjanskaja filologija v Rossii za gody vojny i revoljucii*, Berlin, 63 pp.

   (b) : *O češskom stixe, preimuščestvenno v sopostavlenii russkim (= Sborniki po teorii poètičeskogo jazyka*, V*)*, Berlin-Moscou, 120 pp. (version tchèque revue, sous le titre *Zaklady českeho verše*, Prague, 1926, 140 pp.)

1927 (a) : « Pro realizm u mystectvi », *Vaplite*, Kharkov, n° 2, 163-170.

   (b) : *Spor duše s tělem* ; *O nebezpečném času smrti* (= *Národni knihovna*, IV), Prague, 111 p.

1928 (a) : « Quelles sont les méthodes les mieux appropriées à un exposé complet et pratique de la grammaire d'une langue quelconque ? » *Premier Congrès International des Linguistes*, *Propositions*, Nimègue, 36-39, et *Actes du Premier Congrès International des Linguistes*, 33-36 (N.S. Troubetzkoy et S. Karcevski joignirent leur signature).

   (b) (avec J. Tynjanov) : « Problemy izučenija literatury i jazyka », *Novyi Lef*, 12 : 36-7, repris dans *Teória literatúry*, éd. M. Bakoš, Trnava, 1941, 101-3.

1929 (a) (avec P. Bogatyrev) : « Die Folklore als eine besondere Form des Schaffens », *Donum Natalicium Schrijnen*, Nimègue-Utrecht, 900-13.

   (b) : *Remarques sur l'évolution phonologique du russe comparée à celle des autres langues slaves* (= *TCLP*, II), 118 pp.

   (c) : « Über die heutigen Voraussetzungen der russischen Slavistik », *Slavische Rundschau*, 1 : 629-46.

1930 :   « Von einer Generation, die ihre Dichter vergeudet hat », *Slavische Rundschau*, 2 : 481-95.

1931 (a) : « O pokolenii, rastrativšem svoix poètov », *Smert' Vladimira Majakovskogo*, Berlin, 7-45 (= 1930 augmenté).

   (b) : *K xarakteristike evrazijskogo jazykovogo sojuza*, Paris, 59 pp.

   (c) : « Die Betonung und ihre Rolle in der Wort- und Syntagmaphonologie », *TCLP*, IV, 164-83.

1932 (a) : « Zur Struktur des russischen Verbums », *Charisteria Mathesio oblata*, Prague, 74-84.

   (b) : « Fonema », *Ottův slovník naučný*, Dodatky, 2 : 608.

1933 (a) : « Über den Versbau der Serbokroatischen Volksepen »
            *Proceedings of the first International Congress of Pho-
            netic Sciences*, Amsterdam (= *ANPE*, VII-IX, 1933),
            44-53.

    (b) :   « Úpadek filmu ? » *Listy pro umění a kritiku*, Prague,
            1 : 45-9.

1933-34 :   « Co je poesie ? » *Volné směry*, Prague, 229-39 (repris
            dans *Teória literatúry*, éd. M. Bakoš, Trnava, 1941,
            170-81).

1935 :   « Randbemerkungen zur Prosa des Dichters Paster-
            nak », *Slavische Rundschau*, 7 : 357-74.

1936 (a) : « Poznámky k dílu Erbenovu : I. O mythu ; II. O
            verši », *Slovo a slovesnost*, 2 : 152-64, 218-29.

    (b) :   « Beitrag zur allgemeinen Kasuslehre (Gesamtbedeu-
            tung der russischen Kasus) » *TCLP*, VI, 240-88.

    (c) :   « Na okraj lyrických básní Puškinových », *Vybrané,
            spisy A.S. Puškina*, éd. A. Bém. et R. Jakobson, I,
            Prague, 259-67, et *Listy pro umění a kritiku*, IV,
            1936, 389-92.

1937 (a) : « Socha v symbolice Puškinově », *Slovo a slovesnost*, 3 :
            2-24.

    (b) :   « Über die Beschaffenheit der prosodischen Gegen-
            sätze, » *Mélanges de linguistique et de philologie offerts
            à J. van Ginneken*, Paris, 25-33.

    (c) :   « Na okraj Eugena Oněgina », *Vybrané spisy A.S.
            Puškina*, éd. A. Bém. et R. Jakobson, III, 257-65.

1938 (a) : « K Puškinovým ohlasům lidové poesie », *Vybrané...*,
            IV, 248-54.

    (b) :   « K popisu Máchova verše », *Torso a tajemství Máchova
            díla*, Prague, 207-78.

1939 (a) : « Observations sur le classement phonologique des
            consonnes », *Proceedings of the third International Con-
            gress of Phonetic Sciences*, Gand, pp. 34-41.

    (b) :   « Signe zéro », *Mélanges Bally*, Genève, pp. 143-152.

1941 :   *Kindersprache, Aphasie und allgemeine Lautgesetze*,
            Uppsala, 83 pp. (= *Uppsala Universitets Årsskrift*,
            9, 1942).

1942 :   « The Paleosiberian Languages », *AA*, 44 : 602-20.

1944 :   « Franz Boas' Approach to Language », *IJAL*, 10 :
            188-95.

1945 :   « On Russian Fairy Tales », *Russian Fairy Tales*,
            Pantheon, New York, pp. 631-56.

1948 (a) : *La Geste du Prince Igor*, sous la direction de Henri
            Grégoire, Roman Jakobson et Marc Szeftel (= *An-
            nuaire de l'Institut de Philologie et d'Histoire Orien-
            tales et Slaves*, Université Libre de Bruxelles, VIII),
            New York.

   (b) :   « Russian Conjugation », *Word*, 4 : 155-67.

1949 (a) : « Principes de phonologie historique », in : Troubetz-
            koy, N., *Principes de phonologie*, tr. fr., pp. 315-36
            (traduction d'un texte allemand de 1931, *TCLP* IV).

   (b) :   « Sur la théorie des affinités phonologiques entre les
            langues », *ibid.*, pp. 351-65 (version remaniée d'un
            texte de 1938, cf. *Actes du quatrième Congrés Inter-
            national des Linguistes*).

   (c) :   « Les lois phoniques du langage enfantin et leur place
            dans la phonologie générale », *ibid.*, pp. 367-79 (ver-
            sion remaniée d'un texte de 1939, cf. *Actes du cin-
            quième Congrés International des Linguistes*).

   (d)   (avec John Lotz) : « Note on the French phonemic
            pattern », *Word*, 5 : 151-8.

   (e) :   « The phonemic and grammatical aspects of language
            in their interrelations », *Actes du sixième Congrès Inter-
            national des Linguistes* (Paris, juillet 1948), Paris,
            5-18 et 601 (= ch. VIII du présent volume).

   (f) :   « On the identification of phonemic entities », *TCLC*,
            V, pp. 205-13.

   (g) (avec Marc Szeftel) : « The Vseslav Epos », *Russian
            Epic Studies*, éd. par R. Jakobson et E.J. Simmons
            (= *Memoirs of the American Folklore Society*, XLII,
            1947), Philadelphie.

1950 (a) : « Slavic Mythology », *Funk and Wagnall Standard
            Dictionary of Folklore, Mythology and Legend*, II,
            New York, 1025-8.

   (b) :   « Les catégories verbales », *CFS*, IX, 6.

1951 :   « On the correct presentation of phonemic problems »,
            Symposium, 4 : 328-35.

1952 (a) : « Langues paléosibériennes », *Les Langues du Monde*, Paris, pp. 276-8 et 403-31.

(b) (avec John Lotz) : « Axioms of a versification system exemplified by the Mordvinian Folksong », *Acta Instituti Hungarici Universitatis Holmiensis*, pp. 5-13.

(c) (avec G. Fant et M. Halle) : *Preliminaries to Speech Analysis* (= Acoustics Laboratory, *MIT*, *Technical Report*, 13) ; 4e éd., 1962 ; 8 + 58 pp.

(d) : « Studies in comparative Slavic metrics », *Oxford Slavonic Papers*, 3 : 21-66.

1953 (a) (avec E.C. Cherry et M. Halle) : « Toward the logical description of languages in their phonemic aspect », *Lg*, 29 : 34-46.

(b) : « The kernel of comparative Slavic literature », *Harvard Slavic Studies*, I, 1-71.

(c) : *Results* of the Conference of Anthropologists and Linguists (= *Indiana University Publications in Anthropology and Linguistics*, Memoir 8, ch. II, 11-21 (= ch. I du présent volume).

(d) : « The Yiddish sound pattern and its Slavic environment », *Yidische shprakh*, 13 : 70-83.

1955 : *Slavic Languages : a Condensed Survey*, Columbia University, New York, 36 pp.

1956 (a) : *Fundamentals of Language* (avec M. Halle), La Haye (= ch. II et VI du présent volume).

(b) : « Novye stroki Majakovskogo : I. Tekst i primečanija ; II. Komentarij k pozdnej lirike Majakovskogo », *Russkij literaturnyj arxiv* (publié sous les auspices du Harvard College Library et du Département des langues et littératures slaves de Harvard University), I, pp. 173-206.

1957 (a) : *Shifters, Verbal Categories, and the Russian Verb* (Russian Language Project, Department of Slavic Languages and Literatures, Harvard University) 14 p. (= ch. IX du présent volume).

(b) : « The relationship between genitive and plural in the declension of Russian nouns », *Scando-Slavica*, t. III, pp. 181-186.

(c) : « Mufaxxama — the ʹemphaticʹ phonemes in Arabic », *Studies presented to Joshuah Whatmough*, (La Haye), pp. 105-115.

(d) (avec G. Hüttl-Worth et J.F. Beebe) : *Paleosiberian Peoples and Languages*, A Bibliographical Guide (New Haven), 222 p., avec « A short sketch of the Paleosiberian Peoples and Languages », par R. J., pp. 218-222.

(e) : « Notes on Gilyak », *The Bulletin of the Institute of History and Philology*, Academia Sinica, vol. XXIX. Studies presented to Yuen Ren Chao, pp. 255-281.

1958 (a) : « Typological studies and their contribution to historical comparative linguistics », *Proceedings of the VIIIth International Congress of Linguists*, 1957 (Oslo) pp. 17-25 (= ch. III du présent volume).

(b) : « Izučenie Slova o polku Igoreve v Soedinennyx Štatax Ameriki », *Trudy Otdela drevnerusskoj literatury AN SSSR, vol. XIV*, pp. 103-121.

(c) : « Morfologičeskie nabljudenija nad slavjanskim skloneniem », *American Contributions to the IVth International Congress of Slavists* (La Haye) pp. 127-156 (et séparément — 30 p.) avec un résumé en anglais « Morphological inquiry into Slavic declension », pp. 154-156.

(d) : « Medieval mock mystery (The Old Czech Unguentarius), *Studia Philologica et Litteraria in Honorem L. Spitzer* (Berne) pp. 245-265.

1959 (a) : « On linguistic aspects of translation », *On Translation* (Harvard University Press) pp. 232-239 (= ch. IV du présent volume).

(b) : « Boas' view of grammatical meaning », *AA*, vol. 61, part 2, The anthropology of Franz Boas, pp. 139-145 (= ch. X du présent volume).

1960 (a) : « Linguistics and Poetics », *Style in Language*, ed. by T.A. Sebeok (New York) pp. 350-377 (= ch. XI du présent volume).

(b) : « Stroka Maxi o zove gorlicy », *International Journal of Slavic Linguistics and Poetics*, 3, pp. 89-108.

(c) : « Why 'Mama' and 'Papa' », *Perspectives in Psychological Theory*, Essays in Honor of Heinz Werner (New York) pp. 124-134.

1961 (a) : « Linguistics and Communication Theory », Structure of Language and its Mathematical Aspects, Edited by R. Jakobson. *Proceedings of Symposia in Applied Mathematics*, vol. XII (American Mathematical Society) pp. 245-252 (= ch. V du présent volume).

(b) : « The Slavic response to Byzantine poetry », *XIIe Congrès International des Etudes Byzantines, Rapports* (Belgrade) pp. 249-265.

1962 (a) : « Poèzija grammatiki i grammatika poèzii », *Poetics, Poetyka, Poetika* (Varsovie) pp. 397-417.

(b) : *Studies in Russian Philology* (l. K lingvističeskomu analizu russkoj rifmy ; 2. O. morfologičeskom sostave drevnerusskix otčestv), Ann Arbor, 26 p.

(c) (avec Cl. Lévi-Strauss) : « Les Chats» de Charles Baudelaire, *L'Homme*, II, 1, pp. 5-21.

(d) (avec A. Sommerfelt) : « On the role of word pitch in Norwegian verse », *Lingua*, vol. XI, *Studia gratulatoria* dédiées à A.W. de Groot, pp. 205-216.

(e) : *Selected Writings*, I : Phonological Studies (La Haye) X + 678 p. Comprenant les inédits suivants : « Zur Struktur des Phonems », (1939) pp. 280-310 ; « Die urslavische Silben *ūr-, ūl-*,» pp. 546-549; (avec M. Halle) « Tenseness and Laxness », pp. 550-555 (= ch. VII du présent volume) ; « Izbytočnye bukvy v russkom pis'me », pp. 556-567 ; « Retrospect », pp. 629-658.

(f) : avec B. Casacu) : « Analyse du poème *Revedere* de Mihai Eminescu », *Cahiers de linguistique théorique et appliquée*, I (Bucarest) pp. 47-54.

(g) : « Parts and Wholes in Language », *Parts and Wholes*, éd. par D. Lerner (New York - Londres) pp. 157-162.

1963 (a) : « Struktura dveju srbohrvatskih pesama », *Zbornik za filologiju i lingvistiku*, IX (Novi Sad) pp. 128-136.

(b) : « Implications of language universals for linguistics », *Universals of Language* (Cambridge, Mass.) pp. 208-219.

TABLE DES MATIÈRES

QUATRIÈME PARTIE

POÉTIQUE

APPENDICES

ACHEVE D'IMPRIMER
LE 24 MAI 1968
PAR JOSEPH FLOCH
MAITRE - IMPRIMEUR
A MAYENNE
N° d'édition : 669

Imprimé en France